Francisco Izidoro

No tempo certo do jeito certo e com a pessoa certa

O jovem crente e o namoro

2ª edição | março de 2015

Diagramação:
Zânder Soares

Capa:
Zânder Soares

Dedico este livro aos meus filhos – Lucas e Diogo – que são bênçãos em minha vida, frutos do meu casamento com Deiva Ramos Rangel Izidoro, que tem sido uma companheira e amiga. Uma mãe amorosa e uma serva dedicada.

Dedico também às minhas noras, que "são filhas" que Deus me deu. Kíssila, esposa do Diogo e Stephane, esposa do Lucas.

SUMÁRIO

PREFÁCIO

Não tive o privilégio de nascer em um lar cristão, em que meus pais me ensinassem desde cedo a fazer escolhas e conduzir minha vida guiado por princípios bíblicos. Filho de pais divorciados, que não alcançaram o sucesso no relacionamento, cresci em um ambiente totalmente sem referência de namoro, noivado e casamento. Nestes assuntos, meus padrões seguiam os valores do mundo, em que o mais importante era curtir! Relacionamentos sem compromisso, baseados em aparência, muitas vezes influenciados pela pressão dos amigos e busca pela autoafirmação.

Como consequência, passei por infelicidades e adversidades desnecessárias, principalmente quando ingressei no meu primeiro namoro. Entrei naquele relacionamento tão sem parâmetros, que acabei machucando e sendo muito machucado. Não conhecia a Deus nem o seus planos para a minha vida. Não sabia como me comportar em um namoro e as referências que tinha não eram saudáveis ou dignas de serem copiadas.

Feliz o dia em que fui convidado para uma casa, e ali, em um ambiente acolhedor, me falaram pela primeira vez, com clareza, sobre um Deus vivo e real que havia enviado seu único filho, Jesus Cristo, para morrer na cruz por mim e perdoar meus pecados. Descobri naquela tarde que Jesus tinha um plano para minha vida, que Ele queria morar no meu coração e ter um relacionamento comigo. Naquela mesma hora fiz uma oração convidando Jesus para entrar em minha vida e comecei a experimentar uma verdadeira transformação.

Ao crescer em intimidade com Cristo, percebi que os valores e conceitos que tinha a respeito de namoro e tantas outras coisas, eram bem diferentes do padrão bíblico. Eu necessitava de orientação e esclarecimento para desfrutar de tudo aquilo que Deus tinha para mim, mas ainda não sabia quais passos deveria dar.

Penso que um livro como esse era tudo que eu precisava ter lido naquela época. Como minha caminhada teria sido mais fácil e bem sucedida se eu tivesse tido acesso a um material de tamanha importância logo no começo da minha conversão.

Hoje, anos depois, como pastor de centenas de jovens, vejo que muitos enfrentam as mesmas dificuldades pelas quais eu passei. Por falta de orientação, jovens acabam reproduzindo comportamentos distorcidos e trazem uma carga de princípios equivocados para dentro do relacionamento.

Parabenizo e honro meu amigo, o experiente e sábio pastor e escritor Francisco Izidoro, pela brilhante iniciativa de relançar o livro "O Jovem Cristão e o Namoro", em resposta a uma das grandes necessidades da juventude nos dias de hoje.

Escrito de uma forma muito precisa, este livro apresenta posicionamentos claros e pertinentes que todo jovem precisa saber para desfrutar de um namoro saudável.

Se você está em busca de orientação para sua vida sentimental e deseja obter respostas sobre: Como escolher a pessoa certa para namorar? Como iniciar um namoro? Qual a vontade de Deus para o namoro? Como se comportar no namoro?

Como lidar com o termino do namoro? Entre outras perguntas, este livro foi escrito especialmente para você!

A cada capítulo você encontrará esclarecimento, direção e, certamente, será encorajado e desafiado a elevar o nível do seu namoro, de forma a alcançar tudo aquilo que Deus sonha para você.

Espero que você seja impactado a partir dessa leitura, assim como eu fui. Te encorajo, caro leitor, a mergulhar de cabeça nesse livro e desfrutar de diversos conceitos valiosos à luz da Bíblia.

É chegado o tempo de mudança! É tempo de uma geração santa se levantar e honrar a Deus no namoro e em todas as áreas de sua vida.

Faça agora mesmo uma oração, pedindo ao Espírito Santo que o guie nessa jornada, firmando em seu coração valores eternos.

Que Jesus te abençoe!

Pr. Leonardo Soares de Matos
Igreja Batista Central de Belo Horizonte

INTRODUÇÃO

Quando Deus criou o ser humano, dotou-o de mecanismos especiais que exercem atração entre os sexos. Trata-se de um conjunto de sentimentos e emoções, inclusive o sexo, que levam o rapaz a sentir forte atração por uma garota e vice-versa. Não é difícil compreender por quais razões um rapaz sente atração por uma moça: ela é essencialmente bonita, dotada de aspectos estéticos de beleza; assim, seu olhar, sua pele, seus olhos, seus cabelos, seu andar, seus trejeitos, tudo, enfim, sugere beleza e encantamento. É um tanto mais difícil entender por que uma moça sente atração por um rapaz: sua pele é áspera, seu rosto meio-redondo-meio-quadrado, pernas francamente horríveis, às vezes não tem cabelos e, via de regra, é completamente fora de esquadro... Não obstante, a moça olha para um tipo assim e o imagina um Adônis. Qual será o mecanismo que leva a moça a encantar-se pelo feioso rapaz? Quando Deus criou o primeiro casal, disse à mulher: **"...e ele te governará" (Gênesis 3:16c).** A idéia de governo envolve liderança e é isto algo que Deus quis inserir no casamento: alguém, no caso o marido, assumindo a liderança do lar.

A lista de características de uma liderança é mais ou menos extensa segundo cada especialista. Gosto da enumeração dada por **Ordeway Tead.** Segundo ele, uma liderança desejável incluirá: (1) Energia física e nervosa; (2) Sentido de objetivo e direção; (3) Entusiasmo; (4) Cordialidade e afeição; (5) Integridade; (6) Competência; (7) Poder de decisão; (8) Inteligência; (9) Habilidade de ensinar; (10) Fé.

A moça deseja ver, no homem de sua vida, condições para assumir o papel de líder, a fim que ela encontre a equação para sua existência. O casamento transmite à mulher um senso de realização, de estabilidade, de equilíbrio e proteção. Afinal, parece-nos que, algumas vezes, quanto mais feio é o homem, mais senso de proteção ele transmite...

É notório que vivemos numa sociedade muito complexa e difícil. Padrões morais foram banidos e muitos "marcos de referência" foram retirados. Uma neo-sexualidade tomou conta de todos os escaninhos da sociedade. A perversão do sexo é a tônica deste final de século.

Na área do **namoro** a gritante permissividade é o veículo para o descaminho e a miséria moral. Se o começo é mau, o que vem depois será pior, pois toda prática mundana no namoro conspira contra a estabilidade do lar e da família. Diante disto é que o jovem crente terá de definir suas atitudes e comportamento.

PERGUNTA: A BÍBLIA FALA SOBRE NAMORO?

Resposta: Você não vai encontrar a palavra namoro na Bíblia pela mesma razão por que não encontra a expressão Escola Bíblica Dominical. Namoro, assim como Escola Bíblica Dominical não fazia parte da sociedade dos tempos bíblicos. Naquela época, a maioria dos casamentos eram arrajados pelos pais. Confirme lá em **Gênesis 24.**

Não seria ótimo se fosse assim hoje em dia? Pense nisso! Nada de preocupações com medo de ficar para titia. Nada de problemas para arrumar companhia para ir à festas. Nada de pressões dos amigos para sair com qualquer um. Nada de sextas-feiras à noite sem nada para fazer.

Entretanto, tudo tem seus prós e contras. O parceiro que seus pais talvez escolham para você pode ter sido o bebê mais lindo da cidade, mas nunca se sabe se quando estiver no colegial ainda vai estar chupando o dedo. Ou eles podem ter escolhido uma garota que já tem l,80 m de altura (e continua crescendo), enquanto você já parou nos 1,60m.

Diante dessas alternativas, você deve estar bastante satisfeito com o sistema de namora dos nossos dias. Além do mais, seus pais não conseguem nem escolher o tipo de roupa que você gosta, como é que eles seriam capazes de escolher o tipo de pessoa com quem gostaria de se casar?

Apesar de não encontrarmos a palavra "namoro" na Bíblia, encontramos quase em todas as páginas, versículos que se aplicam ao seu relacionamento de namoro. Neste livro, chamaremos a atenção para muitos deles.

Pr. Francisco Izidoro

CAPÍTULO 01

A QUESTÃO DO NAMORO

PARA COMEÇAR

Olhos se cruzam, um certo charme paira no ar, e aquele sorriso discreto traz um clima de expectativa e surpresa... a paquera está rolando! Podemos dizer que ela é a antessala de um namoro. É o momento para conversar, conhecer o outro, encontrar afinidades, saber seus sonhos e alvos.

Mas sempre de uma forma discreta, pura e sem malícia. Apenas o descobrir de uma nova amizade, sem a preocupação de um envolvimento físico. Assim, depois de muita observação de valores, pode chegar-se à conclusão sobre se vale ou não a pena investir em tal pessoa e se há retorno por parte dela.

O QUE É NAMORAR? PORQUE NAMORAR?

Já parou para pensar sobre isto? Por que e para que você namora? Segundo os dicionários namoro tem conceitos semelhantes ao de flertar, paquerar enamorar ou namoricar que significam: apaixonar, cativar, desejar ardentemente, empregar todos os esforços para ficar encantado, namoro por pouco tempo, amizade leviana e distrair-se com sentimentos de outrem, etc... Se você ficou assustado, ficará, ainda mais, quando souber a origem verdadeira e literal da palavra namoro. Vem do latim *fazere amore* que significa: Fazer amor. Isso compreende desde carícias e beijos até o ato sexual. Do ponto de vista de Deus sexo é no casamento e ponto final.

Quero usar o termo namoro no sentido puro e simples da relação interpessoal que tem como função a experimentação sentimental (sem nenhuma conotação sexual).

Hoje em dia, confunde-se namoro com flerte, aventura e relacionamento sem compromisso. O chamado "ficar" parece ter chegado para ficar. É comum ouvir jovens dizendo: "Eu só fiquei com ele naquele dia; não foi nada sério".

Mas o namoro (namoro, mesmo!) é uma das etapas necessárias para um feliz casamento. É a fase do conhecimento, que precede o período de preparação, o noivado. Na palavra "namoro" está contido "amor", evidenciando que não se trata de um período sem importância. O NAMORO verdadeiro é para pessoas que se amam, e não para aquelas que apenas têm uma atração passageira.

O namoro é tempo das descobertas. Descobir o máximo sobre o outro: sua personalidade, temperamento, caráter, afinidades e hábitos. Além disso, examinar se virão a ter maiores problemas nas diversas áreas da vida como: nível econômico, cultural, social, educacional, familiar, religioso, faixa etária etc...

O namoro também tem o propósito de oferecer uma oportunidade para se desenvolver amizade e companheirismo sadio.

As pessoas que souberem encarar o namoro com seriedade e compromisso aproveitarão com maior intensidade as emoções que o amor traz nesta fase da vida.

É certo que a maioria das pessoas se casa. Casar é estado normal ordenado por Deus. Segundo a Bíblia, o celibato é exceção. O casamento, segundo o plano bíblico, visa completar a personalidade dos parceiros.

Ilustrando:

Certo jovem queria namorar uma moça, e esta lhe impôs uma condição: "Eu quero que você converse com o meu pai". O rapaz concordou e pediu permissão ao pai da jovem para namorá-la. Começou, então, o interrogatório:

— *Você trabalha?* — perguntou o pai da jovem.

— *Não, mas Deus vai me ajudar* — respondeu o rapaz.

— *Você estuda?*

— *Não, precisei parar. Mas Deus vai me ajudar.*

— *Você tem idéia de como sustentará uma família?*

— *Não, mas tenho certeza de que Deus me ajudará...*

Ao ouvir as repetitivas respostas, o pai disse à moça:

— *Minha filha, eu não sabia que agora eu sou Deus...*

Motivos errados para namorar

Cuidado com as motivações erradas para namorar! Quero mostrar a você algumas das motivações e influências erradas que tenho visto e que influenciam os jovens em suas escolhas:

Emulação

O sentimento de rivalidade ou competição tem levado muitos jovens a iniciarem um namoro. Pensam que não podem ficar atrás, pois todos os demais já namoram. Outros há que começam um namoro com a ideia de provocar ciúmes em terceiros – quem sabe, um antigo namorado ou namorada.

Autoafirmação

Jovens sem orientação firme tendem a usar o namoro como instrumento de autoafirmação. Seja porque têm dúvidas quanto à sua masculinidade ou feminilidade, seja porque outras pessoas colocam suas dúvidas sobre eles.

Muitas moças, com medo de ficar "titia", procuram desesperadamente autoafirmar-se iniciando um namoro – não importando com quem seja. Por outro lado, há aqueles rapazes e moças que, oriundos de lares problemáticos, desejam namorar como forma de romper com os laços paternos, buscando, assim, uma libertação das pressões existentes em seus lares; geralmente, estes jovens usam o tempo de namoro para desabafar no parceiro os seus traumas, criando situações difíceis no relacionamento a dois.

São jovens dominadores, visando o parceiro como objetivo para dominar, pressionar ou castigar. Meio passo para o recrudescimento de um comportamento anômalo.

Indução

Quantos desastrosos namoros já existiram por causa das sugestões de terceiros! Muitas vezes, são as próprias mães que começam a "empurrar" as filhas em direção a algum bonitão que chegou à igreja.

Há a considerar, também, que toda a literatura mundana conspira contra o bom namoro. Verdadeira avalanche de revistas românticas existe no mercado. É triste ver jovens, na maioria moças, lendo e absorvendo conceitos mundanos e pecaminosos e tomando-os como base para a vida sentimental.

E o que dizer das novelas de televisão? São montadas à base da exploração dos sentimentos e do sexo. Todo o enredo gira em torno de "quem roubará o marido de quem?"

Se assim não for, dizem, não haverá audiência e as pesquisas indicarão desinteresse por parte do telespectador. Mas há, ainda, outra nefasta fonte de indução ao namoro: os signos do zodíaco o a indústria do horóscopo. É incrível a influência exercida por estas superstições, tidas como científica.

Jovens, iniciam um laborioso trabalho na busca do suposto parceiro, baseados tão somente em argumentos como: "leão não combina com escorpião" ou, ainda, porque cabrito não dá certo com jacaré...

Vazão da imoralidade

A inversão dos valores morais tem levado o jovem dos nossos dias a ter ideia errada a respeito desta romântica etapa da vida.

Namorar hoje significa praticar a exploração do corpo da namorada. Um pensamento machista conclui que, quanto à mulher, "usa-se uma vez e depois se joga fora".

Rapazes sofrem do "Complexo de Dom Juan", grosseira tendência para colecionar namoradas. Um namoro estabelecido nestas bases trará dissabores e angústias, cujas marcas serão permanentes até o final da vida.

Pressão Social

Algumas pessoas esperam que o casamento as coloque numa posição social melhor. Assim sendo, escolhem namorados e futuros cônjuges que lhes deem um maior respeito e honra em suas comunidades. Este é um motivo muito errado para o namoro e o casamento.

Medo de perda

Muitas vezes os rapazes são levados a fazerem uma escolha apressada com relação às namoradas e futuras esposas porque têm medo de perderem uma certa moça. Isto não é certo. Não funciona! Não seja forçado a tomar uma decisão antes do tempo de Deus.

Emoções

Outro erro que geralmente leva os jovens a fazerem uma escolha errada é o súbito acometimento de emoções. Isto acontece quando um rapaz vê uma garota e rapidamente desenvolve sentimentos sonhadores com relação a ela, que não se baseiam num verdadeiro amor e sim na Estética. Na aparência física...

Outros motivos

A lista não pretende ser exaustiva; entretanto, ainda desejo mencionar os que iniciam um namoro apenas ***como divertimento ou passatempo***. Sentem-se ociosos, presos a um senso de inutilidade e, então, para preencher o vazio existente, começam a namorar.

Há, ainda, quem se atire ao namoro com total inconsequência. Certa vez, numa sessão de aconselhamento a um rapaz, ocorreu o seguinte diálogo:

— *Você está namorando?*

— *Sim* – disse ele.

— *Você gosta de sua namorada?*

— *Não sei.*

— *Afinal, por que vocês estão namorando?*

— *Não sei (!)*

Namorar sem compromisso. Namorar para passar o tempo...

Cortejar, namorar ou ficar?

Estamos vivendo dias terríveis onde, cada vez mais, os jovens crentes se veem tentados a imitar o estilo de namoro pervertido oferecido pelo mundo.

Existe hoje, uma grande discussão nas igrejas sobre como deve ser o namoro de um jovem cristão. **E as opções são básicamente três: cortejar, namorar ou ficar.**

Cortejar é desenvolver um relacionamento de amizade entre duas pessoas para que ambas aprofundem seu conhecimento um do outro até que chegue o momento onde o próprio Deus dirá se, ou quando esta amizade deve se encaminhar para um casamento.

Namorar é o conhecido namoro tradicional onde os jovens se sentem atraídos e impressionados com a aparência um do outro, procuram saber um pouco mais através de amigos ou da própria pessoa e logo oficializam uma relação, passando, a partir daí, a se beijarem, abraçarem e a serem vistos juntos com a promessa de não se envolverem com nenhuma outra pessoa senão aquela.

Ficar é o famoso «rolo» e acontece quando dois jovens se olham e, sem nenhum conhecimento prévio da outra pessoa, imediatamente começam a se beijar e abraçar para satisfazer uma "necessidade de momento". Muitas vezes esses beijos e abraços se transformam em "sarro" e não poucas vezes acabam na prática do sexo propriamente dito. É bom lembrar que após os beijos, abraços e qualquer coisa mais, não haverá qualquer compromisso ou fidelidade amorosa entre ambos, pois, como um rapaz me disse certa vez, "eu não quis nem saber o nome dela".

Diante destas opções, fica a pergunta: Qual dessas é a melhor forma para dois jovens cristãos se envolverem sentimentalmente? Qual dessas é a melhor ponte para um casamento feliz?

Dentro das igrejas a discussão gira em torno do **namoro e da corte,** porque ficar simplesmente não é uma opção válida. É uma prática carnal, pecaminosa e antibíblica. Muitos pais, pastores e líderes cristãos se esquecem que, às vezes, por causa da pressão dos amigos, por curiosidade, ou mesmo por causa de um esfriamento espiritual, vários jovens cristãos têm optado por ficar, ainda que na clandestinidade. Ainda que para a igreja esta nem sequer SEJA uma opção, TEMOS que considerá-la, já que tantos têm procurado esta forma de envolvimento carnal e sem compromisso.

Ao invés de simplesmente condenarmos, devemos explicar aos jovens porque ficar é pecado e quais suas consequências.

Ficar é pecado porque é um relacionamento descartável e totalmente voltado para a carência física e para a realização do desejo sexual antes do casamento.

A grande desculpa que muitos jovens crentes já me deram é que antes de namorar é preciso fazer um "test drive" para saber se é realmente aquela a pessoa "compatível" para o namoro.

Quase todos os namoros que começam ficando, acabam em pecado, inimizade, fofoca, afastamento de Deus, briga entre famílias, ciúmes e todo tipo de frustrações. Se começa errado, é impossível dar certo no final. Além do mais, existem as marcas que a pessoa carrega por toda a vida. Muitos dos que já estão namorando, noivando ou até mesmo já casados, ainda não conseguiram esquecer aquela "aventura", num momento de fraqueza, quando ficaram com alguém.

Um rapaz crente ficava com várias moças, até o dia em que recebeu a notícia de que tinha engravidado a moça do seu mais recente "rolo". Chegou em casa arrasado e recebeu outra terrível notícia: sua única irmã também estava grávida de um rapaz com quem ela havia ficado. Imediatamente ele entrou em seu quarto e começou a chorar perguntando a Deus o motivo de tudo aquilo estar acontecendo. Naquela tarde, Deus lhe disse que assim: como ele estava brincando e abusando das filhas dos outros com relacionamentos descartáveis, assim Ele havia permitido que alguém fizesse o mesmo com sua querida irmã. E pensar que tudo isso começou com um simples "ficar".

Veja o que é "ficar" na opinião de alguns adolescentes e jovens nas escolas:

> *"Para mim, ficar é dar beijos, "amassos" e carinho; creio que na adolescência, é fundamental termos o contato físico com o parceiro, mesmo que o parceiro já pense em outras coisas mais, não esquecendo de que quando um não quer, dois não fazem!"*
>
> ....
>
> *"Eu acho que ficar inclui beijos, abraços e carinhos, pelo menos na minha idade (15), eu acho que é muito cedo pra incluir uma transa em um encontro, acho que pra transar tem que ser no namoro".*
>
> ....
>
> *"Beijos e abraços. Todo beijo vem seguido de carícias mais íntimas nenhum garoto sabe ficar só no beijinho".*
>
> ....
>
> *"Ficar é matar a vontade de beijar, amassar e o que mais vier. Depois cada um vai para o seu lado".*
>
> ....
>
> *"O bom do ficar é que não existe cobrança. Ninguém tem compromisso e rola tudo o que rola no namoro!"*

Você quer isso para você? Você quer ser mais uma ou mais um? Esses depoimentos entristessem o coração de Deus e denigrem a imagam e semalhança de Deus que somos nós. O "ficar" para os jovens que desejam ser diferentes e fazer diferença – serem santos, deve ser rejeitado. Fique com Deus e com o que Ele diz em sua palavra. Fique santo, fique puro, fique com o que é certo. VIVA EM SANTIDADE!

Uma palavra sobre o flerte

Flerte é um vocábulo da língua inglesa (Flirt), que traduzido literalmente significa **namorar para passar o tempo.** Em terminologia mais precisa, diríamos que é uma forma perigosa que pode dar lugar aos impulsos sexuais para satisfação dos desejos da carne. Na linguagem corrente, "flertar" é namorar sem compromissos, é envolver-se num relacionamento amigável que principia com carícias e beijos e pode terminar numa explosão sexual, descendo as práticas sexuais degradantes, onde tudo passa a ser considerado lícito pelos dois parceiros.

Será o "flerte", porventura, pecado? Esta é a questão posta vulgarmente por não poucos moços cristãos. Quero considerar um assunto que, ao meu ver, está caindo num lugar perigoso e até comum na vida da juventude evangélica. Não obstante as advertências e ensinamentos bíblicos; jovens "passam por cima" do assunto, procurando ignorar o problema, não lhe prestando a devida atenção.

Enquanto o termo português **namoro** significa uma relação mais séria ou intencional, na qual um dos parceiros acredita na sinceridade do outro, relação que naturalmente precede à proposta de casamento, no ***"flerte"*** ambos sabem que a relação amorosa que desenvolvem entre si é passível de acabar a qualquer momento. Mas enquanto estão "numa boa", procuram "aproveitar" o tempo e ir cada vez mais longe em suas fantasias sexuais.

É necessário salientarmos que no namoro sincero, os jovens também correm o risco de se entregarem à lascívia e às carícias desordenadas, procurando despertar os desejos da carne. Porém, se houver equilíbrio e pureza nas expressões amorosas de ambos, os namorados poderão alcançar a meta vitoriosa, honrando os seus corpos; e ela, na noite de núpcias, poderá apresentar-se ao seu esposo de maneira casta e virginal, para a consumação do matrimônio instituído por Deus.

Sendo aprovado por muitos e sofrendo a influência da sociedade permissiva apodrecida e corrupta, o **"flerte"** tem mudado a atitude de muita gente com relação aos conceitos-padrões que definem a moral, estimulando práticas degradantes, vergonhosas e contrárias à vontade de Deus.

Com o passar dos anos, em decorrência do desenvolvimento social e do progresso da mentalidade humana, o conceito de muita coisa tem-se diluído ou mudado. O homem, na sua rebelião contra Deus e contra as normas estabelecidas entre os povos, pensa, atualmente, de maneira diferente; pensa em função do conceito que faz de si próprio.

Costuma-se dizer que o homem de hoje não está mais amarrado ao passado. O "século das luzes" ofuscou-lhe o entendimento, enquadrando-o segundo a visão do apóstolo Paulo: "... *Digo-vos isto em nome do Senhor para que não andeis mais como andam também os outros que não conhecem a Palavra de Deus, que perdem completamente o sentido da dignidade, ficando entenebrecidos no entendimento e separados da vida de Deus pela ignorância e dureza do seu coração, os quais se entregaram à libertinagem, à lascívia e à prática desenfreada de toda a imoralidade".* **Efésios 4.17-19.**

Um ser influenciável

Qualquer indivíduo influencia e é influenciado, para o bem ou para o mal. A mocidade contemporânea também não está alheia às influências e imune ao contágio da epidemia do século – a imoralidade. Ela herda dos mais velhos a corrupção moral e a força dos seus pensamentos. Nesse contexto perigoso e ameaçador, mas isento dele pela misericórdia de Deus, situa-se a mocidade evangélica. Os filmes pornográficos, a literatura promíscua, a publicidade organizada e exploradora do sexo e da luxúria, as fotonovelas, as modernas telenovelas, o teatro, a televisão, o rádio, a música rock e a música pop, com letras e intérpretes imorais, os jornais e revistas, etc., tudo está corrompido pela mentalidade promíscua do mundo de hoje.

O pecado atingiu sua expressão mais elevada. Adultério, prostituição, orgias sexuais, bacanais, bestialismos, fornicação e homossexualismo, além de outras aberrações, no conceito da maioria dos psicólogos e terapeutas sexuais não cristãos são atos tidos como coisas normais e que não devem perturbar a consciência do indivíduo. Inúmeros escritores defendem estas práticas degradantes; muitos professores as ensinam livremente. Essas pessoas não têm dignidade moral, não conhecem a Deus, e são exatamente as que mais força possuem para corromper a mentalidade juvenil, seduzindo milhões, e fazendo sérias distorções da vontade divina.

Por esse motivo, torna-se imperioso que os intelectuais cristãos ocupem na sociedade posições relevantes no ensino, na política, na religião, na vida pública do nosso país, e que todos os cristãos se ajuntem a estes, proclamando as verdades evangélicas, e influenciando positivamente as ignorantes com o Evangelho.

As influências culturais entre os povos ultrapassam as fronteiras com tanta rapidez, que não dão tempo para os nativos se prepararem ou se defenderem de ideias nocivas e contrárias à sua tradição e a maneira de ser. Os meios de comunicação social encontram-se tão avançados, que proporcionam uma poderosa penetração no interior dos povos, transformando seu pensamento, hábitos, costumes e seu posicionamento diante da vida. De repente os povos se veem a praticar as mesmas coisas que antes condenavam.

Veja-se um exemplo atual: a moda feminina. O traje de banho hoje está reduzido a duas peças mínimas. O grande lançamento de Satanás, com relação a esse traje, foi o "**top-less**". A moda feminina tem sido um dos principais fatores de imoralidade. Trabalhando para divulgá-la sempre, o Inimigo tem induzido os homens a fazerem uso dos poderosos meios de influência, como a publicidade, a televisão, os jornais e revistas, o cinema, etc. Praticada e divulgada de todas as maneiras, a imoralidade consegue produzir no coração da humanidade um sentimento e um comportamento totalmente estranhos aos princípios morais, destruindo a dignidade e os conceitos que fortalecem a família e a comunidade entre os povos.

O "flerte" é a porta aberta para a prática da imoralidade, sendo, por isso, condenado por Deus. É necessário considerarmos que os cristãos autênticos, para não serem atingidos pelas influências pecaminosas do mundo, não precisam viver completamente isolados da sociedade, como monges ou eremitas, embora esses não estejam livres de pecar. Todavia, ainda que os crentes vivam num mundo onde opera o pecado, Jesus Cristo ensinou a forma de viver nestas circunstâncias sem ter necessidade de pecar. Ele próprio, quando orou ao Pai, pediu que não nos tirasse do mundo. Nós, como cristãos transformados, adquirimos novos hábitos e uma nova maneira de viver. Esta nova vivência, além de nos proporcionar felicidade e paz na consciência, nos dá condições de resistir às investidas de influências estranhas aos nossos princípios morais e cristãos.

O apóstolo Paulo nos exorta nos seguintes termos: "*Que, quanto ao trato passado, vos despojeis do velho homem, que se corrompe pelas concupiscências do engano, e vos renoveis no espírito do vosso sentido; e vos revistais do novo homem, que segundo Deus é criado em verdadeira justiça e santidade*", **Efésios 4.22-24.**

Estudando a Epístola aos Efésios, descobrimos no capítulo cinco o problema do "flerte". Eis como Deus vê, na vida dos seus filhos, o namoro para passar o tempo: *"Mas a prostituição, e toda a impureza ou avareza, em ainda se nomeie entre vós, como convém a santos; nem torpezas, nem parvoíces, nem chocarrices, que não convém; mas antes ações de graças. Porque bem sabeis: que nenhum fornicário, ou impuro, ou avarento, o qual é idólatra, tem herança no reino de Cristo e de Deus"*, **Efésios 5.3-5.**

Poderíamos reproduzir aqui todo o capítulo, mas aconselho os interessados a lerem diversas passagens da Bíblia, principalmente **Efésios 5.1-21**, pois aí encontrarão muitas outras verdades importantíssimas sobre o assunto em pauta. Além do acima transcrito, passamos a citar o que Paulo escreveu noutra carta: *"Não sabeis vós que sois o templo de Deus, e que Espírito de Deus habita em vós? Se alguém destruir o templo de Deus, Deus o destruirá; porque o templo de Deus, que sois vós, é santo"*, **I Coríntios 3.16,17.**

Após estes inspirados conselhos do grande homem de Deus, que se aplicam integralmente à sociedade hodierna e, em particular, à Igreja, desejo chamar a sua atenção, em especial você que está em idade de namorar com vistas ao casamento, para que verifique se o seu comportamento, e o do seu respectivo parceiro ou parceira, se assenta no conselho bíblico, se é puro, ou se segue o exemplo dos que não conhecem a Deus. Ao mesmo tempo aproveito para aconselhar àqueles que estão sempre à espera de uma oportunidade de um relacionamento a dois, que temam a Palavra de Deus.

Lavagem Cerebral

Tudo é puro para os puros, e quem sabe fazer o bem e não o faz, peca. Os órgãos de comunicação social e a literatura tratam este tema com muita perícia e astúcia, aplicando uma autêntica lavagem no cérebro de muita gente, que passa a agir como "robôs", ao ignorar a existência de uma forma de vida mais consentânea com os princípios morais, e harmonizadas com a Escritura Sagrada.

Um dos falsos conceitos que mais afetam presentemente à mocidade e à virgindade é o amor livre. Para os jovens que já perderam a virgindade, a prática do amor livre é o que mais lhe convém. Os anticoncepcionais contribuíram tremendamente para o desenvolvimento da imoralidade, facilitando a vida de jovens levianas e fornicárias, que acreditam estarem sempre "numa boa". Tempos atrás, o medo engravidar evitava certos relacionamentos, mas agora não há perigo. Em vez de namorarem com vistas ao matrimônio, as jovens passam a ter amigos, os quais agem como exploradores do sexo; não são namorados nem têm qualquer compromisso em casar. Ambos se refugiam na impossibilidade de casar, alegando desemprego e falta de habitação. Relacionam-se por hábito, e, quando não se dão bem, separam-se e continuam oferecendo-se ao primeiro que encontram.

A prática do "flerte" e o relacionamento sexual fora do casamento são frutos de uma moral doentia ou da completa ausência dela, da afirmação de falsos conceitos e de total desrespeito à fé cristã.

O "flerte" quer queiram quer não, é fornicação e, semelhante prática é pecado à luz da Palavra de Deus, assim como também o adultério é pecado. Podemos arranjar desculpas e novas palavras para escondermos o pecado, mas o mesmo continuará causando seríssimos danos à alma e ao corpo.

Hoje, é comum vermos casais abraçarem-se em público, em atitudes de verdadeiro atentado ao pudor; beijam-se e apertam-se na praça pública num perfeito e típico exemplo do que são contrárias e condenadas pelas Sagradas Escrituras. O que mais nos constrange é ver jovens crentes (possuídos de uma nova vida, cujos corpos são o templo do Espírito Santo) deixarem-se arrastar nessa mesma onda de imundícia sensual.

Que as palavras do apóstolo João repercutam sempre em nossos corações: **"***Qualquer que é nascido de Deus não comete pecado; porque a sua semente permanece nele; e não pode pecar, porque é nascido de Deus. Eu vos escrevi, pais, porque já conhecestes aquele que é desde o princípio. Eu vos escrevi, mancebos, porque sois forte, e a Palavra de Deus está em vós, e já vencestes o maligno***". I Jo 3.9; 2.14.**

Então, se ficar é pecado e traz consequências terríveis, só nos resta pensarmos na **corte e no namoro.**

A diferença básica entre corte e namoro é que na corte não há nenhum contato físico como beijos e abraços, mas o desenvolvimento de uma profunda amizade. No namoro existem beijos e abraços, mas o relacionamento é mais superficial, porque a prioridade, muitas vezes, é o contato físico.

Muitas pessoas defendem a corte como a opção mais bíblica e santa e outros defendem o namoro, dizendo que os tempos mudaram, e corte era só para os tempos antigos. Dizem até que é possível haver beijos e abraços e ainda uma amizade sem superficialidade.

Creio que não é uma questão de corte ou namoro, e sim de corte E namoro. Eu creio de todo coração que todo envolvimento sentimental entre cristãos deve começar com a corte. Se não houver um relacionamento sólido e maduro, serão grandes as chances de desastre na convivência futura. E, como durante a corte um estará descobrindo tudo sobre o outro, chegará o momento onde Deus dará as diretrizes para o fim ou a continuação rumo ao casamento.

Então, somente depois deste período de descobertas e amizade e da confirmação dada por Deus no coração de ambos, é que poderá haver a troca de carinhos do namoro.

A duração da corte é indefinida e nunca deverá ter prazo para tomada de decisões. É a intimidade da amizade antes de qualquer intimidade física. Mas, se o casal quiser permanecer sem qualquer contato físico até o casamento, que permaneçam. A ênfase não deve estar nas carícias ou não, e sim na solidificação do relacionamento através do cultivo de uma grande amizade. O que realmente é inaceitável é a tremenda superficialidade dos namoros atuais que se transformaram em pessoas desconhecidas que se beijam na boca. Por isso, eu não creio num namoro que seja parecido com a corte, e sim na corte que deve preceder o namoro.

O problema das carícias que passam dos limites e se tornam pecado, está exatamente no fato de que a ausência de uma amizade profunda leva os namorados a explorarem o corpo um do outro, e não o coração. Mas, se houve um período de cortejar onde ambos se conheceram a fundo e tiveram o sim de Deus para seguir adiante, não vejo problema algum em que se beijem e se abracem com santidade, respeitando o limite do outro (a não ser que estejam firmes no lindo propósito de não se tocarem até o casamento).

Deus não quer aprisionar ninguém nem nos privar dos prazeres que Ele mesmo criou. Ele só não quer que façamos um mau uso daquilo que Ele mesmo nos deu para desfrutar.

CAPÍTULO 02

QUAIS SÃO AS MOTIVAÇÕES PARA O NAMORO

"Todos os caminhos do homem parecem corretos e bons aos seus olhos, mas as motivações são pesadas pelo Senhor" **(Provérbios 16.2).**

Agora que você já viu as motivações erradas para o namoro e o casamento, eu gostaria que você pensasse sobre alguns princípios que ajudarão a você fazer a escolha correta com relação ao namoro e futuro cônjuge.

Precisa de ser Cristão

O namorado(a) e futuro cônjuge deveria ser um cristão nascido de novo. Somente assim os dois podem andar, falar, e crescerem juntos no Senhor. Isto é de vital importância. (Mais adiante estarei falando sobre o Casamento Misto).

Propósito Divino

Os jovens deveriam ter um bom conhecimento básico do propósito de Deus para a vida a dois. Pergunto: O que você sabe a este respeito? O que você já leu? Com quem você conversa?

Maturidade

Para poderem escolher corretamente, é necessário que os jovens sejam basicamente maduros – ESPIRITUAL, MENTAL, FÍSICA, E FINANCEIRAMENTE. É necessário algum tempo para nos desenvolvermos em cada uma destas áreas. Portanto, não deveríamos nos apressar descuidadamente na escolha de alguém para namorar e para nos casarmos.

Escolha Pessoal

Muito embora seja um assunto comunitário na sociedade africana, creio que os jovens deveriam fazer as suas próprias escolhas de uma forma individual com relação ao namoro – futuro cônjuge, porém tomando cuidado para terem vínculos culturais positivos.

Beleza Interior

Quando você estiver procurando alguém para namorar e para se casar, procure qualidades interiores mais do que as qualidades externas ou físicas. A beleza interior é muito mais durável do que as características físicas – que se desvanecem após os anos. Alguns exemplos das qualidades interiores são a hospitalidade, a generosidade, o amor, o contentamento, e a simplicidade. É a beleza do caráter.

Cultivem, em sua própria vida, qualidades como estas, se deseja ser atraente: *Consideração, Generosidade, Amizade, Aparência, Tolerância, Mentalidade larga, Altruísmo, Naturalidade, Otimismo, Bom humor, Entusiasmo e Vitalidade.*

Verifique também se há em você algumas destas coisas que afastam os outros: *Ci-*

úme, Irritabilidade, Intolerância, Rudeza, Desordem, Mau gênio, Ar de superioridade (orgulho), Egoísmo, Vulgaridade, Excitabilidade, Irreverência, Cinismo, Insinceridade, Falta de apreciação, Descortesia.

Se algumas destas qualidades caracterizam você, mude o seu procedimento.

Conheça a Si Próprio

Você precisa descobir as coisas de que você gosta ou não gosta - os seus valores e metas, os seus pontos fortes e as suas fraquezas, as suas experiências espirituais, as suas ambições e sonhos, as suas necessidades, estados de espírito, e falhas. Você precisa conhecer e apreciar a sua formação cultural. Sua herança familiar. E acima de tudo o mais, você precisa conhecer o seu chamado em Deus.

Alguém Que Pense da Mesma Maneira

Que tenha o mesmo tipo de formação que você – alguém que tenha o mesmo ponto de vista que você, e com o mesmo chamado de Deus. Isto tem haver com um Plano de Vida que seja compatível com o seu. Com a sua missão de vida.

Amor Verdadeiro

Há uma confusão nas mentes de muitos jovens quando estão namorando devido a dois tipos de afeição.

Um relacionamento é estabelecido quando "amamos" ou "gostamos" de alguém.

Nós **gostamos** das pessoas por elas fazerem coisas agradáveis para nós. Se elas pararem de fazer estas coisas agradáveis, deixaremos de gostar delas. Esta afeição está arraigada no egoísmo.

Quando **amamos** as pessoas, nós as amamos por aquilo que são e não necessariamente pelo que fazem. Esta afeição encontra-se arraigada na pureza, sinceridade, e fidelidade. O verdadeiro amor não se baseia no egoísmo, e sim num coração puro e altruísta.

Geralmente, os jovens não fazem distinção entre o gostar e o amar. Assim sendo, podem facilmente fazer escolhas errôneas. Devido à concupiscência, eles podem ser enganados por um súbito e forte sentimento físico com relação a um membro do sexo oposto.

Estes sentimentos geralmente levam os jovens a relações sexuais fora do casamento. Quando isto acontece, estas emoções mudam prontamente de afeição para rejeição – e desprezam a pessoa de que gostavam antes. Em geral deixam um ao outro com remorso.

Será que estou amando?

Algo diferente está acontecendo com você! Há um brilho novo em seu olhar, um sorriso enorme em seu rosto. Suas emoções estão "a mil". Você sonha acordado (a), acha tudo tão lindo! E o coração? Parece que vai explodir, quando chega perto dela (e). Tudo é tão excitante e mexe com você! Mas, será **AMOR OU PAIXÃO?**

- ✓ Você realmente sabe o que é *Amor?*
- ✓ Qual a diferença entre *Amor e Paixão?*
- ✓ Acredita em Amor à primeira vista?
- ✓ Ou é da turma que acha que o *"Amor é Cego"*?

O que eu creio sobre o amor

Coloque V (vedadeiro) ou F (falso)

( ) 1. Creio que "amor à primeira vista" ocorre entre certas pessoas.

( ) 2. Creio que é fácil distinguir entre o amor verdadeiro e paixão romântica.

( ) 3. Creio que duas pessoas que se amam sinceramente não brigam entre si.

( ) 4. Creio que Deus escolhe uma pessoa específica com a qual alguém deva casar-se, orientando ambos de tal maneira que se encontrem.

( ) 5. Creio que se homem e mulher se amam genuinamente, problemas e dificuldades terão pouco efeito negativo no seu relacionamento.

( ) 6. Creio que é melhor casar com a pessoa errada do que permanecer solteiro (a) e viver uma vida solitária.

( ) 7. Creio que não é prejudicial ter relação sexual antes do casamento, se o casal tem um relacionamento bem ajustado.

( ) 8. Creio que se um casal se ama genuinamente, eles vão continuar se amando durante toda a vida.

( ) 9. Creio que um noivado curto – 6 meses ou menos – é melhor.

( ) 10. Creio que o jovem é mais capaz de ter amor genuíno do que as pessoas mais velhas.

Leia atentamente o quadro abaixo e procure tirar suas dúvidas:

DIFERENÇA ENTRE AMOR E PAIXÃO

PAIXÃO	AMOR
✓ Acontece de repente. Na hora é aquela loucura alucinada e desenfreada. É de momento, logo vai embora. Ela é passageira.	✓ É um sentimento forte, mais prolongado e duradouro. Ele é mais seguro e tranquilo. Cresce aos poucos, tornando-se cada vez mais sólido.
✓ Você se entrega, se envolve, mas é só emoção. Você acaba fazendo coisas que não quer fazer. Quando passa o sentimento, a euforia percebe-se os erros cometidos.	✓ Não perde a cabeça facilmente. Não se governa pelo instinto. Dá um tempo para examinar suas emoções. Usa a inteligência. Só toma uma atitude, depois de uma séria avaliação.
✓ A paixão pode tornar-se uma obsessão. Algo forte que foge ao seu controle. A consequência é um ciúme desmedido.	✓ No amor, você tem vontade de estar perto da pessoa amada, mas sem pressão. É de uma forma mais doce e amável. Tudo acontece naturalmente. Há mútua confiança.
✓ Provoca uma ansiedade que acabam interferindo nas outras áreas da vida. Afeta estudos, trabalho, tempo com a família, relacionamentos com os amigos.	✓ Sabe lidar com as demais áreas da vida, sem prejudicá-las. Não deixa de conviver com os amigos. Não se afasta da família. Consegue conciliar: estudos, trabalho e namoro.

PAIXÃO	AMOR
✓ Desde que se "ame" tudo é válido. O importante é satisfazer os impulsos sexuais e realizar as fantasias.	✓ Quem ama espera. Respeita o corpo do outro, sem deixar marcas e mágoas. Não confunde sexualidade com amor.
✓ Um se interessa pelo outro, simplesmente por causa da simpatia, do visual, dos olhos, da voz, ou até mesmo do cheiro. É uma questão de "pele", isto é pura atraçào física. Não importa o que ele(a) pensa.	✓ No amor, o visual não é o *mais* importante. Você quer conhecer o outro, seus interesses, sentimentos, planos e alvos de vida. Inclusive seus temores e fraquezas.
✓ As diferenças são motivos de brigas e desentendimentos. Um fere o outro e não enfrentam o problema. Acabam afastando-se, não permitindo uma amizade mais profunda.	✓ No amor, podem ter opiniões diferentes, discutir e ficarem irritados. Mas buscam soluções para os problemas, usando o bom senso. O relacionamento torna-se mais profundo, à medida que superam juntos as dificuldades.
✓ Quando os pensamentos são opostos, o caminho mais fácil é substituir a pessoa por outra rapidamente. Não existe paciência para dar um tempo, e descobir os pontos em comum.	✓ No amor, há espaço para o outro discordar, sem atacá-lo. Pode-se discordar de um pensamento, sem rejeitar a pessoa que o expressou. Respeitam-se os sentimentos e convicções do outro, mesmo que isto custe algum sacrifício.
✓ Na paixão, você representa ser quem não é. Passa uma imagem falsa. Quando menos se espera, cai a "máscara".	✓ Você se mostra como é de verdade. Por isso, o amor é transparente. Demonstrando não só as qualidades, como também os defeitos.
✓ Há o medo de perder o outro, caso descubra quem realmente você é.	✓ Quando se enxerga um erro no outro, procura-se ajudá-lo, não através de muitas cobranças, nem de querer mudá-lo à força. Mas sim, com muita compreensão e perseverança.
✓ A paixão é egoísta. Busca os seus próprios interesses. Usa o relacionamento para aliviar suas carências: afetivas, sexuais e de companheirismo.	
✓ É uma forma de se autoafirmar e sentir-se mais seguro.	

PAIXÃO	AMOR
✓ Você pode apaixonar-se por 2 ou 3 pessoas ao mesmo tempo. ✓ O relacionamento não tem um ideal. Não faz planos para o futuro. O importante é viver o momento, o presente. ✓ Afeta sua comunhão com Deus e com a Igreja. O namoro vem em primeiro lugar. Faz do namoro sua "Igreja". ✓ Provavelmente você terá problemas com os pais. Eles têm uma experiência de vida, que lhes permite reconhecer o que está acontecendo entre vocês. ✓ Eles sabem que se o relacionamento estiver alicerçado só numa louca paixão, não vai durar. ✓ Acham que, seguindo por este caminho, seus filhos podem ter grandes decepções e sofrimentos. ✓ É comum ouví-los pedir que se dê um tempo para pensar no futuro, ou até proíbem o namoro.	✓ O amor se interessa pelo bem estar do outro; quer ver a pessoa feliz e realizada. Preocupa-se com o outro, como se preocupa consigo mesmo. É muito mais dar do que receber. ✓ No amor você é fiel. Dedica-se exclusivamente a uma pessoa. ✓ Não significa que estão *obrigados* a se casarem. Mas pensam seriamente nesta possibilidade. Os propósitos e metas para o futuro sempre incluem o outro. ✓ Há uma preocupação e interesse em buscar as coisas de Deus. Não quebra sua comunhão com os irmãos em Cristo. Querem orar e ler a Bíblia juntos. ✓ Quando os pais identificam um amor verdadeiro, baseado em compromisso, maturidade e sinceridade, geralmente incentivam e dão a maior força que este namoro siga em frente.

Um triste exemplo de paixão e sensualidade: Amom e Tamar

2 SAMUEL 13

Tamar é Violentada por Amnom

"1 Depois de algum tempo, Amnom, filho de Davi, apaixonou-se por Tamar; ela era muito bonita e era irmã de Absalão, outro filho de Davi. 2 Amnom ficou angustiado ao ponto de adoecer por causa de sua meia-irmã Tamar, pois ela era virgem, e parecia-lhe impossível aproximar-se dela. 3 Amnom tinha um amigo muito astuto chamado Jonadabe, filho de Siméia, irmão de Davi. 4 Ele perguntou a Amnom: "Filho do rei, por que todo dia você está abatido? Quer me contar o que se passa?"Amnom lhe disse: "Estou apaixonado por Tamar, irmã de meu irmão Absalão". 5 "Vá para a cama e finja estar doente", disse Jonadabe. "Quando seu pai vier visitá-lo, diga-lhe: Permite que minha irmã Tamar venha dar-me de comer. Gostaria que ela preparasse a comida aqui mesmo e me servisse. "Assim poderei vê-la." 6 Amnom aceitou a idéia e deitou-se, fingindo-se doente. Quando o rei foi visitá-lo, Amnom lhe disse: "Eu gostaria que minha irmã Tamar viesse e preparasse dois bolos aqui mesmo e me servisse". 7 Davi mandou dizer a Tamar no palácio: "Vá à casa de seu irmão Amnom e prepare algo para ele comer". 8 Tamar foi à casa de seu irmão, que estava deitado. Ela amassou a farinha, preparou os bolos na presença dele e os assou. 9 Depois pegou a assadeira e lhe serviu os bolos, mas ele não quis comer.Então Amnom deu ordem para que todos saíssem e, depois que todos saíram, 10 disse a Tamar: "Traga os bolos e sirva-me aqui no meu quarto". Tamar levou os bolos que havia preparado ao quarto de seu irmão. 11 Mas quando ela se aproximou para servi-lo, ele a agarrou e disse: "Deite-se comigo, minha irmã".12 Mas ela lhe disse: "Não, meu irmão! Não me faça essa violência. Não se faz uma coisa dessas em Israel! Não cometa essa loucura. 13 O que seria de mim? Como eu poderia livrar-me da minha desonra? E o que seria de você? Você cairia em desgraça em Israel. " Fale com o rei; ele deixará que eu me case com você". 14 Mas Amnom não quis ouvi-la e, sendo mais forte que ela, violentou-a. 15 Logo depois Amnom sentiu uma forte aversão por ela, mais forte que a paixão que sentira. E lhe disse: "Levante-se e saia!" 16 Mas ela lhe disse: "Não, meu irmão, mandar-me embora seria pior do que o mal que você já me fez".Ele, porém, não quis ouvi-la. 17 e, chamando seu servo, disse-lhe: "Ponha esta mulher para fora daqui e tranque a porta". 18 Então o servo a pôs para fora e trancou a porta. Ela estava

vestindo uma túnica longa, pois esse era o tipo de roupa que as filhas virgens do rei usavam desde a puberdade. 19 Tamar pôs cinza na cabeça, rasgou a túnica longa que estava usando e se pôs a caminho, com as mãos sobre a cabeça e chorando em alta voz. 20 Absalão, seu irmão, lhe perguntou: "Seu irmão, Amnom, lhe fez algum mal? Acalme-se, minha irmã; ele é seu irmão! "Não se deixe dominar pela angústia". E Tamar, muito triste, ficou na casa de seu irmão Absalão. 21 Ao saber de tudo isso, o rei Davi ficou indignado. 22 E Absalão não falou nada com Amnom, nem bem, nem mal, embora o odiasse por ter violentado sua irmã Tamar."

Baseado neste texto, o Pr. Marcos de Souza Borges (Pr. Coty), no livro *A Fase Oculta do Amor* lista algumas características fundamentais da sensualidade:

1. Sentimento implacável

Amnom estava totalmente dominado por um sentimento que removeu os limites e o controle do seu comportamento. Ele se prontificou a invádir a privacidade de pessoas inconseqüentemente. Amnom sacrificou sua saúde, sacrificou princípios morais, cometendo o que era loucura em Israel e também sacrificou pessoas através de um sinistro jogo manipulativo, onde o pai, que era também seu rei, foi usado e sua meia irmã abusada.

A sensualidade torna a pessoa surda e desenfreada, ou seja, imediatista em relação aos seus desejos. Por duas vezes a própria Tamar dá conselhos prudentes não se negando, apesar de tudo, a Amnom, mas ele não a ouviu, antes impiedosamente extravasou seus sentimentos e desejos através da força e agressão, o que resultou num incesto.

2. Sentimentos e emoções oscilando em extremos opostos

Aqui se define o estado agudo de desequilíbrio que a sensualidade provoca em suas vítimas. O que temos em pauta é um desgoverno total baseado na falência do domínio próprio. O amor sensual sempre se confunde e mistura com o ódio e a aversão. Ele segue a instabilidade emocional e espiritual da pessoa. Quando a pessoa se sente bem ela "ama", quando a pessoa se sente mal, ela detesta. O amor sensual se baseia puramente na satisfação psico-emocional do indivíduo. Ele descarta o gozo espiritual que é fruto de obedecer nossa consciência para com Deus.

O motivo existencial da sensualidade é a ânsia pelo prazer e não a responsabilidade de fazer a outra pessoa feliz. As motivações normalmente são egocêntricas e condenáveis.

Paixão e Aversão: As duas faces do espírito de sensualidade

É indescritível como este espírito tem o potencial de destruir relacionamentos. Esta dinâmica de sentimentos e emoções em extremos opostos que em poucos instantes arrasou a vida tanto de Amom quanto de Tamar é um modelo que revela como muitos casamentos estão sendo desmoronados."

O primeiro ponto de prova é a paixão

Não existe mal nenhum em nutrir um sentimento por alguém, mas idolatrar este sentimento sendo governado, ou melhor dizendo, desgovernado por ele, redunda em sensualidade. O descontrole se instala. Isto nos induz ao primeiro extremo que abalou toda estrutura espiritual de Amnom: "*... e aconteceu depois disto que, tendo Absalão, filho de Davi, uma irmã formosa, cujo nome era Tamar, Amnom, filho de Davi, amou-a. E angustiou-se Amnom, até adoecer, por Tamar, sua irmã...* ".

Poderíamos dizer que a paixão é o ponto de prova antes do casamento. Se a paixão não é dominada, o relacionamento consequentemente será desenfreado por um estado deprimente de dependência sentimental que induz à imoralidade e violência.

Um fracasso espiritual neste ponto é facilmente diagnosticado pelo isolamento do casal, definhamento ministerial, atitudes de insubmissão aos líderes e pais, etc.

O segundo ponto de prova é a aversão

A aversão é a outra face do espírito de sensualidade a ser contemplada por aqueles que se tornaram enlouquecidos pela paixão. Esta, é a face oculta do amor. Normalmente, a intensidade do descontrole sentimental causado pela paixão será diretamente proporcional no sentimento de aversão.

Aqui entendemos que a paixão ainda está muito longe de ser amor verdadeiro, o qual é marcado pelo compromisso, respeito, fidelidade, paciência, etc. A paixão precisa suportar estas marcas para amadurecer, senão certamente vai manifestar-se através da aversão. É a "Bela" se transformando em "Fera".

Depois que a pessoa já empanturrou todo seu apetite sentimental e principalmente sexual, como Amnom fez, sendo reprovado na prova da paixão, onde normalmente ninguém cogita a manipulação de forças demoníacas, surge agora a manifestação de um sentimento repugnante, faccioso, claramente diabólico de ódio e aversão. A pessoa passa a simplesmente não suportar a presença da outra: "*Depois Amnom sentiu por ela grande aversão, e maior era a aversão que sentiu por ela, que o amor que lhe votara. E disse-lhe Amnom: Levanta-te, vai-te embora*".

Esta é a dinâmica que tem subjugado muitos casamentos ao repúdio e divórcio. Um casamento precipitado pelo desgoverno sentimental e moral, que começa com uma série de problemas que não podem ser correspondidos pela estrutura do casal, como por exemplo, as implicações de uma noiva grávida, e de repente, quando chegam os momentos difíceis, parece que toda aquela paixão ardente evapora, e o que passa a prevalecer é uma aversão inexplicável, que de fato é espiritualmente maligna.

Isto, em muitos casos, chega a se tornar uma oscilação crônica, onde o casal vive "entre tapas e beijos". "Amor" na hora do prazer e rejeição na hora da responsabilidade.

Esta aversão vai gerando problemas, melindres, supervalorização do irrisório, desconfianças, ciúmes, contendas crônicas, clima de amargura e total desentendimento. Um quadro de infelicidade total. Pesadas cargas de rejeição e palavras potencialmente ferinas são trocadas, e vão golpeando e desgastando o relacionamento que vai perdendo a resistência. O ódio se instala, seguido pela indiferença e desprezo, e assim, mais um divórcio acaba sendo concretizado por atitudes de traição e abandono.

Como temos visto, a dinâmica de sentimentos descontrolados é tão forte que sentimentos opostos podem facilmente se misturar: amor e ódio, prazer e repulsa, paixão e aversão se confundem. Este vírus moral adoece o compromisso e transforma o casamento em divórcio.

Os sentimentos podem pendular em extremos opostos sendo esticados num grau tão acentuado, que chegam, muitas vezes, a fadigar, e até mesmo romper, gerando colapsos nervosos e agudas crises emocionais e psicológicas.

Estamos, portanto, diante de duas influências fortíssimas que nos fazem atropelar os preceitos divinos: paixão e aversão, um par inseparável. Mas o Espírito Santo tem uma arma poderosa: o domínio próprio. Dominar a paixão é a maior prova que nosso compromisso subsistirá à prova da aversão. O verdadeiro amor não se deixa abalar pelos extremos da paixão nem da aversão, pois antes de tudo honra uma aliança com Deus".

3. Sentimento obstinado e doentio

A sensualidade gera um sentimento que se baseia no medo de perder. Este sentimento é o ciúme e através dele materializa-se a possessividade que constitui uma das mais terríveis deformações da personalidade, onde a pessoa se sente no direito de viver a vida de outros por eles. Aqui está a verdadeira raiz do sentimento implacável.

O ciúme, que se fundamenta na insegurança em relação a conseguir o que se deseja, peca frontalmente contra o espírito de renúncia que é a engrenagem mestra que nos move nos caminhos de Deus. Sem renúncia, a idolatria, a possessividade e todo tipo de descontrole se instalam.

Quando Amnom se fixou na improbabilidade de conseguir um relacionamento com Tamar, o medo de perdê-la começou a gerar um desespero que redundou numa cobiça implacável. O medo se traduz espiritualmente como uma fé negativa, pela qual concretizamos nossos pesadelos e construímos nossas próprias derrotas. O medo de perder produz uma insegurança aguda que nos leva literalmente a furtar a liberdade da outra pessoa que é o objeto de nossa cobiça, anulando sua individualidade, violando a liberdade e asfixiando o relacionamento.

Enquanto a renúncia nos faz andar com Deus: *"Então disse Jesus aos seus discípulos: Se alguém quiser vir após mim, renuncie-se a si mesmo, tome sobre si a sua cruz, e siga-me" (Mt 16:24); o* medo *de* perder, ou seja, o ciúme nos faz andar com o diabo num caminho de depressão, baixa estima e desespero. Vimos isto no caso de Saul, onde seu ciúme em relação ao sucesso de Davi trouxe a companhia de um espírito maligno que o oprimia constantemente. Tudo que não perdemos para Deus o diabo toma.

A sensualidade também pode assumir um porte de neurose, onde a pessoa permanece trancada num mundo onde apenas os sonhos e fantasias daquela paixão estão presentes. A pessoa acaba ficando paralisada, sem iniciativa, profundamente enferma na alma, sobrevivendo para as outras áreas da vida. Desta forma, muitos problemas de introspecção negativa tem tudo para florescer como auto-piedade, ressentimentos e até mesmo pensamentos de suicídio.

Obviamente, que isto pode ser traduzido através de uma disfunção psicossomática presente em Amnom: *"E angustiou-se Amnom, até adoecer, por Tamar, sua irmã, porque era virgem: e parecia aos olhos de Amnom dificultoso fazer-lhe coisa alguma".*

O amor sensual que inundava a vida de Amnom primeiramente levou-o a uma plataforma de incredulidade na possibilidade de um relacionamento com Tamar, ou seja, foi torturado pela inferioridade e medo de não conseguir, onde seus sentimentos se angustiaram tanto a ponto de fazê-lo adoecer fisicamente.

A rebelião contra este ambiente interno de dor e medo projetou-se através de uma obstinação cega, obedecendo a qualquer preço os impulsos da sua paixão. Ele não sabia, ou mais acertadamente, preferiu não saber que com isto estaria cavando a própria sepultura.

O ciúme, que muitas vezes é interpretado como um "sentimentozinho" desprezível é na verdade, doentio, inconseqüente e se aloja na motivação dos pecados mais hediondos. Por ele se explica a infinidade de homicídios, principalmente os inúmeros crimes passionais que tem acontecido na história da raça humana.

4. Não envolve compromisso

O amor sensual se fundamenta na auto-satisfação. Ou seja, a essência que traduz a motivação da pessoa não é servir, mas usar. A motivação *é* ser feliz e não fazer a outra pessoa feliz. Muitos relacionamentos implodem neste jogo duplo onde as pessoas estão manipulando egocentricamente a felicidade. Acabam frustradas e acumulam uma série de problemas sérios.

O diabo, desde o princípio, procura anular o senso de obrigação moral e espiritual do ser humano por exaltar o prazer e encobrir as conseqüências de um relacionamento irresponsável e egoísta.

O amor sensual, portanto, não possui o atributo indispensável que sustenta e fortalece a verdadeira unidade de um relacionamento: a fidelidade paciente. Podemos perceber claramente esta falta de compromisso da qual consistia a grande paixão de Amnom: *"E disse-lhe Amnom: Levanta-te, vai-te embora. Então ela lhe disse: Não há razão de me despedires assim; maior seria este mal do que o outro que já me tens feito. Porém não lhe quis dar ouvidos ".*

Amnom não teve a mínima consideração com a pessoa por quem há poucos instantes estava tão apaixonado. Ele a manipulou, forçou, usou, abusou, humilhou e lançou fora como um objeto que não era mais conveniente. Logicamente, que isto muitas vezes acontece de maneiras mais sutis e até mesmo com certa dose de cortesia, com um maior grau de inteligência emocional, mas o espírito é o mesmo.

Esta falta de compromisso tem sido fruto, também, de uma asneira que tem sido propagada por muitos profissionais: "Faça o que quiser porque o mais importante é se sentir bem". Jesus asseverou que estas pessoas vão perder as suas vidas, estão fracassando estrondosamente em como viver suas vidas: "*Porque aquele que quiser salvar a sua vida perdê-la-á, e quem perder a sua vida por amor de mim, achá-la-á*" (Mt 16:25). Não é de se surpreender que Amnom tenha perdido precocemente sua vida, sendo assassinado friamente pelo próprio irmão.

5. Transitório

Isto, obviamente, é uma conseqüência imediata do item anterior. A falta de compromisso faz com que um relacionamento seja fraco e superficial, como também torna a pessoa totalmente volúvel nos seus sentimentos.

O amor sensual é como aquela semente em solo pedregoso. Ele não suporta as provas. Quando o relacionamento não dá mais o retorno esperado, ou começam a aparecer os problemas e situações que exigem um posicionamento de maior responsabilidade, parece mais fácil e cômodo sair pela tangente, não importando as conseqüências, bem como os danos psicológicos que isto poderá causar.

O amor sensual está totalmente fechado para conciliar o sofrimento, a responsabilidade diante das dificuldades e a paciência, que são os agentes depuradores do verdadeiro amor. Portanto, o amor sensual só sobrevive enquanto está agradando e atendendo interesses próprios.

Normalmente, uma característica básica natural dos sentimentos é a inconstância. Sentimentos oscilam. Ora você se sente bem, e ora você se sente mal. Por isto nossos sentimentos estão desqualificados para guiar nossa vida e comportamento. Esta instabilidade até certo ponto é normal, porém pode se tornar mais intensa e perigosa devido à sensualidade, asseverando a transitoriedade de uma paixão.

No caso de Amnom, percebemos quase que em tempo recorde. Sua paixão durou o curto tempo de uma relação sexual forçada e precipitada, onde apenas ele se satisfaz. Sua paixão, nada mais era que um desejo sexual ardente. Quando o desejo acabou, a paixão também acabou. Tudo que sobrou foi aversão e frustração.

6. Não possui exclusividade

Esta é uma manifestação muito comum do espírito de sensualidade. Ele impõe um índice tão acentuado de descontrole e insatisfação, que se torna normal a pessoa ficar flutuando em vários objetivos amorosos simultaneamente. A concupiscência dos olhos e da carne passa a controlar o comportamento do indivíduo.

Ainda que a pessoa já esteja num relacionamento com alguém, ou tencionando um relacionamento, ainda assim permanece volúvel e vulnerável à aberração sentimental de dividir sua devoção amorosa com outra ou até mesmo outras pessoas.

Tudo isto é inspirado por uma vida sentimental egocêntrica, onde vale tudo para satisfazer todos os desejos. Muitos dos piores problemas que assolam as sociedades vêm como conseqüência de pais, mães e filhos feridos por este tipo de agressão moral.

A poligamia, que hoje é tão aceita e difundida é a mãe das doenças venéreas e lares traumatizados. A AIDS tem sido uma forma drástica e triste de expor a vida oculta imoral de muitas pessoas. Quantas mães de família, leais no casamento estão contraindo AIDS de maridos que eram aparentemente fiéis? É fácil concluir, como muitos já têm feito, que a principal cura para esta epidemia reside em usar o "preservativo moral" do compromisso e fidelidade conjugal, ou seja, um só parceiro de verdade. Aqui se exalta o caráter protetivo do casamento dentro dos moldes divinos.

Os mandamentos de Deus são sábios e constituem uma salvaguarda para todos que os obedecem. Não queiramos ser mais sábios que a Bíblia. Se alguém quer ser mais sábio que a Palavra de Deus acaba tornando-se louco, como o apóstolo Paulo diz: *"Inculcando-se por sábios, tornaram-se loucos,... Por isto Deus entregou tais homens à imundícia, pelas concupiscências de seus próprios corações, para desonrarem os seus corpos entre si..."* (Rm 1:22,24)

7. Marcado pelo desrespeito

A sensualidade sempre conduz à defraudação. O espírito de sensualidade impõe sobre as pessoas pensamentos cíclicos de imoralidade e intermináveis fantasias sexuais. Aqui, a pessoa, já está sendo vítima de uma expectativa que impossivelmente será satisfeita. Esta ânsia quebra a decência, e induz ao desrespeito, defraudação e até mesmo à agressão como foi o caso de Amnom.

Como já vimos, desejos realizados às custas de defraudação trazem um pesado fardo de frustração e aversão. Tanto na maneira como Amnom se aproximou de Tamar, como na maneira que ele a rejeitou estava presente o desrespeito.

Concluindo, poderíamos enumerar muitas outras características do amor sensual, mas acredito que já temos em mãos o suficiente para discernirmos não apenas as influências como também as credenciais deste terrível espírito. Desta forma, fica mais fácil de avaliarmos e ajustarmos nossos próprios sentimentos.

O desejo de Amon era 100% carnal. Depois de, literalmente, estrupar Tamar ele a desprezou. Aquela pessoa que ele tanto desejava, agora vira uma aversão para ele. É assim que acontece quando o desejo é simplesmente carnal.

Como deve ser o namoro Cristão

Em I Coríntios 13.4-7, encontramos a mais completa definição de amor. Foi inspirada pelo próprio Deus e escrita pelo apóstolo Paulo:

> *"O amor é paciente e bondoso. O amor não é ciumento, nem orgulhoso, e nem vaidoso. Não é grosseiro nem egoísta. Não se irrita nem fica magoado. O amor não se alegra quando alguém faz alguma coisa errada, mas se alegra quando alguém faz o que é certo. O amor nunca desanima, porém suporta tudo com fé, esperança e paciência"(BLH).*

Este texto mostra **COMO DEVE SER O NAMORO CRISTÃO**. Permita-me "traduzir" este texto bíblico para os dias de hoje. Desejo-lhe mostrar como é um namoro de dois jovens cristãos que amam ao Senhor de todo o coração....

O namoro cristão é paciente

Isto quer dizer que quando há genuíno amor, não precisa ser um namoro precipitado. O rapaz é paciente, não toma decisões antes de conversar e orar com a namorada. Por isso não ficam mudando de rumo toda hora, cheios de novidades inconsequentes, afinal, se amam, são pacientes. Ele não vai querer uma intimidade física precipitada com ela. Nem vão querer um casamento com apenas seis meses de namoro! A pressa é inimiga da perfeição, o amor é paciente e espera pelo tempo certo, pelo tempo de Deus. Garanto que vale a pena esperar até o casamento para uma intimidade real. Casar virgem é uma bênção!

O namoro cristão é benigno

Ou seja, um quer o bem do outro. Quer dizer que nenhum dos dois jamais fará algo para magoar ou entristecer seu companheiro. Quando um rapaz ama uma menina, namora-a na expectativa que venha a ser sua esposa e mãe de seus futuros filhos. Ele não fará nada de mal ou algo que venha fazê-la sofrer. O namoro dos dois é algo bom, não apenas aos dois, mas também para seus pais e amigos. Um amor benigno é aquele que visa o bem do outro e, se o namoro terminar, os dois não tem do que se envengonhar ou se arrepender – continuam amigos.

O NAMORO CRISTÃO É FIEL

Um não arde em ciúmes pelo outro. Ciúme é prova de insegurança, falta de certeza de que alguém gosta realmente da gente. Caso esse problema ocorra, o casal deve conversar e esclarecer o assunto para que ninguém fique sofrendo sem necessidade. É muito ruim quando um namorado é ciumento e não permite que sua garota tenha amizade com outros rapazes – um namoro cristão é baseado em fidelidade e confiança, não há lugar para ciúmes. Quando você realmente ama uma pessoa não tem olhos para mais ninguém. A fidelidade não ocorre somente no casamento, mas já começa no namoro. Se seu namorado não for fiel no namoro provavelmente não o será no casamento. O namoro é justamente o tempo de Deus para descobrirmos esses detalhes e não virmos a sofrer depois.

O NAMORO CRISTÃO É TRANQUILO

Quando ocorrer um problena os dois não ficam magoados, nem ressentidos, mas são humildes o suficiente para pedirem perdão. Não há lugar para orgulho ou vaidade. Um não se considera superior ao outro, pelo contrário, estarão sempre se empenhando em servir e ajudar. Não é um namoro de "briguinhas" onde ninguém dá o braço a torcer; todos os problemas acabam em reconciliação e experiência para o futuro. Se o seu namorado (ou namorada) é arrogante avalie melhor seu relacionamento. É melhor você sofrer agora com o rompimento de um namoro do que sofrer com um divórcio. O amor é humilde, simples, favorecendo nas pessoas uma atitude tranquila e um relacionamento equilibrado.

O NAMORO CRISTÃO TEM UM COMPORTAMENTO EXEMPLAR

Os dois nunca têm do que se envergonhar, pois se relacionam educamente. Nenhum dos dois vai expor os defeitos ou os erros do outro a fim de ridicularizá-lo ou mostrar que está sem razão. Não dão vexame. Não expõem o outro ao ridículo, à vergonha ou à ira. Têm um comportamento conveniente. Não farão nada que depois venham a se arrepender – os dois andam na luz. O comportamento que têm em público é o mesmo de quando estão sozinhos. Se seu/sua namorado(a) comporta-se de forma inconveniente, forçando a fazer algo que sua consciência condena, é momento de orar a Deus e perguntar se aquela pessoa é realmente a que Deus tem para sua vida. Se ele (ou ela) a(o) humilha no namoro, certamente a humilhará, muito mais, após o casamento. Se, porém a respeita há grande chance de que venha a fazer o mesmo depois.

O NAMORO CRISTÃO É ALTRUÍSTA

Não há lugar para o egoísmo, aquele sentimento que faz com que a pessoa busque somente os seus próprios interesses. Neste tipo de relacionamento os dois estão constantemente buscando a vantagem do outro: faz questão de ceder o melhor lugar, a melhor comida; transferem os privilégios e os elogios; chegam a brigar cada um querendo ficar com a ***pior parte***! Abrem mão dos direitos pelo bem do outro (ele deixa de jogar futebol para estar com ela; ela descarta a companhia da melhor amiga para estar com ele). Ele entende que ela não pode estar o tempo todo à sua disposição, que tem de estudar, dar tempo a outras pessoas, principalmente à sua família.

O NAMORO CRISTÃO É PACÍFICO

É um namoro sem brigas, sem ofensas, sem violência. Ele jamais levanta a voz para ela; ela, não o maltrata e também não grita com ele. Eles vivem em paz, mesmo quando enfrentam dificuldades; podem resolver qualquer coisa pacificamente. Se o seu namorado for violento, cuidado. Certamente ele vai bater em você quando for seu esposo. No namoro já podemos observar o caráter do outro. Observe como ele (ou ela) trata seus irmãos e pais. Se houver qualquer sinal da violência não é amor o que sentem um pelo outro, mas, apenas desejo.

O NAMORO CRISTÃO É PERDOADOR

Se ocorre alguma ofensa, ambos, não guardam rancor ou mágoas, mas estão sempre prontos para perdoar. Não acumulam problemas, não fazem "tempestade em copo d'água, estão sempre pensando o melhor um do outro e julgam sempre positivamente, pensando: "Ele não fez isso por mal". Quando alguém não sabe perdoar é mau sinal. Tem gente que diz: "Posso perdoar, mas, não esquecer". Ora, isso não é amor. O amor genuíno perdoa, não uma vez, mas, setenta vezes sete! Isto é, não existe limite para perdoar. Sem perdão não há relacionamento sadio. Você tem que ser perdoador, assim prova que realmente ama. Você tem que aprender a dizer três coisas: EU ERREI – ME PERDOE – EU AMO VOCÊ.

O NAMORO CRISTÃO É VERDADEIRO

Não é uma farsa, uma mentira, mas um relacionamento verdadeiro, cheio de amor sincero, onde não há lugar para a mentira ou qualquer coisa errada. Por andarem na verdade os dois se alegram já que não existem mentiras para entristecê-los; é um namoro alegre e feliz. Nele não há meias-verdades; sua palavra é sim, sim e não, não. Muitos namorados ficam "enrolando" as meninas, escondendo sempre alguma coisa. E geralmente é fácil saber se alguém é verdadeiro. "Me engana que eu gosto!"- esta filosofia não tem lugar num namoro cristão. O amor autêntico anda na verdade ainda que em prejuízo próprio. Se você pega sua namorada numa mentira automaticamente perde a confiança nela. Por isso nunca minta para seu companheiro; o verdadeiro amor não mente!

O namoro cristão é sólido

Isso significa que pode sofrer qualquer abalo e não termina. Mesmo com um futuro difícil o casal de namorados maduro crê que o relacionamento dará certo e por isso não o terminam. Eles são pacientes e esperam, sem desespero, o tempo certo de Deus para tudo. Desenvolvem um namoro maduro, sólido, que supera tempo, distância e quaisquer outros problemas que apareçam, porque é fundamentado em Deus e, certamente, evoluirá para um noivado e casamento felizes. É claro que esse relacionamento exemplar não acontece, automaticamente, só pelo fato dos dois serem cristãos. É, sim, resultado de oração e de uma grande vontade de obedecer a Deus. Creia nisso e empenhe-se para desenvolver um relacionamento com esse padrão de entendimento.

As quatro dimensões do genuíno amor

Paulo, escrevendo aos efésios, define o amor em quatro dimensões: *Para que Cristo habite pela fé nos vossos corações; a fim de, estando arraigados e fundados em amor, poderdes perfeitamente compreender, com todos os santos, qual seja a largura, e o comprimento, e a altura, e a profundidade, e conhecer o amor de Cristo, que excede todo entendimento, para que sejais cheios de toda a plenitude de Deus.* (Ef 3:17-19

Estas quatro dimensões do amor: largura, comprimento, altura e profundidade, podem ser compreendidas em *I Co 13:7*, quando Paulo se referindo à suprema excelência do amor diz: *"Tudo sofre, tudo crê, tudo espera, tudo suporta".* Este amor nunca falha.

Portanto, resumindo, podemos apontar as quatro dimensões da sensualidade em contraste com o verdadeiro amor que expressa toda plenitude de Deus:

1. O verdadeiro amor ***tudo sofre.*** A sensualidade não suporta as falhas da outra pessoa nem os problemas do relacionamento.

2. O verdadeiro amor ***tudo crê.*** A sensualidade não crê nas promessas de Deus e desconfia cronicamente da sinceridade da outra pessoa, pois enxerga a sua própria infidelidade nos outros.

3. O verdadeiro amor ***tudo espera.*** A sensualidade é impaciente e interesseira. Não espera as provisões de Deus para o relacionamento, pois vive castigado por um estado vicioso de ansiedades e preocupações egoístas.

4. O verdadeiro amor ***tudo suporta.*** A sensualidade não persevera, pois *é* contra a vontade de Deus. O amor sensual sempre falha, produzindo o abandono irresponsável. É volátil, pois não é amparado pelo compromisso, sendo substituído por profundas feridas e traumas.

AMOR VERDADEIRO

TESTE DE VERIFICAÇÃO

✓ É o seu pensamento mais maravilhoso estar com a pessoa amada e o mais infeliz estar separado dela?

✓ Sente você atração pessoal pela pessoa amada? É essa atração física, mental, social e espiritual?

✓ Sente-se orgulhoso (a) de estar com a pessoa amada na presença de todos que conhece?

✓ Objetos ou coisas associadas com essa pessoa têm maior significação para você simplesmente por estarem relacionadas com essa pessoa?

✓ Ao fazer um retrospecto de sua convivência, observou se tem crescido seu afeto, sua liberdade de expressão de um para com o outro, sua compreensão e seus interesses mútuos?

✓ Ao considerar a questão da atração, a pessoa amada desperta em você genuína responsividade? Por outro lado, você tem prazer real de estar com a pessoa amada, mesmo quando é excluída qualquer expressão física de seu amor?

✓ Já aplicou a prova do tempo? É de bom alvitre que o par tenha ao menos um ano de conhecimento e convivência e, então, alguns meses de noivado, antes do casamento.

- ✓ Qual é a sua base de atração? É o que a pessoa lhe pode dar? Ou a ligação com os familiares desta pessoa? Ou é a própria pessoa? Como você vê a pessoa amada, ao compará-la com os outros? Representa ela para você "o máximo"?
- ✓ Está essa pessoa amada tão vividamente presente em seus pensamentos na ausência, como quando está na sua presença? É o tipo da pessoa com que você gostaria de se casar para trazer filhos ao mundo?
- ✓ É o amor mútuo grande o bastante para suportar as crises, os conflitos e os desentendimentos que costumam surgir, enquanto vocês estão se desenvolvendo em conjunto?
- ✓ A pessoa amada compartilha dos seus mais elevados ideais?
- ✓ Vocês participam, em conjunto, de interesses que merecem uma completa dedicação?

Se você puder responder "sim" a estas perguntas, então não há dúvida de que seu amor é uma realidade e provê uma base segura para o casamento.

CAPÍTULO 03

O PROPÓSITO DO NAMORO

É natural que, em todas as atividades humanas, tenhamos um propósito que nos mova em direção ao alvo. Quando os fins não estão bem definidos, a execução dos meios não traz realização e alegria. É o que ocorre com o namoro, também. Se o jovem não está imbuído de um propósito correto diante de si, a prática do relacionamento a dois há de sofrer as consequências.

Pretendo, pois, enquadrar a questão do namoro, dando um tratamento bíblico às seguintes perguntas:

Por que Namorar?

O que você pensa sobre o namoro? Você já fez essa pergunta a si mesmo, e obteve uma resposta significativa?

Esta é uma pergunta que muitos não conseguem responder. Por isso, dão tantas cabeçadas e ainda vivem se lamentando: - "Isso só acontece comigo!"

É preciso pensar muito, antes de tomar uma decisão sobre o início de um namoro. Podemos levar muita coisa boa ou ruim, para o resto de nossas vidas. Tudo depende da maneira de como vamos encará-lo.

O namoro não é apenas um momento de emoção a dois. Ele é um período muito importante e deve ser levado muito à sério em nossas vidas. A sua base deve ser firmada num amor de verdade e não em uma paixão desenfreada.

O fator tempo é essencial, pois o amor só se desenvolve na medida em que os dias se passam.

O namoro é *tempo das descobertas*. Descobir o máximo sobre o outro: sua personalidade, temperamento, caráter, afinidades e hábitos. Além disso, examinar se não vão ter maiores problemas nas diversas áreas da vida como: nível econômico, cultural, social, educacional, familiar, religioso, faixa etária etc...

O namoro também tem o propósito de oferecer uma oportunidade para se desenvolver amizade e companheirismo sadio.

As pessoas que souberem encarar o namoro com seriedade e compromisso aproveitarão com maior intensidade as emoções que o amor traz nesta fase da vida.

É certo que a maioria das pessoas se casa. Casar é estado normal ordenado por Deus. Segundo a Bíblia, o celibato é exceção. O casamento, segundo o plano bíblico, visa completar a personalidade dos parceiros.

Há áreas que necessitam ser atendidas a fim de que haja crescimento e amadurecimento:

Espiritual

Sabemos que a vida espiritual depende diretamente do relacionamento pessoal com Deus, através da meditação e obediência às Escrituras e de uma vida de oração, é certo que duas pessoas afinadas num mesmo propósito de agradar a Deus, crescerão espiritualmente em ajuda mútua.

No período do namoro é prioridade a busca do crescimento espiritual e de uma maior intimidade com Deus, como também no casamento.

Psicológica

Todos os indivíduos têm determinadas carências, sejam afetivas ou por necessidade de atingir suas aspirações. No casamento esta área é satisfeita quando os cônjuges promovem entre si a integração dos seus afetos.

A solidão não é característica do ser humano. Todos nós ansiamos por pertencer a alguém e também por atender essa necessidade psicológica de outrem. Não é mera retórica quando Deus disse: "*Não é bom que o homem esteja só; far-lhe-ei uma auxiliadora que lhe seja idônea*" (Gn 2:18). O Dr. Clyde M. Narramore diz a respeito: "*É uma necessidade psicológica embutida, que o próprio Deus instilou na natureza humana*".

Social

Comunicação é o ato de compartilhar de alguma coisa com alguém. O ser humano, sendo gregário por natureza, não aprecia ficar só. Precisa de alguém, constantemente, para comunicar-se.

No namoro e depois no casamento existe um ambiente muito próprio para a comunicação, pois existe uma participação na vida do outro. Uma interdependência total. O Dr. J. E. Giles acentua a respeito, falando do casamento: "*A esposa ou o esposo é a pessoa com quem se pode ter mais oportunidade de comunicar-se e nesta relação, a comunicação chega a seu nível mais íntimo e profundo.*"

Biológica

Dotados de mecanismos sexuais, tanto o homem como a mulher encontram no relacionamento conjugal o atendimento correto para estas necessidades.

A sexualidade é vista nas Escrituras com fins procriativos. A Bíblia dá muita ênfase ao fato de se ter filhos. Considera isso como bênçãos de Deus. Também está muito claro que a família é a célula ideal para criar filhos. Não há lugar para famílias coletivas. Aflora, cristalinamente, o princípio básico de o lar ser formado por **um** homem que será o marido, por **uma** mulher que será a esposa, os quais terão os seus próprios filhos. É uma relação fechada, que não admite intermediação ou promiscuidade.

Outro aspecto bíblico da sexualidade é que ela atende um requisito essencial na manifestação amorosa do casal.

Trata-se de uma maneira muito especial e íntima de marido e esposa expressarem o amor entre si. Diz ainda o Dr. Giles: "É uma maneira de enriquer esta relação e de ajudar a crescer os sentimentos emocionais entre duas pessoas que se amam."

Se você é aquela pessoa descrita biblicamente com o dom especial do celibato, muito bem. Não há nada errado em ficar solteiro ou solteira. Erroneamente, a felicidade é associada ao fato de se estar casada. É perfeitamente possível ser solteiro e levar uma vida fascinante. O apóstolo Paulo define muito bem esta situação quando dá instruções sobre o assunto em **I Cor. 7:1-9.** Mas, como você, com maior certeza, faz parte da maioria que se casará então namorar é uma necessidade preliminar.

Com quem vou namorar? Posso namorar alguém sem Jesus?

Esta pergunta já foi feita milhares de vezes por jovens "encalhadas". Algumas moças fazem a pergunta com certa sutileza, como se dissessem: "Eu quero me casar, mas não vejo ninguém na minha frente... não há mais jovens nas igrejas e os que existem são uns molengas, não querem nada..."

É uma pergunta muito séria e solene, que exige resposta não menos séria.

Infelizmente, tem havido afrouxamento nos princípios bíblicos relacionados com o lar. O namoro e o casamento misto tem sido uma constante em muitas famílias crentes. Conheço todos os argumentos apresentados para tentar justificar a violação do princípio bíblico. Enfatiza-se a exceção da conversão de um cônjuge para generalizar o caso.

A Bíblia diz: *"Não vos prendais a um jugo desigual com os incrédulos"* **(2 Coríntios 6.14).**

É difícil aceitar esse versículo, principalmente quando o rapaz mais velho de sua igreja tem apenas nove anos. Você começa a sentir-se sozinha. Quanto mais espera, mais atraentes os rapazes não crentes se tornam. A tendência é começar a arrumar desculpas como estas:

"Ele me entende."

"Ele me aceita do jeito que sou."

"Faz muito tempo que não namoro alguém e me sinto tão sozinha."

"Não tem nenhum rapaz crente que eu queira namorar."

"Os não crentes são mais divertidos do que os crentes."

"Ela é mais legal do que todas as garotas crentes que eu já conheci."

"Ele está mudando. Ele já não é mais como era antes."

"Estou só namorando: não vou me casar com ela."

"Saio com ele só de vez em quando."

"Meus amigos querem que eu vá e irei desapontá-los se não for."

"Se não tomar uma atitude, todo mundo vai pensar que estou encalhada."

"Não consigo dizer não quando um rapaz não crente me convida para sair."

"Talvez eu consiga conduzi-lo a Cristo."

CASAMENTO MISTO "GATO NÃO COMBINA COM OVELHA"

Vou focalizar um tema de grande significado social, enfatizarei um dos fatores negativos à realização de um casamento feliz. Não se trata de algum preconceito racial discriminatório como o título pode sugerir. É sim, uma advertência de suma importância, sobre a medida determinada por Deus, com referência ao casamento, que deve unir o homem à mulher. União maravilhosa, inseparável e abençoada, que só é possível, quando o amor conjugal se fundamenta nos valores espirituais e eternos, dos que professam a mesma fé, o que não é viável entre pessoas em que a mistura de credos frustra a verdadeira união, e infelizmente a vida dos pais e dos filhos.

Primeiro Ponto:
O Perfil do Homem sem Cristo Descrito na Bíblia

A palavra de Deus apresenta um quadro alarmante do homem sem Deus, profundamente real. É o seguinte:

a. Filho do diabo
Mt. 13:38; Jo. 8:44 e I Jo. 3:8,10. Quem é o sogro de quem se casa com "um filho(a) do Diabo? O próprio Diabo. Você já pensou nisso?

b. Cego e vivendo em trevas
Is. 44:18; Jo. 3:19; Rm. 1:21; II Co. 4.4 e Ef. 4:18 e 5:8.

c. De coração mau e pervertido
Gn. 6:5; Sl. 5:9; Jr. 16:12 e 17:9; Mt. 15:19 e Mr. 7:21-23

d. Prazer em fazer o mal
Sl. 52:4; Ecl. 8:11; Miq. 3:2 e Ef. 2:3.

e. Seus membros são instrumento de iniquidade – Rm. 6:13,19 e 7:5.

- Sua boca profere maldade e falsidade – Sl. 5:9; Is. 6:5 e 59:3; Mt. 12:34; Rm. 3:13 e 14; Tg. 3:5-8.
- Sua conduta é má e corrompida – Gn. 6:12; Sl. 34:4; Is. 53:6 e Rm. 3:16
- Escravo do pecado e concupiscência – Jo. 8:34; Rm. 1:24; 3:9; 6:16; 7:5; 14:23; I Ts. 4:5.
- Viciado – Gn. 6:5,6; Jr. 17:1 – morto no pecado – Ef. 2:1 e Col. 2:13. – desconhecendo a Deus – Jr. 4:22; Os. 4:1; Gl. 4:8; Ef. 2:12; I Ts. 4:5 e I Jo. 3:1. – separado de Deus – Is. 29:13; Cl. 1:21. – inimigo de Deus – Rm. 1:30; 5:10; 8:7 e Cl. 1.21. etc.

Assim a Bíblia apresenta o retrato do homem sem Cristo. E a condição de um é a de todos. Não há exceção. A Bíblia fulmina (Rm. 3:23): "Todos pecaram e separados estão da glória de Deus. Não há justo, sequer um, todos pecaram, se transviaram e se fizeram inúteis."

Para você pensar: "Quem casa com "um filho do diabo" tem como sogro o diabo.

Segundo Ponto:
O Que a Bíblia Diz a Respeito dos Casamentos Mistos

No primeiro livro da Bíblia lemos: "*Vendo os filhos de Deus que as filhas dos homens eram formosas, tomaram para si mulheres, as que, entre todas, mais lhes agradaram*" **(Gn. 6.2).**

Este versículo nos diz que os filhos de Deus, atraídos pela beleza física, casaram-se com as filhas dos homens, sem levar em consideração as qualificações espirituais. Escolheram apenas na base daquilo que viram.

Qualquer casamento baseado somente na atração física, é lamentavelmente inadequado. Harmonia espiritual é a base divina para uma união verdadeira._O casamento misto dos filhos de Deus com as filhas dos homens resultou na completa indiferença espiritual e por fim, na destruição física. O Senhor se irou e declarou: "...o meu Espírito não agirá para sempre no homem" **(Gn. 6:3).**

O descuido do homem aumentou até ao ponto em que Deus não teve alternativa senão destruir o mundo com o dilúvio (Gn. 6:5).

Um dos resultados de um casamento misto, é o descuido nas coisas de Deus

Um ou ambos os cônjuges, deixam a igreja, e se tornam cada dia mais indiferentes... Disfarçando no início, mas no fim, abertamente.

Fato: Mark Twain, o humorista, foi um descrente. Ele se casou com uma moça crente, Olivia L. Langdon. No início sua vida influenciou um pouco o marido, mas com o passar dos anos, ele se expressou contra as convicções ortodoxas de Olivia. Um dia, quando a esposa estava lendo a Bíblia ele protestou vigorosamente: "Eu não creio na Bíblia. Não posso sentar-me aqui, e ouvir você lendo-a".

Não somente faltava a unidade de fé entre eles, mas a incredulidade do marido produzindo um efeito paralisante sobre sua esposa até destruir-lhe a fé.

Anos mais tarde, ao passar por uns dias de tristeza, Twain tentou confortar sua esposa: "Olivia, se você achar conforto apoiando-se em sua fé cristã, faça-o".

Ela suspirou: "Não posso, não tenho mais fé".

No livro de Levítico, o Senhor ordenou a Israel, não misturar as coisas que, na criação de Deus, foram separadas....

> *"Obedeçam às minhas leis. "Não cruzem diferentes espécies de animais". "Não plantem duas espécies de sementes na sua lavoura". "Não usem roupas feitas com dois tipos de tecido* **(Lv. 19:19).**

O que o Senhor uniu não se deve separar. O que Ele separou não se deve unir. Esta mesma verdade está expressa em Deuteronômio 22:9-11: "*Não plante dois tipos de semente em sua vinha; se o fizer, tanto a semente que plantar como o fruto da vinha estarão contaminados. "Não are a terra usando um boi e um jumento sob o mesmo jugo. "Não use roupas de lã e de linho misturados no mesmo tecido".*

Os israelitas foram proibidos de juntar o boi e o jumento para trabalhar. Por quê? O boi e o jumento são de tamanhos diferentes, e diferentes também no temperamento e força. Para fazê-los trabalhar juntos seria imprudente e injusto. Ambos iriam sofrer com esse jugo desigual. Juntos não poderiam trabalhar bem. Para o crente juntar-se em casamento com um incrédulo, é infinitamente mais cruel. O cristão é diferente aos olhos de Deus, porque já foi perdoado. O incrédulo não foi perdoado. O casamento misto não é somente uma combinação que não funciona, como também uma fonte de angústia e sofrimento para ambas as partes. **O fato é que Deus não aprova misturas.**

No livro de Mateus, lemos a história do homem que semeou boa semente em seu campo. Depois de ter plantado a semente, veio o inimigo e plantou joio, criando confusão. O inimigo sempre procura introduzir aquilo que Deus despreza.

Deus advertiu os Laodicenses: "*Assim, porque você é morno, não é frio nem quente, estou a ponto de vomitá-lo da minha boca*. **(Apoc. 3:16).** "Morno" é uma mistura repugnante a Deus. As coisas devem concordar entre si. Precisam ser uma coisa ou outra.

Deus não tolera misturas.

> "*Não se casem com pessoas de lá. Não deem suas filhas aos filhos delas, nem tomem as filhas delas para os seus filhos, pois elas desviariam seus filhos de seguir-me para servir a outros deuses e, por causa disso, a ira do SENHOR se acenderia contra vocês e rapidamente os destruiria*. **(Deut. 7:3-4).**

Aqui o Senhor proibiu ao Seu povo o casamento com incrédulos

Por quê? "Elas fariam desviar teus filhos de mim". Casar com incrédulo, frequentemente é a mesma coisa que casar com sua incredulidade. Casamentos assim estragam as duas vidas. Palavras suaves e frases agradáveis são usadas para disfarçar a realidade, mas a verdade inalterável é que duas pessoas que não concordem nos assuntos vitais, não podem se unir em casamento, se cair na aflição. **Aqui está mais uma advertência severa que Deus deu aos Israelitas:** "*Se, todavia, vocês se afastarem e se aliarem aos sobreviventes dessas nações que restam no meio de vocês, e se casarem com eles e se associarem com eles, estejam certos de que o SENHOR, o seu Deus, já não expulsará essas nações de diante de vocês. Ao contrário, elas se tornarão armadilhas e laços para vocês, chicote em suas costas e espinhos em seus olhos, até que vocês desapareçam desta boa terra que o SENHOR, o seu Deus, deu a vocês".* **(Josué 23:12-13).**

Se o povo de Deus se mistura por casamento, a ira de Deus estará contra eles. Sua parte não será somente miséria e angústia, mas por fim a ruína total.

Fato: Sansão foi a Timanate um dia, e se enamorou de uma mulher que lhe agradou "*das filhas dos filisteus*" (Jz. 14:2). Quando ele contou aos seus pais, estes disseram: 3 Seu pai e sua mãe lhe perguntaram: "*Será que não há mulher entre os seus parentes ou entre todo o seu povo? Você tem que ir aos filisteus incircuncisos para conseguir esposa?" Sansão, porém, disse ao pai: "Consiga-a para mim. É ela que me agrada.* **(Juízes 14:3).**

Com efeito, Manoá, o pai de Sansão havia dito: "Não vai dar certo. Ela é filistéia e você é israelita. Será um casamento mal feito." Depois que os filisteus traíram Sansão, as coisas pioraram, até ele se encontrar no colo da encantadora Dalila, que o conduziu à queda ao quebrar os votos de nazireu. Por três vezes ele riu dos filisteus... achando que poderia rir de Deus também. Seu cabelo nunca cortado era um símbolo de sua dedicação (também ininterrupta) a Deus. Mas logo que seu cabelo foi raspado, "rapou-se" também o seu poder.

Muitos têm seguido a Sansão. Jovens, uma vez fortes no Senhor, estão agora "rapados" de seu poder por um casamento misto. Afastaram-se do Senhor, e nem o sabem, como Sansão não sabia que o Senhor o havia abandonado.

TAREFA:

Estude as passagens bíblicas: Esdras, capítulos 9 e 10 – Neemias, capítulo 13. Após o estudo, escreva em uma folha as conclusões que você chegou.

Não parece claro a muitos jovens e até líderes que a Bíblia afirme: "*Não vos ponhais em jugo desigual com os incrédulos; porquanto, que sociedade pode haver entre a justiça e a iniquidade? Ou que comunhão da luz com as trevas? Que harmonia entre Cristo e o Maligno? Ou que união do crente com o incrédulo? Que ligação há entre o santuário de Deus e os ídolos? Porque nós somos santuário do Deus vivente, como ele próprio disse: Habitarei e andarei entre eles; serei o seu Deus, e eles serão o meu povo. Por isso, retirai-vos do meio deles, separai-vos, diz o Senhor; não toqueis em coisas impuras; e eu vos receberei, e Eu serei para vós Pai, e vós sereis para mim filhos e filhas, diz o Senhor Todo-Poderoso.*" **(II Coríntios 6:14-18).**

Estas palavras foram escritas aos cristãos de Corinto que se encontravam cercados pela incredulidade. Corinto foi uma cidade onde as massas se uniram nas mais estranhas misturas. O apóstolo Paulo, preocupado, implorou aos cristãos que não se unissem estes num jugo desigual.

O texto evidencia a incompatibilidade existente entre algumas expressões:

» *"Que sociedade pode haver entre a justiça e a iniquidade"* **(II Coríntios 6:14).** Como pode o crente andar com aquele que, aos olhos de Deus é injusto...que despreza o padrão de Deus?

» *"Que comunhão há da luz com as trevas?"* Luz expressa a verdade e a pureza. Os servos de Deus são as luzes do mundo; somos chamados os filhos do dia. Possuímos o conhecimento da verdade. Por outro lado, as trevas simbolizam o erro e incredulidade. Os incrédulos estão se preparando para as trevas exteriores. A diferença entre luz e trevas é diferença entre os salvos e os perdidos. Essa diferença é muito maior do que pensamos. Por fim, é a diferença entre o céu e o inferno.

» *"Que ligação há entre o santuário de Deus e os ídolos?"* O crente é o santuário de Deus. As Escrituras dizem: "Cristo em vós, a esperança da glória" (Colossenses 1:27). Casar com incrédulo é profanar o templo de Deus. Paulo exclamou: "Não toqueis em coisas impuras" (II Coríntios 6:17). Existem exceções, em que o cônjuge rebelde é ganho por Cristo através da vida e as orações do outro, mas estas exceções somente provam a graça de Deus (I Pedro 3:1-2). A união santa deve realizar-se somente com outro crente em Cristo.

De acordo com A. T. Robertson, este versículo diz literalmente: "*Parem de unir-se com os não convertidos*". Casamento é um jugo de natureza muito íntima. Paulo dá o grito – **"Parem",** "pensem no que estão fazendo".

Mostra que essa incompatibilidade inibe a aplicação de termos vitais como: **so-**

ciedade, comunhão, harmonia, união e ligação. A questão é: se tirarmos essas expressões vitais da existência de um casal qualquer, o que sobrará?

Cada um tem seus sonhos, ideais e expectativas. Mas, em meio a tanta gente interessante, o que você deve observar? Quais as características importantes a serem verificadas na pessoa que você pretende namorar?

Se aquela jovem ou aquele moço não aceitar a Jesus Cristo antes do casamento, é bem provável que não o faça depois da lua de mel. Alguns se casam na base de uma promessa do futuro cônjuge que se tornará cristão mais tarde. Mas pode-se esperar que Deus atenda seu pedido nesse sentido, se você mesma Lhe desobedeceu?

Fato: Uma senhora que pediu certo pastor que falasse sobre esse assunto, chorou em contar sua história: "*Antes do nosso casamento João frequentou a igreja comigo, e mostrou-se interessado. Prometeu tomar a sua decisão depois do casamento, mas nunca o fez. Durante estes oitos anos não assistiu a culto nenhuma vez. Não se mostra interessado, pelo contrário, opõe-se a qualquer manifestação de coisas espirituais em casa. Meus filhos não estão recebendo uma orientação espiritual. Nosso lar não é um céu, mas, sim um inferno. Estou magoada. Se tão somente eu tivesse obedecido as Escrituras...*"

Cinco jugos desiguais
(II Coríntios 6:14-16)

1º Jugo - A justiça e a injustiça (versículo 14)

- O justo sofre calado, o injusto tira satisfações;
- A justiça brilha, a injustiça cega;
- A justiça é sábia, a injustiça é louca.

2º Jugo - A luz e as trevas (versículo 14)

- A luz guia, as trevas desviam do caminho;
- A luz promove, as trevas destroem;
- A luz é amada por todos, as trevas por todos é rejeitada.

3º Jugo - Cristo e belial (versículo 15)

- Cristo é Jesus, belial é Satanás;
- São como a água e o óleo, não há como se misturarem;
- Cristo é vida, belial é morte.

4º Jugo - O fiel e o infiel (versículo 15)

- O fiel cumpre o seu dever, o infiel a todos é devedor;
- O fiel respeita o seu Senhor, o infiel é traiçoeiro;
- O fiel será exaltado, o infiel será condenado.

5º Jugo - O templo de Deus e os ídolos (versículo 16)

- Somos templo de Deus, portanto temos vida. Os ídolos não;
- Templo de Deus: lá nós adoramos ao Senhor. Os ídolos são enganadores de homens;
- Templo de Deus: seu artífice é Deus. Os ídolos são obras das mãos de homens.

Compatibilidade

Quando um rapaz ou moça pretende encontrar o futuro parceiro de sua vida, deve ter em conta a compatibilidade espiritual. Isto significa:

Crente genuíno – Não basta ser membro da igreja

Há de demonstrar evidências claras do novo nascimento, no dia-a-dia, na maneira de falar, nos gestos e atitudes, na maneira como encara a vida e suas circunstâncias. Esta avaliação é necessária devido a que, infelizmente, há joio nos quadros de membros.

Capacidade crescente de discernimento – Uma vez convertido, o rapaz ou moça deverá desejar o crescimento de que Paulo fala em Efésios 4:15-16.

O processo de crescimento dá acuidade espiritual, sintonia plena com o propósito de Deus e submissão à Sua vontade. Um crente retardado, que ainda vive à base de mamadeira, porque não estuda a Palavra e nem gosta de orar, não oferece boas condições para assumir o importante lugar de marido ou esposa. Penso que aqui temos alguma resposta para o problema de muitos casais, membros de nossas igrejas, que estão se separando. Está havendo falta de discernimento, sintoma de subnutrição espiritual.

Você já parou para pensar nas qualidades que espera na pessoa amada?

Terceiro Ponto: Que Efeito Terá Sobre Você Um Casamento Misto?

No casamento misto há falta de "acordo e propósitos". O profeta Amós perguntou: *"Andarão dois juntos se não houver entre eles acordo?"* **(3:3)**

Porque seu cônjuge não se desperta para uma vida de fé, você se submete a uma vida de incredulidade. As esposas pagãs de Salomão fizeram-no virar as costas a Deus.

"O rei Salomão amou muitas mulheres estrangeiras, além da filha do faraó. Eram mulheres moabitas, amonitas, edomitas, sidônias e hititas. Elas eram das nações a respeito das quais o SENHOR tinha dito aos israelitas: "Vocês não poderão tomar mulheres dentre essas nações, porque elas os farão desviarem-se para seguir os seus deuses". No entanto, Salomão apegou-se amorosamente a elas. Casou com setecentas princesas e trezentas concubinas, e as suas mulheres o levaram a desviar-se. À medida que Salomão foi envelhecendo, suas mulheres o induziram a voltar-se para outros deuses, e o seu coração já não era totalmente dedicado ao SENHOR, o seu Deus, como fora o coração do seu pai Davi. Ele seguiu Astarote, a deusa dos sidônios, e Moloque, o repugnante deus dos amonitas. Dessa forma Salomão fez o que o SENHOR reprova; não seguiu completamente o SENHOR, como o seu pai Davi. No monte que fica a leste de Jerusalém, Salomão construiu um altar para Camos, o repugnante deus de Moabe, e para Moloque, o repugnante deus dos amonitas. Também fez altares para os deuses de todas as suas outras mulheres estrangeiras, que queimavam incenso e ofereciam sacrifícios a eles. O SENHOR irou-se contra Salomão por ter se desviado do SENHOR, o Deus de Israel, que lhe havia aparecido duas vezes. Embora ele tivesse proibido Salomão de seguir outros deuses, Salomão não lhe obedeceu. **(I Reis 11:1-10).**

"Além disso, naqueles dias vi alguns judeus que haviam se casado com mulheres de Asdode, de Amom e de Moabe. A metade dos seus filhos falavam a língua de Asdode ou a língua de um dos outros povos, e não sabiam falar a língua de Judá. Eu os repreendi e invoquei maldições sobre eles. Bati em alguns deles e arranquei os seus cabelos. Fiz com que jurassem em nome de Deus e lhes disse: Não consintam mais em dar suas filhas em casamento aos filhos deles, nem haja casamento das filhas deles com seus filhos ou com vocês. Não foi por causa de casamentos como esses

que Salomão, rei de Israel, pecou? Entre as muitas nações não havia rei algum como ele. Ele era amado por seu Deus, e Deus o fez rei sobre todo o Israel, mas até mesmo ele foi induzido ao pecado por mulheres estrangeiras. Como podemos tolerar o que ouvimos? Como podem vocês cometer essa terrível maldade e serem infiéis ao nosso Deus, casando-se com mulheres estrangeiras? Um dos filhos de Joiada, filho do sumo sacerdote Eliasibe, era genro de Sambalate, o horonita. Eu o expulsei para longe de mim. Não te esqueças deles, ó meu Deus, pois profanaram o ofício sacerdotal e a aliança do sacerdócio e dos levitas. **(Neemias 13:23-29).**

A queda de Salomão veio como resultado de seu casamento misto. Esse foi o seu grande PECADO. Portanto, casamento misto é PECADO!! PECADO aos olhos de Deus.

Aos domingos, um deseja ir a igreja adorar a Deus, enquanto o outro prefere dormir. Como crente você terá o desejo de contribuir para o trabalho de Deus, enquanto o outro vai insistir que isso não é possível fazer. Enquanto você quer ir à igreja o outro quer ir à praia. Quando as crises chegarem, vocês não poderão orar juntos. O que é descrente poderá até desprezar as convicções do crente e ridicularizar sua fé. Muitas vezes na igreja, em reuniões que envolvem casais, você se sentirá só.

Os psicólogos concordam que os casais que têm mais em comum, têm mais chances de serem felizes no casamento. As diferenças na área religiosa levam inevitavelmente às dificuldades. Geralmente a fé é adquirida na infância. Pode ficar adormecida na adolescência. No entanto, quando surgem as responsabilidades e problemas da vida conjugal, há um retorno à fé da infância. No momento em que ocorre a necessidade de um acordo com base na fé para manter o casal unido, há desacordo.

Quarto Ponto: Que Efeito Terá o Casamento Misto Sobre os Parentes e Amigos?

Gênesis 27:46: "*Então Rebeca disse a Isaque: "Estou desgostosa da vida, por causa destas mulheres hititas. Se Jacó escolher esposa entre as mulheres desta terra, entre mulheres hititas como estas, perderei a razão de viver".*

A vida não valeria a pena a Rebeca, se Jacó fosse seguir seu irmão Esaú em casamento misto. Esaú, "*sabedor também de que Isaque, seu pai, não via com bons olhos as filhas de Canaã* ", deliberadamente foi e escolheu uma mulher entre estas.

Desprezou o desejo de seus pais e pagou caro por sua desobediência.

Sansão também escarneceu o conselho dos pais e como resultado, afogou-se em tristeza. A maldição de Deus cai sobre aqueles que não dão valor ao amor e conselho dos pais. *"Maldito quem desonrar o seu pai ou a sua mãe'. Todo o povo dirá: 'Amém!"***(Dt. 27:18).**

Verdade é que às vezes os pais interferem onde não deviam. A base da orientação paternal e maternal deve ser a Palavra de Deus. Por exemplo: Se uma filha cristã pretende casar-se com um homem incrédulo, de acordo com a Bíblia, os pais não deviam consentir nessa união. Pergunte-se a si mesmo – Poderão meus pais cooperar alegremente nesse casamento?

Se você foi abençoado com pais crentes, um casamento misto será para eles uma fonte de tristeza. Se o seu noivo ou noiva, ameaça desfazer tudo o que seus pais procuraram realizar, com amor e zelo, por você, para seu desenvolvimento espiritual, não deve esperar que eles tenham muita estima pelo seu futuro cônjuge. O resultado será uma tensão e constante atrito. Depois do casamento, você poderá esperar conflito de ideias e ideais entre seu marido (ou esposa) e seus pais. Esses conflitos vão estimular a discórdia doméstica.

Quinto Ponto:
Qual Será o Efeito de Um Casamento Misto Para os Filhos?

Quando seu filho estiver doente a quem você irá chamar? O pastor, o padre, o rabino ou o macumbeiro? Seu filho vai freqüentar a igreja do pai ou da mãe? Não pode fazer os dois.

Pesquisas mostram que são os filhos os mais prejudicados num casamento misto. Geralmente não firmam laços fortes com a igreja. O casamento misto rouba dos pais a oportunidade de criar os filhos da maneira que achem melhor. Se não houver unidade de convicção no lar, haverá conflito. O que um acha certo, o outro acha errado. Um ama as coisas de Deus e o outro não considera os valores espirituais dignos de sua atenção. Tudo isso é altamente prejudicial ao filho.

Alguns dizem: "Nós vamos deixar os filhos escolherem por si mesmos". Mas uma criança, por acaso, tem condições de tomar uma decisão assim? Outros têm assinado acordos (como por exemplo, nos casamentos realizados na igreja católica onde frequentemente os pais precisam assinar um documento prometendo criar os filhos na doutrina romana) ao mesmo tempo em que resolvem por si mesmos não cumprir a promessa. Naturalmente, isto significa iniciar o casamento com uma grande mentira. "Vamos criar os filhos alternadamente... primeiro numa igreja, e depois na outra". Disto resulta uma família dividida e confusa, e pode ter certeza que os filhos não terão muito tato em se expressar sobre a diferença entre uma e outra.

"Resolvemos criar os filhos nas duas religiões, até que tenham idade para decidir". Este tipo de procedimento produz filhos frustrados. É preciso também existir um acordo entre os pais, referente à disciplina dos filhos. Os filhos percebem o desacordo e incerteza. Os filhos precisam de encorajamento no crescimento espiritual. Não é suficiente deixá-los ir à igreja. Eles precisam do exemplo diário da vida cristã de seus pais.

Fato. Em tempos atrás, um jovem atendeu ao apelo para aceitar a Jesus Cristo como Salvador. "Que parte da minha mensagem o convenceu a tomar essa decisão?" perguntou o evangelista. "Não foi nada que o senhor disse", respondeu o rapaz. "Foi o exemplo da vida de meus pais que me convenceu."

Você pergunta: Qual é a chance de sucesso num casamento misto?_ A resposta tem de ser dada em termos de lares desfeitos e corações quebrados. Mas alguém responde: "Eu conheço um casal que vive bem, embora de religiões diferentes." Pode ser que todos possam mencionar algum exemplo assim. Todavia, esse casamento não é o ideal. E sempre deixa de ser tudo que podia e devia ser.

Fato. Suponha que você queira viajar de Vitória ao Rio de Janeiro num navio, e você pergunta – Há segurança em fazer essa viagem? E o responsável responde – Claro que há. De vez em quando um navio consegue atravessar o mar sem afundar. Creio que você desistiria da viagem. Um casamento misto é mau negócio e ninguém, com um mínimo de inteligência, faria algo que sabe de antemão ser mau.

Sexto Ponto:
Como Evitar Um Casamento Misto

1. Verifique se o seu amigo é um verdadeiro crente no Senhor.
2. Não espere até que o namoro esteja muito avançado, porque depois você não terá força para parar. Logo no início resolva esse assunto. Ore a respeito de seu namoro e noivado. Este é um passo muito grande. Não o tome sem procurar a liderança do Senhor.
3. Depois de um encontro com o namorado, pergunte-se a si mesma: "É mais fá-

cil servir a Cristo por causa da nossa amizade? Colocamos as coisas espirituais em primeiro lugar? Temos as mesmas convicções religiosas? À medida que o namoro se desenvolve pergunte:" "Gostamos das mesmas coisas, das mesmas pessoas? Nossos desejos são semelhantes? Concordamos a respeito de filhos?"

Conclusão

É melhor prevenir do que remediar. Para garantir a bênção de Deus, é necessário que ambos sejam cristãos genuínos. Unidade no Senhor minimiza a falta de compreensão, e fortalece na hora de dificuldade.

Para um casamento seguro e satisfatório, inclua a pessoa de Cristo nos seus planos. Resolva fazer a vontade dEle, estabelecendo o culto doméstico, frequentando assiduamente a casa de Deus, e servindo-O dedicadamente, ganhando outros para Cristo.

Proponha no coração, junto com Josué: *"Eu e minha casa serviremos ao Senhor"* **(Js. 24:15).**

Gato não combina com ovelha

Música - Ovelha e o Gato

Pr. Jairinho

Compositor: Toinho de Aripibú

http://www.youtube.com/watch?v=sB8_tv-ehCI

Ela diz que pretende se casar, na sua Igreja não tem homem bonito
Está cansada de viver na solidão e resolveu dar uma volta no Egito
Tá namorando com um rapaz que não é crente
Está dizendo que ele é um barato
Está falando que agora está feliz e pra todo mundo diz meu namorado é um gato.

Refrão:
Ovelha não dá pra casar com gato
Gato não combina com ovelha
Ovelha vive dentro do curral, gato gritando miau dormindo em cima da telha

Ovelha não dá pra casar com gato
Gato com ovelha não convém
Porém se o gato quer casar com a ovelha precisa ser transformado e ser ovelha também.

Quem é luz não combina com as trevas
E nem as trevas combina com a luz
A santidade não combina com o pecado
Nem o diabo combina com Jesus
A Santa Igreja não combina com o mundo
E nem o bem se mistura com o mal
A mulher santa casa-se com homem santo
De outra forma é um julgo desigual

(Refrão)

Eliezer mordomo de Abrãao
Foi a Mesopotâmia a casa de Betuel
Buscar uma moça para casar com Isaque
Uma jovem crente que temesse a Deus do céu
Quem é Rebeca tem que casar com Isaque
Misturar o santo com o profano isso não pode
Porque Jesus nunca foi e nem será
Pastor de gato, nem de cabra e nem de bode

Dicas para um bom namoro

» O que ele(a) pensa sobre Deus?

» Ele(a) dá testemunho de uma vida comprometida com Deus?

» Ele(a) é bondoso(a)? Educado(a)?

» Como ele(a) reage às suas fraquezas e defeitos?

» Como reage aos problemas que a vida traz?

» Ele(a) é organizado(a) ou relaxado(a)?

» Como ele(a) reage à autoridade?

» É preguiçoso(a) ou ativo(a)?

» É companheiro(a)? É amigo(a)?

» É possessivo(a)? É ciumento(a)?

» É briguento(a)?

» Ele(a) tem bom senso?

» Ele(a) tem paciência ou perde a calma com facilidade?

» Ele(a) é sensível? Demonstra consideração?

» É asseado(a)? Tem boas maneiras?

» Já estabeleceu alvos para o futuro?

» Como ele(a) lida com dinheiro?

» É responsável com o que tem ou gasta "conforme dá na cabeça"?

Sem dúvida, é difícil encontrar todas essas qualidades numa só pessoa. Examine bem se seu (sua) futuro (a) namorado (a) possui as características que você considera mais importantes.

A pessoa corresponde a estas expectativas essenciais? Coloque seus anseios quanto a ela em oração e espere em Deus. *É claro* que Ele vai dar uma resposta! Ela podera ser: *SIM, NÃO ou ESPERE.*

O coração humano sempre tem dificuldades em ESPERAR. Deus, por toda a bíblia, nos orienta a ESPERAR por Ele, como em Salmo 46.10: "*Aquietai-vos, e sabei que eu Sou Deus*". Quando ao invés de *aquietar*, nós nos *inquietamos* e começamos a agir por conta própria, acumulamos frustrações e problemas.

Ao procurarmos o querer do Senhor para nossas vidas, descobrimos a grande verdade descrita em Romanos 12.2 – "*A vontade de Deus é boa, perfeita e agradável*". **Ele sempre quer o melhor para nós.**

E SE MEUS PAIS FOREM CONTRA O NAMORO?

Este é um item importante a ser considerado. Veja o que a Bíblia diz em Colossenses 2.20: "*Filhos, em* **tudo** *obedecei a vossos pais, pois fazê-lo é grato diante do Senhor*". Também Efésios 6.1 nos confirma: - "*Filhos obedecei a vossos pais, no Senhor, pois isto é justo.*"

Estas duas passagens, são a garantia de que a **obediência paterna**, até no namoro, é sempre o melhor negócio. Isto é justo e agrada a Deus.

O Senhor mostrará Sua vontade através dos seus pais. O coração deles está nas mãos de Deus e conforme o Seu querer vai incliná-los. Confira isso em Provérbios 21.1: "*Como ribeiros de águas, assim é o coração do rei na mão do Senhor; este, segundo o Seu querer, o inclina*".

Depois de algum tempo de oração e espera seus pais ainda continuam sendo contra o namoro? Entenda que Deus quer o melhor para você e definitivamente **não** comece a namorar.

Você encontrou a pessoa certa? Orou ao Senhor, e obteve uma resposta afirmativa, até de seus pais? Vá em frente, invista nesse namoro. Vai valer a pena! Caso contrário, saia dessa que é fria!!!

COMO ENCONTRAR O PAR IDEAL?

O namoro pode ser frustrante quando você procura a pessoa ideal sem olhar para si mesmo. Já parou para pensar que em lugar de encontrar a perfeição na outra pessoa você também deve buscar ser a pessoa perfeita para seu par? Que tal mudar o foco?

Deus quer te dar o melhor. Mas assim como está preparando seu futuro marido ou esposa, também está preparando você para alguém. Deixe-se ser transformado e receba o "presente" que Deus está guardando para seu futuro!

CONFIRA 12 DICAS PARA QUEM ESTÁ À PROCURA DO PARCEIRO IDEAL:

1. Confie que Deus tem alguém especial para você, e em lugar de orar apenas pedindo que ele mande logo o companheiro ou companheira, peça para que Ele lhe ajude a esperar;

2. Se está disposto a procurar alguém, procure nos lugares certos, mas sem ansiedade. Faça novas amizades e programas sadios com pessoas que agradem a Deus e que poderiam um dia tornar-se aquele alguém especial;
3. Não procure "o príncipe encantado" e muito menos alguém para satisfazer suas vontades e carências. Só Jesus pode fazer isso;
4. Não faça planos fora da realidade. Não busque beleza, riqueza ou prosperidade no cônjuge, e sim, vida com Deus e compromisso com a Palavra;
5. Não insista em querer alguém que não te quer. Se o seu coração estiver ocupado, pode não haver espaço para aquela pessoa que Deus está colocando em seu caminho...;
6. Cuidado quando diz ter convicção de que aquela pessoa que vem te rejeitando é mesmo a que Deus escolheu para sua vida. O coração é enganoso. É melhor ficar tranquilo e não ser inconveniente, afinal, os planos realmente Dele *"não podem ser frustrados"*;
7. Se você vai buscar alguém que tenha intimidade com o Senhor, lembre-se que alguém também pode querer ver isso em você...;
8. Permita-se ser curado daqueles relacionamentos que ficaram para trás. Mágoas do passado podem torná-lo uma pessoa amarga e de difícil convivência. Perdoe e seja perdoado;
9. Cuide de você, sua aparência, sua alma, seu espírito. Sua beleza interior brilhará mais forte se você estiver satisfeito com seu exterior e de bem com a vida;
10. Comprometa-se a permanecer puro até o casamento. Não dê ouvidos à "modernidade" pecaminosa. Deus pode honrá-lo por suas decisões;
11. Não faça dessa busca a prioridade. Em primeiro lugar, busque o Reino de Deus. *"E as demais coisas vos serão acrescentadas"*...;
12. Tenha em mente que Deus tem prazer em constituir famílias felizes - e Ele não irá te deixar de fora dessa!

Mentiras sobre o namoro

O Pr. **Leandro Almeida** , *Pastor da Mocidade Igreja Batista da Lagoinha Belo horizonte/MG*, falar a respeito de algumas mentiras sobre o namoro. São elas:

1. Não posso namorar uma amigo(a)

Existe um padrão do "mundo" que diz que amigo (a) não serve pra ser namorado (a). Isso é uma mentira, pois no casamento, a amizade faz total diferença. Amigos contam segredos, dialogam muito bem entre si, resolvem as coisas conversando, não ocultam fatos do outro... Tudo isso é fundamental para que um relacionamento dê certo. Nós sempre aconselhamos a, antes de iniciar um relacionamento de namoro, começar uma amizade, pois nesse tempo você conhecerá muito da outra pessoa e conseguirá ter uma percepção melhor se é ou não a pessoa certa. Lembre-se, a amizade é um dos fatores mais relevantes para o sustento de um bom casamento. A beleza passa, mas a amizade fica!

2. Você é minha namorada! Você tem que me obedecer!

Uma disseminação errada sobre submissão em um relacionamento pode gerar frustrações permanentes. Nem em um casamento a coisa funciona assim, pelo menos segundo os padrões de Deus. Por que é, então, que um namorado exigirá de uma namorada (que nem sua esposa é) sujeição, submissão, obediência? Querer estabelecer o regime de "manda x obedece" em um relacionamento de namoro é pedir para viver um casamento opressor e ameaçador. Deus não tem isso pra nós. Você é você. Ela é ela! Muitas vezes as moças não pedem permissão nem para os pais quanto a cor que irá pintar o cabelo, por exemplo. Mas liga para o namorado e diz: "amor, você deixa eu pintar o cabelo de rosa?". Se você deseja a felicidade no relacionamento, abra mão deste padrão "mundano" de relacionamento.

3. Já que nos amamos, podemos transar agora.

Uma grande mentira que tem permeado a vida de muitos namorados. Muitos tem o pensamento de que já se existe a intenção de casar, por que não transar? Só que se esquecem de que intenção não é consumação. Primeiro deixa o homem (sair de casa) pai e mãe e se une a sua mulher (casamento) e depois se tornam ambos uma só carne (sexo). Essa é a ordem de Deus descrita no livro de gênesis. Segure a onda. Guarde-se para seu marido! Rapaz, guarde-se para sua esposa! Há tempo para todas as coisas. Há o tempo certo para o sexo ser uma bênção pra sua vida; este tempo se chama casamento.

Escolha Esperar firme no Senhor. Você não irá se arrepender.

Lançamos, recentemente, um vídeo com este tema para sua edificação. Visite nosso canal www.youtube.com/DoOlharAoAltar para conferir este conteúdo especial.

Oito Tipos de homens para não se casar

O Pastor **Nelson Junior,** do "Eu Escolhi Esperar", fêz uma adptação do texto da autoria de J. Lee Grady, Diretor do Mordecai Project, traduzido por Carla Ribas, onde ele descreve os oito tipos de homens, que você serva o Eterno, não deve se casar.

Hoje temos várias solteiras que gostariam de encontrar o rapaz perfeito. Algumas contam que são poucas as opções em suas igrejas assim, elas decidiram se aventurar pelo mundo do namoro online. Outras tem se desesperado, imaginando se ainda existe algum rapaz cristão em algum lugar. Elas começam a cogitar se devem baixar seus padrões para encontrar um par.

Meu conselho é: Não aceite menos do que o melhor de Deus. Muitas mulheres cristãs aceitam um Ismael porque a impaciência as empurrou para um casamento infeliz. Por favor, aceite o meu conselho de pai: Você está muito melhor solteira do que com o homem errado.

Falando de "homens errados," aqui vão os 08 tipos de homens que você deveria evitar ao procurar por um marido:

1. O Não Crente

Por favor, escreva 2 Coríntios 6.14 em um post-it e fixe em seu computador. Ele diz, "*Não se ponham em jugo desigual com descrentes. Pois o que têm em comum a justiça e a maldade? Ou que comunhão pode ter a luz com as trevas?*" Essa não e uma regra. É a Palavra de Deus para você hoje - Não permita que o charme, aparência ou o sucesso financeiro de um homem (ou sua disposição para ir à igreja com você) leve-a a comprometer o que você sabe o que é certo. O "Namoro Missionário" nunca é uma estratégia sábia. Se o rapaz não for um cristão nascido de novo, risque-o da sua lista. Ele não é para você. Ainda estou para conhecer uma mulher cristã que não tenha se arrependido por ter casado com um ímpio.

2. O Mentiroso

Se você descobrir que o homem com quem está namorando mentiu para você sobre o seu passado ou está sempre encobrindo rastros para esconder seus segredos, saia o mais rápido possível dessa relação. O casamento deve ser construído sobre uma base de confiança. Se ele não pode ser verdadeiro, rompa agora, antes que ele cause uma decepção ainda maior.

3. O Pegador

Eu gostaria de poder dizer que, se você encontrar um cara legal na igreja, poderá supor que ele esteja vivendo em pureza sexual. Mas esse não é o caso hoje em dia. Já ouvi histórias horríveis sobre homens solteiros que cantam na equipe de louvor no domingo, mas agem como "pegadores" durante a semana. Se você se casar com um rapaz que sai pegando várias meninas por aí, pode ter certeza que ele vai continuar com a mesma prática depois do seu casamento.

4. O Desocupado

Tenho uma amiga que, depois de casada, percebeu que ele não tinha planos de encontrar um trabalho estável. Ele havia planejado uma grande estratégia: Ficava em casa o dia todo jogando vídeo games enquanto sua esposa, profissional, trabalhava para pagar todas as contas. O apóstolo Paulo disse aos Tessalonicenses (3.10): "Quando ainda estávamos com vocês, nós lhes ordenamos isto: se alguém não quiser trabalhar, também não coma". A mesma regra se aplica aqui: Se um homem não está disposto a trabalhar, ele não merece se casar com você.

5. O Narcisista

Sinceramente espero que você possa encontre um rapaz que bonito. Mas cuidado: Se ele passa seis horas por dia na academia e posta regularmente seus bíceps no Facebook, você tem um problema. Não se associe a um cara egoísta. Ele pode ser bonito, mas aquele que está apaixonado por sua aparência e suas próprias necessidades nunca será capaz de te amar sacrificialmente, como Cristo ama a Igreja (Ef

5.25). O homem que está sempre olhando para si mesmo no espelho nunca vai notar você.

6. O Abusador

Os homens com tendências abusivas não podem controlar sua raiva quando ela ferve. Se o rapaz com quem você está namorando tende a perder as estribeiras, seja com você ou com outras pessoas, não caia na tentação de racionalizar o seu comportamento. Ele tem um problema e se você se casar com ele você vai ter que andar em campo minado todos os dias para evitar desencadear outra explosão. Os homens irados machucam as mulheres verbalmente e às vezes até fisicamente. Encontre um homem que seja gentil.

7. O Filhinho do Papai

Pode me chamar de antiquado, mas suspeito de um homem que ainda mora com os pais aos 35 anos. Se a sua mãe ainda está cozinhando, limpando e passando para ele nessa idade, você pode ter certeza que ele parou no tempo emocionalmente falando. Você está pedindo para ter problemas se pensa que pode ser esposa de um homem que não cresceu. Afaste-se, e, como amiga, encoraje-o a encontrar um mentor que possa ajudá-lo a amadurecer.

8. O Controlador Excessivo

Atualmente, alguns cristãos acreditam que casamento é sinônimo de superioridade masculina. Podem citar as Escrituras e parecer super-espirituais, mas por trás da fachada de autoridade marital existe profunda insegurança e orgulho que podem se transformar em abuso espiritual. Primeiro a Pedro 3:7 afirma que os maridos devem tratar suas esposas com honra. Se o homem com quem você namora fala de cima para baixo com você, faz comentários depreciativos sobre as mulheres ou parece esmagar seus dons espirituais, afaste-se dele agora. Ele está em uma viagem de poder. As mulheres que se casam com controladores religiosos muitas vezes acabam no pesadelo da depressão.

Se você é uma mulher de Deus, não venda o seu direito de primogenitura espiritual ao casar-se com um homem que não te merece. A decisão mais inteligente da sua vida é esperar por um homem que seja equilibrado e fiel a Jesus.

Como começar bem um relacionamento

por **Leandro e Aline Almeida**

Quem não deseja ser bem sucedido em seu relacionamento amoroso? Pode ser que em seus alvos....., de uma forma bem destacada, você declarou que esse é "O SEU ANO" e que tudo será diferente nessa área. Se você começar bem, as chances de ser bem sucedido (a) nessa área são grandes!

Temos aconselhado muitos jovens e percebemos que, enquanto estão desesperados para encontrar alguém, esse "alguém" parece ficar mais longe ainda. A verdade é que se você tem priorizado, acima de tudo, ter alguém ao seu lado, as chances de encontrar a pessoa certa se distancia cada vez, pois o propósito de Deus não é que você busque um casamento em primeiro lugar, mas sim o Seu Reino e Sua Justiça. Não coloque Deus na categoria "demais coisas", mas sim seu casamento deve é que deve estar nessa categoria.

Estamos aqui, à todo vapor ...., para ajudar e orientar você a iniciar um relacionamento fazendo escolhas certas. Lembrando que nossas dicas não são "receitas de bolo" onde você segue os passos e tudo, como num passe de mágica, dá certo. No entanto, são princípios que, ao serem praticados, podem acrescentar muito na sua jornada desde o primeiro olhar até o Altar. Suas escolhas determinam sua vida.

Pensando em começar bem, separamos alguns conselhos que irão te ajudar nesse ano a iniciar um relacionamento de uma maneira tanquila e saudável:

1. Tire o foco

A pessoa certa irá aparecer quando você menos esperar, quando ela não for o foco maior de sua vida, quando ela não for sua prioridade número 01. Não é à toa que a bíblia nos orienta a buscar primeiro o reino dos céus e a sua justiça. Seu conjuge está incluso na segunda parte do versículo que diz "e as demais coisas vos serão acrescentadas".

Quando priorizamos Deus, consequentemente Ele fará acontecer aquilo que tanto desejamos (se nosso desejo estiver alinhado à sua vontade). Afinal, Ele é o nosso Pai e tem prazer em nos ver feliz. Ele é o responsável por fazer o solitário habitar em família. A maioria das pessoas que iniciam um namoro bem sucedido são aquelas que estão despreocupadas com essa área, porque escolheram confiar em Deus, e, então as coisas desenrolaram. Descanse, tire o foco "dele/dela" e ponha o foco NELE.

2. Certifique-se de que você é feliz sozinho

Se sua expectativa é encontrar alguém para ser feliz e estar completo, você provavelmente irá se frustar. você não está pronto para se casar, nem iniciar um relacionamento de namoro.

Você precisa primeiro se amar, se sentir completo (a) estando ainda solteiro (a). Em mateus 22:39 Jesus disse às pessoas para amarem ao próximo como a si mesmas. Você não pode amar ao próximo se não se ama. Muitas vezes você não se aguenta, e acha que seu conjuge irá te "aguentar"; não se suporta, e quer alguém que te suporte. Por isso, antes de se envolver em um relacionamente, você precisa estar feliz sozinho (a), estar completo (a) em Deus.

Não pense que seu cônjuge irá te completar. Somente Deus tem esse poder. Corra, então, para os braços Dele, seja louoa (a) por ELE e você será muito feliz quando se casar, porque o seu conjuge nunca estará em primeiro lugar em sua vida. Esse lugar deve ser SEMPRE de Deus.

3. Diga sim à amizade antes de dizer sim ao namoro

Antes de iniciar um namoro, seja amigo, conheça a pessoa, seja mais racional e menos emotivo. Analise as atitudes, a personalidade, sonde a família... Um bom relacionamento pode começar com uma boa amizade. Não se envolva emocionalmente até que você saiba que essa pessoa tem as qualidades que você deseja e os defeitos que você tolera. Se não presta pra ser seu amigo (a) não irá prestar pra ser sua esposa/marido.

Assim, você não precisa se envolver para descobrir que não era a pessoa certa pra você, e ninguém se feriu na história. Guarde seu coração nesse período de amizade.

4. Não abra não do período de oração juntos

Vocês perceberam que a amizade era colorida, e que não conseguiam ser apenas amigos, pois rolava um "clima" e, então, decidiram começar a orar. A oração é a base de tudo. É orando que descobrimos a direção de Deus; é orando que iremos saber o tempo certo e teremos a conviccão necessária; a oração nos prepara para vivermos o que Deus praparou pra nós; a oração nos livra das opções erradas.

Certa vez fui aconselhar uma moça e ela compartilhou comigo seu período de oração com o rapaz. Na primeira semana ele era o mais fofo e perfeito rapaz. Na segunda semana era um príncipe, tão cavalheiro e atencioso. Na terceira semana ele começou a mudar, alguma coisa estranha aconteceu, e de repente ele estava muito "nervosinho" com ela, e, então, ela se assustou.

No período de oração Deus deseja te mostrar muitas coisas.

Abra os olhos enquanto ainda há tempo, pois poderá será tarde demais e a melhor escolha a fazer será fechar os olhos. Decida começar bem para prosseguir bem. Esse é o desejo de Deus pra sua vida. Declaramos um 2014 cheio da graça de Deus sobre sua vida sentimental e muita paz no seu coração para esperar em Deus, agir em Deus e viver nEle o tempo todo.

Quando namorar?

Muitos jovens têm-se perguntado: - Com que idade devo namorar? Em resposta, faço-lhes outra pergunta: - Quando você pensa em se casar? Alguns, desapontados, dizem que nem estão pensando em tal coisa, por enquanto.

É bom afirmar que o Namoro é um fato social inevitável. Todo casamento aconteceu porque, em primeiro lugar, houve um período de namoro. Sei também, que nem todo o namoro veio terminar em casamento.

Afirmação: O namoro é necessário para um conhecimento mútuo

Um pouco de humor é muito bom: "Dizem que a moça de – **12 a 14 anos pensa:** "Não fostes vós que escolhestes a mim, mais eu que escolhi a vós.." de **15 a 18:** "Muitos são chamados, mas poucos escolhidos". De **19 a 24:** "Aquele que vier a mim de maneira nenhuma lançarei fora". De **25.....:**"Socorre-me Senhor porque eu já me encontro em grande aflição". Não fique triste! Foi só uma brincadeirinha.....

Não se desespere como a jovem dos versos que seguem:

Aos 16 anos foi que comecei a pedir ao Senhor um homem;

Aos 17, lembro-me, queria alguém alto e forte.

No Natal, quando tinha 18 , imaginava alguém louro e magro.

E depois, com 19 tinha a certeza de que iria me apaixonar por alguém mais maduro.

Com 20, pensei que me inspiraria com alguém inteligente.

Com 21, voltei atrás, e descobri meu ponto de vista se modificou, e optei por um "único homem".

Com 23, meu coração se partiu.

Com 24, ainda impensadamente, pedi qualquer um que não fosse enfadonho, enjoado, chato.

Agora, Senhor, que tenho 25, qualquer um serve, contanto que esteja vivo!

O tempo certo para o namoro está intimamente ligado AO VALOR QUE ATRIBUÍMOS A ELE. Você pode ficar supreso ao saber que não é a idade biológica que conta, mas sim a maturidade espiritual e a emocional que determinam se você já tem idade para namorar. Você não tem idade para namorar enquanto não tiver desenvolvido sua maturidade espiritual e emocional a ponto de dizer não à pressão sexual. Em outras palavras, você terá idade para namorar quando mostrar caráter e maturidade para abrir mão do prazer imediato em prol do futuro.

Como saber se você é maduro o suficiente para namorar? Veja abaixo algumas evidências:

- Suas decisões não são predeterminadas por alguém.
- Você não se deixa influenciar pela pressão do grupo.
- Sua autoimagem não se baseia no fato de estar ou não namorando.
- O objetivo de seu namoro é conhecer a outra pessoa e não viver uma grande paixão.
- Você assumiu um compromisso com a pureza sexual e não vai envolver-se com o sexo antes do casamento.
- Você tem permissão dos seus pais.

Apesar de sua maturidade ser o fator determinante na questão de estar pronto para namorar, a idade biológica também tem muito a ver com isso. Considere as estatísticas. A coluna da esquerda é a idade em que as meninas começaram a namorar. A outra coluna mostra a porcentagem delas que acabou se envolvendo com sexo antes de terminar o colegial.

Idade	Envolvimento com sexo
12	91%
13	56%
14	53%
15	41%
16	20%

Vejo que os namoros de hoje têm muito de canalidade – são sem propósito e isto não é certo. Um namoro firme deve ser estabelecido quando:

Há perspectiva de casamento próximo

Em verdade, não existe uma tabela de tempo que determine a duração ideal do namoro e noivado. Contudo, é necessário um critério, um equilíbrio. Certamente, um namoro muito curto não dará condições para que os namorados se conheçam mutuamente, em nível de estabelecer metas e propósitos comuns que durarão uma vida inteira.

Há, ainda, um tempo necessário de oração em conjunto, para que Deus possa estar confirmando Sua vontade específica para os dois.

Por outro lado, namoros que se arrastam por anos e anos, além de darem aquele "chá de sofá" e canseira nos pais da moça, propiciam liberdade e intimidade inadequadas. Acabam avançando, prematuramente, em relacionamento íntimo que é reservado e propício somente para a vida de casados. Assim, entra em jogo a questão da defraudação sexual.

Há capacidade de previsão e provisão

Se o casamento implica em responsabilidades, então há necessidade de prever e prover.

Estabelecer um lar significa, também, dotá-lo de condições para que a vida a dois, separada dos pais, seja factível.

Há, além da habitação, móveis, instalações, objetos diversos que compõem uma casa. Alguém precisa adquirir essas coisas.

Depois, há um orçamento doméstico, a compra de comida, de utilidades, de medicamentos, etc. rapidamente chega o primeiro filho e, então, as despesas sobem assustadoramente.

É preciso pensar nessas coisas, pois são reais. A profissão ou atividade ocupacional deve estar definida. É importante uma visão bíblica sobre questões de dinheiro e finanças. Namoros voadores podem ser muito românticos, mas quando se põe o pé no chão, a coisa é diferente.

Assim, se há impeditivos circunstanciais para o casamento, como, longos ciclos escolares em andamento, nenhuma definição profissional, remuneração não condizente, pare e pense um pouco.

É verdade que estas colocações mais se aplicam ao rapaz, tendo em conta que ele será aquele que proverá a manutenção do lar.

Para as moças, entretanto, o alerta é válido, pois muitas jovens se apressam em namorar mas desconhecem completamente o que é uma casa em funcionamento, não sabem cozinhar nada, não têm qualquer ideia de economia doméstica, nada sabem de puericultura, mal sabem fazer um café... Qualquer namoro nesta fase me pareceria prematuro.

"O crente só deve namorar quando estiver desejoso e pronto para se casar, quando tiver competência para casar e para sustentar sua casa e para criar os futuros filhos."

O Pr. Lucinho, pastor de Jovens da Igreja Batista Getsêmani, BH, MG – em seu livro Manual de Sobrevivência Para o Jovem Cristão, diz o seguinte:

> *"Os jovens se acham na idade certa e no momento certo para namorar".É difícil, por exemplo, convencer um rapaz de dezesseis anos que ele ainda deve esperar um pouco mais antes de assumir um compromisso de namoro com qualquer moça. Também é difícil convencer uma jovem de dezoito anos a não namorar enquanto estiver envolvida com os estudos, a fim de entrar para a universidade.*
>
> *Já atendi dezenas de casais de namorados e posso afirmar, sem medo de errar, que é praticamente impossível um namoro dar certo sendo a moça ou o rapaz com idade inferior a dezesseis ou dezessete anos. Na verdade, a*

idade aconselhável para se começar um namoro deve ser de, no mínimo, dezoito anos e, mesmo assim, ainda terão problemas relacionados à imaturidade.

Outra coisa importante é o momento pelo qual cada pessoa está passando. Em outras palavras, não basta estar na idade certa para se começar a namorar. Existem situações onde o namoro só será um peso a mais para se carregar. Há, por exemplo, o momento de priorizar os estudos. A grande maioria dos jovens que tenta conciliar determinação nos estudos com determinação no namoro, acaba tendo que escolher entre um e outro.

Outras situações complicadas acontecem quando os pais dele ou dela não aprovam o namoro, quando não têm dinheiro sequer para se encontrarem, quando não há compatibilidade nos horários de ambos, quando há uma situação na família, no trabalho, na escola ou na igreja que exige a presença constante de um dos dois, ou mesmo quando a pessoa ainda não se sente preparada para o namoro, apesar de já ter a idade ideal para começá-lo.

A resposta certa deve ser: sei que agora posso começar a namorar, porque já tenho a idade ideal, estou vivendo o momento certo e sei que já existe a aprovação de Deus, dos nossos pais e paz no coração para ter um namoro santo, seguro e maduro.

CAPÍTULO 04

O COMPORTAMENTO NO NAMORO

Os tempos mudaram muito; já não se namora como antigamente! Os costumes eram outros, havia mais sobriedade, mais fineza, mais romance, quando um simples olhar dizia muita coisa... Havia mais fascínio.

O namoro atual tende a ser explosivo, vulcânico, onde a paixão desenfreada toma o lugar da serenidade, onde a imoralidade toma o lugar da decência. Um simples olhar aos casais de namorados pelas praças e becos ou, então, aos carros estacionados ao longo de ruas e jardins, dá idéia do que está ocorrendo.

Os jovens de hoje advogam que os tempos são outros e os padrões mudaram. Assim, dizem, o que era vergonhoso antigamente, hoje não é mais; pelo contrário, é moderno, é elegante, é autêntico, é charmoso, é colunável, é... que mais sei eu?

Para o jovem crente, entretanto, os padrões não mudaram. O que era pecaminoso antigamente continua sendo hoje também; o que era lascivo nos tempos dos avós o é igualmente nos nossos dias. Quando a Bíblia recomenda a santidade de pensamentos e conduta e exorta à abstenção de qualquer impureza sexual, está-se dirigindo tanto aos namorados do primeiro século como aos deste final de século 20. A natureza humana é sempre corrupta, em qualquer época ou sociedade. Por isso a Palavra de Deus insiste tanto na disciplina da mente, dos pensamentos, porque é daí que brotam a má conduta e o testemunho negativo.

Como portar-se, então, à luz das Escrituras? Até que ponto é permitido liberdades entre os namorados? O que é válido e o que não serve?

Como namorar?

É certo que dois namorados não são estranhos entre si. Uma atmosfera de emoções e sentimentos fortes se forma em torno deles, quando se encontram. Há uma afeição crescente, que se iniciou com simples simpatia e amizade e que, dia-a-dia, se avoluma até que ambos concluem que a vida só terá maior sentido se estiverem juntos para sempre. Manifestações de afago, gentilezas, palavras adocicadas, olhares ternos ou um leve sussurrar... eis os namorados!

Para os namorados crentes nada seria diferente até aqui. Diria que, o que passa desta linha começa a oferecer já algum perigo.

Uma recomendação aos jovens é que estabeleçam um padrão bíblico de conduta. Estarão evitando coisas nocivas tais como:

Brincadeiras de Mão

Artifício usado pelos rapazes para iniciar a exploração do corpo da moça. O rapaz deve ter muito cuidado onde põe as mãos. O toque das mãos em certas partes do corpo da mulher aciona o mecanismo sexual feminino. O Pastor Biork adverte: "Por isso, você, moço crente, sim, você é responsável diante de Deus pelo bom andamento do seu namoro. Se o seu namoro se deteriora, a culpa é sua. Se há defraudação, a culpa é sua. O namoro é preparação para o casamento. Não é estimulante sexual. O sexo não precisa de estimulantes. Ele é natural."

Provocação Feminina

Muitas moças são imprudentes quanto à postura e à maneira de se vestirem. Não sabem andar corretamente, não sabem sentar-se bem, seus modos são provocadores. Usam roupa inadequada, ora curta, ora decotada, ou muita justa ou, ainda transparente. O homem é acionado sexualmente pelas impressões visuais que recebe. Há moças que não sabem disso. A moda feminina tem conspirado contra a decência no vestir. Diz ainda Biork: "A moda feminina é criada e feita por homens, para fazer da mulher um produto afrodisíaco, cuja única finalidade é estimular os desejos sexuais dos homens." Não se pretende, outrossim, que a jovem crente se vista como uma múmia. Critério, equilíbrio e discernimento são coisas importantes. Uma mulher pode e deve ser feminina e atraente, sem, contudo, haver conflito com o que as Escrituras prescrevem.

Tempo em Banalidades

Os namorados conversam muito. É incrível como têm assunto. De fato, é o tempo próprio para conversar bastante, pois agora serão delineadas as linhas de toda uma vida em comum. Mas há, sem dúvida, muita conversa irreverente. Namorados que usam vocabulário chulo, que contam piadas obscenas entre si, certamente não estão "remindo o tempo". Gastar tempo lendo material de teor pornográfico, além de entulhar a mente com sujeira, nada faz para que haja amadurecimento das personalidades; ao contrário, vulgariza o relacionamento e induz à prática de pecado.

Há, por outro lado, tanta coisa boa para se conversar: a ocupação, a saúde, os estudos, as finanças, os problemas e as soluções encontradas, o planejamento, a recreação, a vida cristã, a dependência ao Senhorio de Cristo, etc.

Onde Namorar?

Nem todos os locais e situações são recomendados para a prática do namoro. Alguns locais são suspeitos e indicam que tipo de namorados ali se encontra. São locais geralmente escuros e isolados que favorecem a intimidade, desde que não há espectadores por perto e a visibilidade é diminuta ou nula.

O automóvel, nesse sentido, tem-se transformado num foco de perdição. Os casais se encastelam dentro do veículo, cujos vidros, em muitos casos, são escuros (tipo fumé) e, estando tudo fechado, a própria respiração se incumbe de embaçar ainda mais a visão. Que é que imagina que os jovens estariam fazendo dentro do carro? Certamente, estão se entregando à intimidade sexual. É impressionante como muitos namorados gostam do "escurinho". A propósito, convém lembrar o que diz a Palavra de Deus: **"***O julgamento é este: Que a luz veio ao mundo, e os homens amaram mais as trevas do que a luz; porque as suas obras eram más. Pois todo aquele que pratica o mal, aborrece a luz e não se chega para a luz, a fim de não serem arguidas as suas obras. Quem pratica a verdade aproxima-se da luz a fim de que as suas obras sejam manifestas, porque feitas em Deus"* **(Jo 3:19-21).**

Para os namorados crentes o lugar de namoro deve ser levado em muita conta e com seriedade. Aqui estão ideias para que o namoro seja um período de crescimento e alegria e não um tempo de escândalo, vergonha e pecado:

- Namorar em locais iluminados e quando haja pessoas nas imediações;
- Namorar na casa da moça, somente quando houver mais pessoas na residência;
- Namorar em dependências e páteos do templo, nos intervalos de cultos e reuniões, dependendo de orientação da igreja local nesse sentido;
- Não namorar em teatros, cinemas ou lugares fechados;
- Nunca vá a algum "drive-in";
- Não pense, sequer, em ir a motéis.

CAPÍTULO 05

QUANDO O NAMORO É PREJUDICIAL

Caio Fábio no seu livro, Abrindo o Jogo Sobre O Namoro, Editora Betânia, afirma: *O namoro não é nessáriamente prejudicial. Ele pode existir de modo edificante e construtivo. No entanto, creio que as atitudes positivas quanto ao namoro estão presas a esclarecimentos que dissipam a ignorância básica patrocinadora dos comportamentos desaconselháveis.*

Vejamos quando o namoro prejudica:

Quando É Fora do Tempo

O relacionamento afetivo declarado e comprometido, que se concretiza prematuramente, mui excepcionalmente é edificante e construtivo.

Comumente, um namoro iniciado aos quatorze anos é um condicionante de ciúmes desmedidos e um estimulante poderoso para a prática sistemática da masturbação.

Sem falar nos pensamentos perdidos e que se lançam nos céus da paixão, atrapalhando os estudos e provocando uma ansiedade terrível quanto à chegada do tempo da "consumação" plena do sentimento, na sua transformação em "atos amorosos".

Há também o caso daqueles que namoram anos e anos sempre adiando a data do matrimônio.

Tanto o namoro prematuro, como o demorado são tremendamente prejudiciais.

A posição a ser assumida deve ser a de atender a voz da sabedoria: *"Há tempo de abraçar, e tempo de afastar-se de abraçar"(Ec 3.5).*

Alguém, entretanto, perguntaria: *"Mas como esperaria eu o tempo?"* A Bíblia responde de duas maneiras: *"Bom é para o homem suportar o jugo na sua mocidade. Assente-se solitário e fique em silêncio; porquanto esse jugo Deus o pôs sobre ele; ponha a sua boca no pó; talvez ainda haja esperança"(Lm 3.27 a 29);* e ainda: *"De que maneira poderá o jovem guardar puro o seu caminho? Observando-o segundo a tua palavra" (Sl 119.9).*

Observemos os princípios bíblicos. **Em primeiro lugar**, Deus recomenda uma vida quebrantada, de oração, com a boca no pó. **Em segundo lugar**, uma vida de observância, de leitura e de meditação da Sua Palavra. Aliás, é pela *"paciência e pela consolação das Escrituras"* que temos esperança e vitória (Rm 15.4).

Caio Fábio nos ensina, quando o namoro é prejudicial, dizendo:

Quando Não Tem Um Ideal

Uma música brasileira caracteriza bem esta situação: *"Deixe que digam, que pensem, que falem; deixa isso prá lá, vem prá cá, o que é que tem? Eu não estou fazendo nada, você também. Faz mal bater um papo, assim gostoso com alguém?"*

Quando dois jovens começam a nomorar, isso não significa absolutamente que eles irão se casar. Mas, deve significar, pelos menos, que eles pensam em se casar.

Entregar a mão, o rosto, os lábios e o tempo a uma pessoa com quem não se pensar em casar, é pecado.

A Bíblia diz em Romanos 14.5b e 23, que *"cada um deve ter opinião bem definida em sua própria mente"*; e ainda, *"que aquele que tem dúvidas, é condenado"* se fizer qualquer coisa, *"porque o que fez não provém da fé (convicção); e tudo que não provém de fé é pecado".*

Ter um ideal de casamento é outro elemento positivo para consolidar um namoro edificante.

Quando É Possessivo

Há namorados que são verdadeiros ***"sanguessugas".*** Sentem-se donos exclusivos do objeto de seu amor. Negam-se a dividir os direitos com os pais, os amigos e com a Igreja. Esses relacionamentos sempre terminam tensos, envoltos pelos ciúmes e frustrados.

Algumas pessoas iniciam um namoro com uma atitude de **"posse".** Acham que o outro é propriedade deles e se recusam a permitir que você viva sua própria vida. Agem como se você pertencesse a eles como um objeto e querem que você satisfaça a cada um de seus desejos e necessidades.

Há também aqueles que começam um relacionamento com uma atitude de **"paixão"**: toda a ênfase do namoro é em estar apaixonado. Como as outras áreas (amizade, conhecimento) são deixadas de lado, tais pessoas tornam-se muito inseguras, e se você sai com uma turma de amigos, quase morrem de ciúmes.

Filipenses 2.3,4 expressa a atitude correta que as pessoas devem ter num namoro: *"Nada façais por contenda ou por vanglória, mas com humildade cada um considere os outros superiores a si mesmo; não olhe cada um somente para o que é seu, mas cada qual também para o que é dos outros".*

A atitude correta é de "amizade", "companheirismo". O objetivo do namoro não é satisfazer às suas necessidades, mas as do outro; não é aumentar a "paixão", mas crescer em amizade. Mesmo que você demonstre de forma muito clara que seu objetivo no namoro é esse, algumas pessoas não vão entender. Quando isso acontecer, seja paciente com quem você estiver namorando. Empenhe-se em mostrar ao seu namorado que namorar não significa ser dono da outra pessoa. Depois de algum tempo, espera-se que a pessoa enxergue seu ponto de vista e tenha a mesma atitude.

Um jovem com real consciência cristã tem que entender o fato de que não pode ser possessivo. Jesus recomenda que o seu discípulo aprenda a renúncia (Lc 14.33), que é o oposto da possessividade.

Renunciar não significa abandonar, mas, antes, compreender, em termos, o exercício da propriedade exclusiva.

Quando é Leviano

O leviano é o que não procura refletir antes de agir, o que não está preocupado com a existência ou não de sentimentos nobres, e que muda de opiniões, comportamentos e atitudes rapidamente.

No caso prático do namoro, são aqueles que começam o namoro sem uma avaliação séria e que, também, o terminam por qualquer motivo ou por outra "aventura" que supõem mais emocionante.

A Bíblia ensina que o fim do leviano é, um dia, ser envergonhado: "*Que mudar leviano é esse dos teus caminhos? Também do Egito será envergonhada, como foste envergonhada da Assíria*"(*Jr 2.36*).

Há uma passagem em I Timóteo 5.11 e 12 que ataca a leviandade. Ali, no entanto, diz respeito às viúvas jovens. Ora, viúvas são solteiras, portanto, como plena possibilidade de constituírem novo matrimônio. Entretanto, a leviandade na escolha é que as tornava repreensíveis.

Em Provérbios 26.18 e 19, a sabedoria diz que "*como louco que lança fogo, flechas e morte, assim é o homem que engana o seu próximo, e diz: Fiz isso por brincadeira*". O rapaz ou a moça levianos estão fazendo um mal muito grande ao que foi iludido e, também, prejudicam-se inteiramente, pois estão formando dentro de si um caráter fraco e sem nobreza.

Quando é Indisciplinado

Ler: Provérbios 5.1-23. O Pr. Jaime Kemp, assim esboça este texto:

A. Chama atenção do filho - vs. 1,2.

1. Atende à minha sabedoria
2. Inclina o teu ouvido à minha inteligência
3. Por quê? (Para quê?)
   a) Para que conserves a discrição
   b) Para que os teus lábios guardem o conhecimento

B. A descrição da mulher adúltera - vs. 3-6.

1. Lábios favos de mel
2. Palavras mais suaves do que o azeite
3. Fim amargoso como o absinto, agudo como espada de dois gumes
4. Pés descem à morte
5. Passos conduzem ao inferno
6. Pensamento não pondera a vereda da vida
7. Caminhos anda errante

C. A exortação ao filho - vs. 7-14

1. Ouve as palavras da minha boca
2. Por quê? Para evitar:
   a) tentação
   b) perder sua honra
   c) dar seus anos aos cruéis
   d) perder seus bens
   e) que gemas no fim da vida
      - quando se consumir a tua carne
      - quando se consumir o teu corpo
   f) lamentações
      - "como aborreci o ensino".
      - "desprezou o meu coração a disciplina".
      - "não escutei a voz dos que me ensinavam".
      - "nem a meus mestres inclinei os meus ouvidos".
      - "quase me achei em todo mal".

D. A exortação de beber água da própria cisterna - vs. 15-19

1. Tua própria cisterna
2. Das correntes do teu poço
3. Derramar-se-iam por fora as suas fontes e pelas praças os ribeiros de águas?
4. Sejam para ti somente
5. Seja bendito o teu manancial

6. Alegra-te com a mulher da tua mocidade
7. Saciem-te os seus seios em todo tempo
8. Embriaga-te sempre com as suas carícias

E. As conseqüências da promiscuidade - vs. 20-23
1. Deus conhece os nossos caminhos
2. As iniquidades do perverso o prenderão
3. O perverso morrerá no seu pecado

O V. 12 diz que os problemas sexuais e sentimentais do rapaz do texto, prendem-se ao fato de ele ter *"desprezado no coração a disciplina".*

A **autodisciplina** é um elemento fundamental na vida cristã. Saber a hora de chegar e de sair da casa da namorada, apesar da excessiva liberdade de certas famílias, é virtude excepcional.

Também o evitar lugares solitários e propícios para os "excessos", é muitíssimo recomendável.

No entanto, o submeter-se à disciplina paterna é agradável a Deus e útil para a instrução. **(Hebreus 12.8 a 11).**

Quando está afetando a comunhão na igreja

Moços assíduos às reuniões da Igreja, de repente, começam a se ausentar em consequência de atribuírem ao namoro importância prioritária, ou pela fixação na sua prática.

Todo namoro que impede a comunhão com a Igreja e impede o compartilhar fraterno, tanto em frequêcia, quanto em proibições decorrentes da possessividade e do ciúme, não continuará sadio e nem com a aprovação de Deus.

Em Hebreus 10.25, lemos: *"Não deixemos de congregar-nos, como é costume de alguns; antes, façamos admoestações, e tanto mais vedes o dia se aproxima."*

A tentativa de se transformar o namoro numa célula de crescimento espiritual que venha substituir a Igreja local e a comunhão fraterna, é sempre inoperante e redundará inequivocamente em fracasso.

Quando caminha para a prática da impureza moral

A advertência do apóstolo Paulo a Timóteo deve ecoar em todos os corações desejosos de fazer a vontade de Deus, numa vida que não entristeça ao Espírito Santo, por causa de imoralidades: *"Fuja dos desejos malignos da juventude e siga a justiça, a fé, o amor e a paz, com aqueles que, de coração puro, invocam o Senhor.* **(II Timóteo 2.22).**

Quando se fala em impureza, há sempre um problema: o termo é muito amplo e subjetivo. *O QUE É IMPUREZA?* É sobre isso que vamos falar...

Existe todo um processo de infiltração da impureza no relacionamento amoroso pré-conjugal, na vida de inúmeros casais jovens.

Em **Provérbios 30.19**, o sábio diz que uma das coisas mais maravilhosas aos seus olhos é o *"caminho de um homem com uma donzela / moça".* Certamente esta exclamação está nos lábios de todos, principalmente nos nossos dias, quando parece que a valorização da pureza está sendo minimizada, inclusive dentre da Igreja, sob a alegações de que o jovem do século XX não pode mais ser reprimido em seus "estímulos naturais" como foi no passado, sob pena de tornar-se frustrado e neurótico.

Tais alegações podem contribuir para a criação de circunstâncias cujas consequências se fazem desastrosas. É, entretanto, em razão de tanta permissividade, que se torna cada dia mais "maravilhoso", inédito e mesmo espetacular, um relacionamento sem nenhuma poluição imoral.

Caio Fábio, fala a respeito das imoralidades no namoro de modo claro e sem rodeios! Vamos lá, então...

TODO PROCESSO DE INFILTRAÇÃO DA IMPUREZA NO NAMORO COMEÇA NO ACONCHEGO EXCESSIVO

Normalmente, no namoro, demarcam-se áreas proibidas e no resto vale tudo.

A moça pensa: "*Se eu não entregar meus lábios, sensualmente, nem render meus seios às apalpadelas e aos beijos, recusar o toque nos meus órgãos genitais e certos movimentos eróticos com o meu namorado, está tudo bem.*

Esquece-se, no entanto, que o homem é um ser deveras exitado. Se um homem se abraçar sensualmente a um "poste de ferro", ele acabará se excitando. Quanto mais se ele abraçar a moça que ama, bonita, cheirosa e convidativa!

Este um aspecto importante que precisa ser compreendido: O HOMEM É EXCITADO PELO QUE VÊ OU TOCA, MAS A MULHER É MUITO MAIS PELO QUE ELA OUVE E TAMBÉM QUANDO É TOCADA. É nesse ponto que o processo de impureza começa a germinar. O casal está abraçado, tentado e abrasado. O rapaz, que já está abrasado pelo contacto físico, começa então a estimular a jovem pelas declarações calorosas a respeito das emoções que ele está sentindo por tê-la entre seus braços. É aí que os vulcões se encontram e começa a erupção conjunta.

BEIJAR OU NÃO BEIJAR?

Uma palavra sobre a química do beijo

Quem não gosta de beijar? Fomos acostumados, desde crianças a recebermos beijos de nossos pais, tios e amigos. 0 beijo sempre esteve presente desde os tempos bíblicos. É também conhecido como ósculo. Os antigos cristãos sempre se deram ósculo (beijo) como sinal de união fraterna. Era o ósculo da paz ou o ósculo santo. Era dado ou recebido como sinal de conciliação ou amizade. Judas usou o beijo para trair Jesus e entregá-lo aos soldados. A Bíblia recomenda que cumprimentemos nossos irmãos com beijo santo. ***"Saúdem uns aos outros com beijo santo..."*** **1 Pedro 5:14.** Não só, conceitualmente, o beijo mudou, mas também, na prática, as coisas ficaram totalmente diferentes.

O Conceito de beijo segundo o dicionário é:

> *Ato ou efeito de tocar, pressionando os lábios sobre qualquer parte do corpo de uma pessoa que inclui movimentos de sucção. É o ato de roçar os lábios em algo, é o enrolar de línguas em movimentos excitantes".*

0 ato de beijar na boca faz com que nossos sentidos se intensifiquem. Dizem que beijo por beijo não tem gosto, não vale a pena, pois o melhor é quando o corpo aquece, o coração dispara e a pressão vai às alturas. Quando isso acontece, rola um envolvimento íntimo e a tal química dos corpos fica à flor da pele levando o casal à loucura. Em nome de Jesus, diga "não", quando seu corpo quiser dizer "sim". Se você quiser, você consegue!

Existem poucos estudos científicos sobre o beijo em todo o mundo. Porém, na Índia, por volta de 500 anos antes de Cristo, já se falava sobre os poderes do beijo. Na cidade de Kajurão, existem os famosos templos erguidos pelos hindus, onde o beijo e o sexo são cultuados. Várias esculturas de pessoas se beijando foram erguidas para ornamentar os templos. Para o povo hindu, o beijo e a relação sexual são fontes de energia. Para eles a energia sexual propicia um estado de elevação do espírito.

Segundo os sexólogos é através do beijo que o ser humano libera seus neurotransmissores (substâncias químicas que transmitem mensagens ao corpo provocando um estado de leveza e excitação). Isso acontece porque os lábios e a língua estão entre as partes mais sensíveis do corpo. São áreas erógenas.

No encontro dos lábios, desencadeia-se um processo elaborado de prazer. Todos os sentidos são envolvidos e a química entre as duas pessoas leva a sensações de felicidade / euforia e abrasamento.

A boca tem quatro estímulos de excitação: táteis, térmicos, olfativos, gustativos. **0 beijo simples** (no rosto, mãos, etc.) mostra afeto e carinho. **0 beijo bucal** (prolongado nos lábios) mostra desejo sexual forte**. 0 beijo nos lábios** é a carícia mais excitante antes do ato, aliás, é a preparação última para o ato sexual. Quando duas pessoas se beijam, a hipófise, o tálamo e o hipotálamo trabalham juntos na liberação dessas substâncias, ocorrendo assim o que se chama de "química do beijo". Durante o período em que duas pessoas se beijam é ativada a produção dos hormônios sexuais que despertam o desejo para a satisfação sexual.

Os neurotransmissores liberados no beijo são substâncias que interligam os neurônios cerebrais que cumprem a função de ativação do impulso sexual, iniciando, processo de lubrificação vaginal e ereção peniana. Além disso, o beijo movimenta cerca de 29 músculos -12 dos lábios - 17 da língua.

O CÉREBRO

O transmissor neuroquímico feniletilamina, que potencializa os processos cerebrais, aumentando a velocidade dos impulsos elétricos, é o primeiro a ser liberado

Outros neurotransmissores envolvidos são a dopamina, que desencadeia o estado de euforia, e a norepinefrina, responsável por estimular a adrenalina, que dá energia extra.

Grandes quantidades de endorfina e oxitocina – principais hormônios responsáveis pela sensação de bem-estar – são liberadas. Apenas o ato de imaginar um beijo na pessoa querida já libera os hormônios. Durante o beijo, a sensação é ainda maior, causando o prazer que leva a querer continuar beijando.

Reações no Corpo

- » As pupilas se dilatam.
- » As mãos suam.
- » Sente-se fraqueza nos joelhos.
- » O coração dispara.
- » Frio no estômago.
- » O córtex visual do cérebro fica alerta, percebendo os mínimos detalhes do outro.
- » A voz do amado perto do ouvido cria uma sensação reconfortante.
- » O olfato e o paladar captam cada mínimo cheiro e gosto associados ao outro.

Diante do que você acabou de ler, podemos dizer que beijo é, literalmente, um ato sexual. Quase todos os jovens e adolescentes que perderam a virgindade começaram com um beijo. A maioria dos casos de gravidez indesejada começou com um beijo. A maioria das doenças venéreas é resultado de um ato sexual que começou com um beijo. A maioria dos casos de estupro dentro do namoro começou com um beijo. 0 beijo, em sua grande maioria, foi a faísca que incendiou o casalzinho de namorados. Beijar, certamente, é um ato sexual. Engana-se quem pensa que só acontece a relação quando há penetração do homem na mulher. Relação sexual é toda carícia que estimula a produção de hormônios sexuais. 0 beijo é uma das mais fortes!

Há muitos jovens que só querem namorar para poderem ter a emoção de beijar. Afinal, beijar e transar com qualquer um que aparecer na frente, tem sido o carro-chefe do ibope das novelas e programas para adolescentes e jovens. A emoção de beijar tem levado milhares de jovens e adolescentes a se entregarem, sexualmente, antes do tempo. Uma música que tem feito muito sucesso entre os jovens que diz: *"beijo na boca é coisa do passado, a moda agora é namorar pelado".* Você pode imaginar o estrago que isso faz na mente dos nossos adolescentes? Eles são induzidos, irresponsavelmente, a colocar em prática aquilo que estão ouvindo. Quem vai pagar essa conta?

E por falar em beijos, onde se pode beijar? Na orelha pode? E no pescoço? Pergunte a um casal sob matrimônio se isto os excita e saberá se é uma boa liberar esse tipo de carícia. Em partes íntimas não há necessidade de falar... Você sabe onde vai dar! Quando você dá um beijo na boca da namorada, a tendência é sempre ir para outros lugares. Geralmente, depois da boca, a língua, instintivamente, desliza mais ou menos dez centímetros e chega na orelha, mais dez, e chega no queixo, pescoço e seios. E você pode dizer: "Mas é tão gostoso!" Realmente é! Muito gostoso! Mas ainda não é a hora! Existe um tempo certo para tudo! Seu tempo vai chegar! Espere! Controle-se! Vale a pena esperar! *"Existem caminhos que ao homem parece ser bom, mas ao final são caminhos de morte"* **Provérbios 14:12.** O bom não é o melhor.

O bom é passageiro e traz sérias conseqüências . O melhor é fazer a vontade de Deus. *"A vontade de Deus é que vocês sejam santificados: abstenham-se da imoralidade sexual. Cada um saiba controlar o seu próprio corpo de maneira santa e honrosa, não dominado pela paixão de desejos desenfreados, como os pagãos que desconhecem a Deus."* **1 Tessalonicenses 4:3-5.**

Como você pode ver, um simples beijo desperta um gigante adormecido. E vocês sabem, como cristãos, que não é lícito alimentar. Um casal de namorados representa a fome com a vontade de comer.

Sei que é difícil ficar sem beijar, todavia, mais difícil, será perdermos a benção de Deus em nossas vidas.

Desejo implantar a Amizade Especial em nossa Igreja. Sei que será difícil, mas creio ser um bom para uma Vida de Santidade entre os nossos jovens.

Beijar é muito bom. Principalmente, quando você tem a bênção de Deus para poder continuar beijando sem culpa e sem entristecer a pessoa do Espírito Santo. Você, sonha com isso? Se você disse sim, você está no centro da vontade de Deus, por isso, Ele te honrará e muito em breve você estará com aquela pessoa que você tanto sonhou vivendo as mil maravilhas que Deus criou para te dar prazer no seu casamento. Para as pessoas que dizem que não conseguem viver sem dar uns beijinhos, recomendo que pense na receita do "triângulo amoroso": Quando você estiver sendo tentado a pecar lembre-se de que o relacionamento à moda de Deus é: JESUS, VOCÊ e sua AMIZADE ESPECIAL . Quando a Primeira pessoa está no relacionamento fica ainda melhor. "A bênção do Senhor é que enriquece, e ele não acrescenta dores" **Provérbios 10:22.**

Jesus deve estar sempre entre nós. Não peça licença para Ele em hipótese alguma! Diga adeus ao beijo na boca e guarde-o para aquele momento onde o pastor dirá: *"Pode beijar a noiva". Você* sonha com isso? Neste momento os céus serão testemunhas da sua fidelidade os anjos vão aplaudir e você não precisará pedir licença para Deus. Ele vai aprovar e se alegrar com a sua alegria e prazer.

Na Bíblia, encontramos a história de dois irmãos: Jacó e Esaú. Esaú trocou a benção de seu pai por um prato de comida. Satisfez um desejo passageiro e perdeu para sempre o direito de primogenitura. *E Jacó feito um cozinhado, veio do campo Esaú lhe disse: peço-te que me deixes comer um pouco desse cozinhado vermelho, pois estou esmorecido. Disse Jacó: Vende-me primeiro o direito de primogenitura. Ele respondeu: estou pronto para morrer, de que me aproveitará o direito de primogenitura? ... Assim desprezou Esaú o seu direito de primogenitura"* **(Gênesis 25:29,30,34).** Esaú só se interessava pelo presente, ignorava o futuro e as promessas de Deus para ele. A primogenitura representa a nossa posição em Cristo que inclui: salvação, santificação e galardão. Não podemos desprezar isso!

Esaú sempre foi visto como profano, que, no original grego, significa: mundano, vulgar, sem santidade, fora do templo. Esaú desprezava aquilo que Deus valorizava. Ele não valorizava aquilo que era sagrado. ***"que me aproveitará a primogenitura?"*** Satisfazer seu apetite era mais importante que tudo! *"Que não haja nenhum imoral ou profano, como Esaú, que por uma única refeição vendeu os seus direitos de herança como filho mais velho. Como vocês sabem, posteriormente, quando quis herdar a bênção, foi rejeitado; e não teve como alterar a sua decisão, embora buscasse a bênção com lágrimas"* **(Hebreus 12:16-17).**

Da mesma forma muitos jovens têm trocado a benção do Pai por um prato de carícias no namoro. No início, essa comida é gostosa, no final se torna um cálice amargo. Os namorados têm trocado a presença de Deus por um beijinho. Como Esaú, que depois do arrependimento quis receber a bênção de volta, mas, não conseguiu! Será que vale a pena?

No namoro o rapaz abraça a moça, beijam-se, prolongadamente, nos lábios. Não tem como ser diferente! Nunca vi um casal dar um "selinho" e ficar só nele. O namorado começa a fazer carícias nas regiões erógenas, a moça fica excitada e permite que lhe tire a roupa para tocá-la por inteiro. Quando chega a esse ponto o casal já se entregou ao sexo ilícito que não tem a bênção de Deus. O beijo é o começo de tudo.

Beijo elétrico

Como os lábios são uma das regiões mais sensíveis do corpo humano, um beijo envolve cerca de 10 bilhões de células nervosas carregadas de energia. *Dizem que beijo é como ferro elétrico, liga em cima e esquenta em baixo.* É assim que vivem os namorados. Também ouvi alguém dizer que: *"Beijo não mata a fome, mas abre o apetite"*. Algo que no início parece ser muito romântico e inocente passa, em questão de minutos, a ser erótico, carnal e sem controle. Sou casado há 13 anos e não consigo beijar minha esposa sem ficar excitado. Todas as vezes que nos beijamos nos relacionamos sexualmente. Não tem jeito! E tudo começa com um beijo. Podemos fazer assim porque somos casados (namorados). Graças a Deus!

Sei que este tipo de ensino, para a maioria das pessoas, acostumadas a uma vida de imoralidade sexual sempre será motivo de piadas. Ter uma posição como esta é ser taxado de radical e fanático. É estar exposta às críticas de todos os lados. Mas eu entendo que esta é uma coisa nobre e por ela vale à pena lutar. O grande desafio é oferecer a Deus uma geração de jovens santos – comprometidos com uma vida de santidade.

A vontade de Deus é que evitemos a imoralidade sexual. Quem rejeita estas coisas não rejeita a homens, mas a Deus. Ficar sem beijar, enquanto solteiro, é plenamente possível. Todavia a imposição da cultura sexual do século XXI quer nos fazer pensar que somos alienados e extraterrestres.

Certo pai aflito disse que sua filha de 13 anos foi "colocada na parede" por suas amigas do colégio, da mesma idade, pelo fato de não transar como elas. Algumas chegaram a dizer que faziam sexo oral com seus namorados com a maior naturalidade.

Quando falamos que somos contra o beijo entre solteiros, não queremos colocar peso sobre seus ombros. Não queremos "cortar o barato" da galera. Pelo contrário, queremos conscientizá-los de que esse barato vai ficar muito caro a ponto de não conseguirem pagar! Tudo depende do prisma por que olhamos e a forma como recebemos a Amizade Especial. Nós vemos as coisas não como elas são e sim como nós somos. Você tem a opção de aceitar, como sendo uma benção para sua vida e seu futuro casamento, ou receber isso como um peso sobre seus ombros. Oro para que você escolha a primeira opção. Não queremos ver nossos jovens infelizes. Ao contrário, estamos ensinando apenas o que a Bíblia nos receita para sermos realmente felizes. A felicidade que a Palavra de Deus nos ensina não é momentânea. A Alegria que Deus nos oferece é eterna. Deus nos quer felizes! Acredite nisso! 0 que o mundo tem pregado é baseado em..."*comamos e bebamos porque amanhã morreremos*". As pessoas estão cada vez mais inconsequentes, estão pensando somente no aqui e agora. Jesus nos ensina que não podemos colher sem semear. Quando lançamos alguma semente na terra temos que esperar algum tempo para colher. A colheita nunca é imediata! Quando obedecemos ao que Deus nos diz em sua Palavra, estamos lançando sementes em terreno fértil.

Assim, colheremos frutos de paz, alegria e prazer verdadeiro! Pior que ficar sem beijar é ficar sem a benção de Deus.

Para finalizar quero lhe dizer que o beijo pode esperar. Deus não! Ele tem pressa em usar você como uma flecha polida em suas mãos. Você é filho e a Bíblia diz que os filhos são *"flechas polidas na aljava do guerreiro"*. Aljava é uma espécie de mochila que os arqueiros levam nas costas com suas flechas. Imagine que um inimigo está se aproximando e quando o arqueiro pega uma flecha para derrotá-lo, a flecha está torta ou enferrujada? Você é uma flecha que precisa, através da santidade, estar polida, para que não haja nenhum atrito quando estiver indo em direção ao seu alvo. Fazer uso de carícias como o beijo na boca, fora do casamento, entortará e tirará o brilho das flechas e com isso nos distanciaremos dos nossos alvos além de nos tornarmos vulneráveis ao nosso inimigo. Beijar ou não beijar! Eis a questão! A escolha é sua!

Em Deuteronômio 28, encontramos uma lista de bênçãos e uma lista de maldições. A lista de bênçãos é decorrente da obediência e a lista de maldições é toda decorrente da desobediência. Qual delas você vai escolher? *"Os céus e a terra tomo, hoje, por testemunhas contra ti, que te propus a vida e a morte, a bênção e a maldição; escolhe, pois, a vida, para que vivas, tu e a tua descendência"* **(Deuteronômio 30:19).**

Tenho convicção de que os nossos jovens não conseguirão abandonar o beijo e outras carícias do namoro se não for pelo Espírito Santo. Carnalmente, ficará difícil aceitar esse desafio. Por isso digo que a Amizade Especial é somente para aqueles que possuem uma verdadeira Aliança com Deus e não O trocam por nada. **(Mais à frente eu vou falar a respeito da Amizade Especial).**

Uma vida inteira para beijar

*por **Simone Messina***

Sentindo muita vontade de beijar aí?

Está sendo difícil esperar?

Você que ainda está solteiro, acalme-se, você terá uma vida inteira para beijar! E muitas «coisitas» mais, hehe!

Há um tempo atrás era inconcebível para mim manter um relacionamento, ainda que cristão, evitando o beijo. Mal sabia eu, naquela época, que viver um compromisso em santidade, seria a minha melhor opção!

A gente pode argumentar que um beijo não tem nada de mais, mas esse "nada de mais" já levou muitaaaa gente a manter relações sexuais antes e fora do casamento, atraindo culpa e maldição sobre sua vida.O beijo de língua sempre vai nos remeter ao sexo, ainda que não se chegue ao ato, a sua mente já estará lá no orgasmo! Não venha me dizer que alguém beija pensando no Santo dos santos, na glória do Senhor, porque não tem como, hehe! Sua mente vai estar na glória do seu prazer, isso sim...E daí para cair no pecado é só um detalhe. Jesus disse que aquele que olhar com segundas intenções já está em pecado, então mesmo que você não cometa o pecado,o fato de desejá-lo já é prejudicial.

Eu já conheci casos de pessoas que arruinaram a sua vida sentimental por que não souberam esperar...Daí para se reerguer novamente foi muitooo difícil, isso quando alguém não se desviava dos caminhos de Deus. Já vi pessoas que iam casar, desistirem do casamento por causa da vergonha do pecado, já vi moças ficando grávidas antes do casamento...Mas isso não é o pior de tudo...o pior de tudo é que você atrasa a sua vida...e depois não sabe por que as promessas demoram tanto para se cumprir.

Beijar, na minha visão, também é um tipo de DEFRAUDAÇÃO, pois você está gerando uma expectativa (a de fazer sexo) que não deve ser suprida antes da aliança do casamento, caso você realmente queira ser realizado segundo a vontade de Deus. Observe essa passagem bíblica em 1 Tessaloniscenses 4:3-8:

> *"A vontade de Deus é que vocês sejam santificados: abstenham-se da imoralidade sexual. Cada um saiba controlar o próprio corpo de maneira santa e honrosa, não com a paixão de desejo desenfreado, como os pagãos que desconhecem a Deus. Neste assunto, ninguém prejudique a seu irmão nem dele se aproveite. O Senhor castigará todas essas práticas, como já lhes dissemos e asseguramos. Porque Deus não nos chamou para a impureza, mas para a santidade. Portanto, aquele que rejeita estas coisas não está rejeitando o homem, mas a Deus, que lhes dá o seu Espírito Santo. A vontade de Deus é que vocês sejam santificados: abstenham-se da imoralidade sexual. Cada um saiba controlar o próprio corpo de maneira santa e honrosa, não com a paixão de desejo desenfreado, como os pagãos que desconhecem a Deus. Neste assunto, ninguém prejudique a seu irmão nem dele se aproveite. O Senhor castigará todas essas práticas, como já lhes dissemos e asseguramos. Porque Deus não nos chamou para a impureza, mas para a santidade. Portanto, aquele que rejeita estas coisas não está rejeitando o homem, mas a Deus, que lhes dá o seu Espírito Santo.*

Hoje, eu estando casada, tenho mais convicção disso! Valeu a pena pagar o preço de dar o primeiro beijo no altar... e que beijo...foi mágico...perfeito...glorioso!!! E a lua-de-mel então...nem queiram saber!!! Foi PERFEITA... sem nenhuma culpa...sem nenhuma mancha, sem nenhuma vergonha...Me atrevo aqui a afirmar, por experiência própria, que a vida sexual de quem esperou em Deus é muitoooo melhor do que a de quem não esperou.

Não dá prá arriscar uma vida construída em Deus por causa de desejos que poderão ser fartamente satisfeitos no casamento...Não se arrisque por migalhas...Não se venda!

E o mais importante...a vida de um casal não é só beijo e sexo...na verdade o amor, a cumplididade, a amizade são as bases que sustentam o relacionamento e temperam a relação sexual no casamento. É muito bom desenvolver a intimidade com aquela pessoa que você pretende passar o resto da sua vida. Mas para isso, antes de se preocupar em ficar beijando, preocupe-se em conhecer o máximo possível da pessoa que você ama e vai se casar.

Não foque nos seus desejos. Foque em Jesus. Busque conhecer o seu pretendente e não a língua dele, hehe! Se eu consegui, durante dois anos de

Compromisso, esperar, você também vai conseguir! Acredite!

Você não imagina a unção que desce no altar quando se ouve " Na autoridade do nome de Jesus, eu vos declaro marido e mulher"...Vale a pena esperar!!!

Mas se voce errou não se desespere, pois as misericórdias do Senhor se renovam a cada dia, arrependa-se e abandone o pecado. Sempre há uma chance para quem se arrepende.

Com ou Sem Beijo?

por **Leandro Almeida**

Hoje, quem compartilha aqui com você é minha linda esposa. Segue ai...

Nesse último dia 3 de novembro, O jornal ESTADO DE MINAS publicou uma matéria falando sobre o "BEIJO". Tivemos a honra de ter o ministério Do Olhar ao Altar participando.

Já até falamos sobre esse assunto por aqui, mas observamos que muitos ainda possuem grande resistência quando se trata disso. Alguns acham exagero e talvez desnecessário, até porque beijar é bom demais e trás sensações muito boas.

No entanto, entendemos que existe sim um tempo para todo propósito debaixo dos céu, como afirma as Escrituras em Eclesiástes 3. Existe um tempo oportuno para o agir de Deus na vida de cada um de nós. Precisamos, portanto, buscar esse tempo em todas as áreas da nossa vida, inclusive na sentimental.

Quando escolhemos fazer as coisas no tempo DELE, colhemos bons frutos por tal escolha.

Foi comprovado cientificamente que o beijo, como já falamos em um de nossos artigos aqui, é o início do ato sexual, (Aquele beijo de longa duração...) pois é a introdução de um orgão em outro.

Você que beija muuuuito o seu namorado(a), certamente já sentiu vontade de "partir prá cima" e "ir para os finalmentes", ou as coisas estão caminhando para este cenário.

Se você deseja ter um namoro em santidade, a escolha por não beijar ("de língua") poderá sustentar a sua escolha de viver uma vida para agradar ao Senhor. Pois assim o fazendo, estará sabendo controlar seus hormônios para que sejam liberados na hora certa. Vale a pena esperar e exercer o domínio próprio.

Infelizmente o mundo e suas propostas vêm para inverter os papéis; iverter a ordem normal das coisas.

"O mundo" diz: Beije muuuuito agora, aproveite a vida.

"O mundo" diz: sexo é normal; casal de namorado que não o pratica é careta.

"O mundo" diz: Isso tudo que o povo fala não tem nada a ver, faça o que você sentir vontade e pronto.

E então, se você age segundo os princípios do mundo, chega o momento do seu casamento, tão esperado e sonhado...

"E a lua de mel foi tão normal, até porque eu já conhecia todo o corpo dela (dele), e então os longos e "calientes" beijos já não rolam mais. No máximo um selinho. Já casados, o sexo não rola com todo aquele fervor que rolava no casamento. Não é mais constante. As coisas foram invertidas."

Quando menos esperam, a dúvida vem ao coração ... e o amor parece esfriar... e muitos partem para o divórcio, como se fosse a coisa mais normal.

Aquilo que começa errado, tende a terminar errado.

Não é essa a vontade de Deus pra você. A vontade dEle é que você viva intensamente para Ele, e o obedeça sempre, pois certamente será recompensado (a) por isso.

Um certo dia uma jovem veio falar que não conseguia manter santidade no relacionamento. Conversei com ela sobre os cenários favoráveis para o pecado: Ficar à sós com ele; falar sobre assuntos "quentes"; e, óbvio, falei também sobre o beijo. Ela encontrou o seu namorado e conversou sobre os conselhos que ouvira.

Ele não concordou quando ela falou sobre o beijo. Segundo ele, isso era tudo mentira e um exagero da minha parte. Até que eles então começaram a se beijar, e, de repente ele a empurrou e disse: Sua patora tem toda razão! Desde então escolheram ter uma namoro diferente.

Não podemos nos almoldar aos padrões deste mundo.

Parar de beijar (beijos de longa duração) hoje pode ser uma atitude muito radical no seu namoro, mas que trará um resultado poderoso, sobrenatural.

Falo isso porque um dia eu e Leandro escolhemos viver essa realidade, e sabemos o quanto foi válido abrir mão da nossa vontade. Hoje, muitos jovens têm escolhido esperar e, enquanto esperam, tomam decisões como esta, que são sementes que certamente trarão bons frutos no casamento.

Não se esqueça de assistir a nossos vídeos em nosso canal www.youtube.com/DoOlharAoAltar

Lá você encontra muito mais sobre esses e outros assuntos.

Cuidado! O Sexo Começa pelo Beijo

por ***Leadro Almeida***

Quando eu e Aline começamos a namorar não conhecíamos a Jesus, não éramos crentes. Óbviamente nosso relacionamento não seguia os princípios cristãos. Mesmo assim, ela era bem difícil, num bom sentido da palavra. Na fase da conquista, por exemplo, me deparei com, no mínimo, uns três "nãos", mas persisti, fui confiante e insistente, e consegui iniciar um relacionamento com aquela que hoje é a mãe da minha filha Anabella. Na fase do namoro, obviamente, não consegui o que um jovem, que não conhece a Cristo, almeja conseguir com sua namorada: o sexo! Embora meus desejos se aflorassem muito para isso, nunca obtive êxito. Hoje digo "graças a Deus".

No entanto, tínhamos alguns momentos "quentes" em nosso relacionamento que sempre despertavam o desejo pelo sexo.

Após um ano de namoro, decidimos por Cristo juntos, no mesmo dia. Nossa vida foi transformada........ Sabia que algo diferente havia acontecido.

Porém, em nosso "namoro" ainda aconteciam aqueles "momentos quentes" e sabíamos que aquilo não era saudável para nós e, se continuássemos, poderíamos terminar mal. Certo dia, ouvindo uma palestra com um médico cristão sobre namoro, ouvi uma definição da palavra "sexo" que me deixou boquiaberto, e, a princípio achei que aquele ministro estava exagerando em seu conceito. Ele disse, enfáticamente, que *"sexo é a introdução de um órgão masculino em um feminino"*. Parece óbvio e coisas do tipo ouvimos desde cedo. No entanto, naquela noite soou bem diferente pra mim, pois naquele mesmo instante me veio à tona nossos "momentos quentes" onde o desejo pelo sexo era ativado e só aumentava. Percebi que cada momento desses era iniciado por um "BEIJO DE LONGA DURAÇÃO". Sim. Sutilmente, o "beijo" estava sendo o início de uma estrada para a perdição em nosso relacionamento. Mas graças à Deus, aquela instrução veio ao nosso encontro e nos deu a chance de mudarmos essa rota, assim como pode estar acontecendo com você neste exato momento em que lê esse artigo.

Em acordo, eu e a Aline tomamos uma decisão radical que mudou a rota do nosso relacionamento de uma vez por todas. Tal decisão nos tirou do perigo de cairmos em tentação e nos levou para o caminho da santidade. Cremos, piamente, que foi uma direção de Deus e tivemos tamanha consciência do poder desta escolha. Decidimos nos beijar somente após o altar, no casamento. Isso mesmo, paramos radicalmente de nos beijar. É claro que sustentar essa decisão foi difícil, nos víamos em momentos de grande tentação para que acontecesse o beijo de longa duração, mas nos mantivemos firmes naquilo que propomos em nosso coração. Cremos que recebemos vários livramentos e, hoje, com onze anos de relacionamento, formamos uma família feliz, o sexo veio na hora certa, nossa filha também, enfim. Sabemos que por causa dessa decisão de esperar pelo momento apropriado para o sexo, hoje, usufruimos dos benefícios de tal escolha radical. Somos felizes!

Isso não é uma regra para seu relacionamento. Para nós, foi uma decisão que mudou o rumo da nossa história. No entanto, se o beijo tem levado você a esse limiar do pecado, talvez seja seu momento de tomar a mesma decisão radical que tomamos. Quando existe verdadeiro amor, o simples fato de a pessoa estar com você vale muito mais do que um beijo. Se a pessoa te ama realmente, ela estará disposta a esperar o momento do altar. Aí sim, você irá beijar muitoooooooo.

Não se esqueça de acessar nosso canal www.youtube.com/DoOlharAoAltar e assistir a nossos vídeos sobre relacionamento.

SARAH SHEEVA

A pastora Sarah Sheeva afirmou recentemente através de sua página no Facebook que o contato físico durante o namoro, como beijos na boca, é motivadores para crises futuras no casamento. De acordo com Sheeva o correto é que os relacionamentos se iniciem pela amizade, e não com beijos.

Visite: Gospel +, Noticias Gospel, Videos Gospel,Musica Gospel- Você que é líder, pastor(a), conselheiro(a) em alguma igreja, experimente fazer uma pesquisa pessoal: pergunte aos casais que estiverem em crise o seguinte: "Como começou o relacionamento de vocês? Vocês beijavam na boca no início do relacionamento? Ou vocês começaram pela amizade?" – questionou a pastora em sua publicação na rede social.

Segundo Sarah Sheeva a resposta para o questionamento proposto por ela iria chocar os líderes e pastores, que perceberiam que "a maioria dos casais que hoje enfrentam problemas sérios de incompatibilidade, começaram o relacionamento pelo beijo e contato físico, e não pela amizade".

Se compararmos a quantidade de casais felizes que antes de casar (na fase do namoro) beijavam, e os que não beijavam, vamos perceber que a maioria dos que HOJE enfrentam problemas de incompatibilidade e falta de afinidade são os que BEIJAVAM muito no namoro. – ressalta Sarah Sheeva, que defende ainda que o beijo é só para as pessoas casadas.

Ela diz ainda que os solteiros devem aprender a "namorar em santidade", afirmando que o namoro de verdade é apenas para os casados. Segundo a pastora, isso é importante para que os casais evitem se "abrasar", afirmando que "os desejos sexuais sempre acabam levando a passar dos limites antes de casar, e isso não fará bem ao futuro do relacionamento".

- Não namore antes de 18 anos, porque namoro de Crente não pode passar de 4 anos não (é meu conselho), se não (se passar de 4 anos) fica difícil suportar os desejos, e cai mesmo – finaliza a pastora, aconselhando seus leitores a "vigiarem".

Com as Carícias sem Áreas Demarcadas vem o Abrasamento

Em **I Coríntios 7.9,** Paulo diz: "*Caso, porém, não se dominam que se casem; porque é melhor casar do que viver abrasado.*"

Alguém, brincando, poderia dizer que Paulo estava sugerindo, dos males, o menor; ou seja, que é melhor casar do que viver abrasado.

Por que o apóstolo recomenda o casamento imediato dos abrasados? Simplesmente porque as tensões do abrasamento mais cedo ou mais tarde se aflorarão incontrolávelmente.

As manifestações do desejo sexual são comumente destituídas de racionalidade. Um ser humano abrasado não raciocina. Portanto, é difícil ou mesmo impossível o convívio entre um homem e uma mulher abrasados, sem, irreversivelmente, haver o prosseguimento no processo até o "ato conjugal" – a relação sexual.

O Abrasamento Sexual Leva à Masturbação

Conceito

Ato de masturbar(-se); vício solitário; auto-erotismo.

Algumas Raízes:

1. Curiosidade. Descoberta da sexualidade pela criança ou adolecente.

2. Solidão

- A maioria dos masturbadores são figuras "solitárias" que não têm relações sadias com outras pessoas, inclusive e especialmente com Deus.
- Talvez não tenham aprendido habilidades sociais para formar relacionamentos sadios significativos de amizade ou namoro; outros têm medo de se aproximar de outras pessoas por temer rejeição. "Eu me basto", "eu me satisfaço", "eu me dou prazer"
- "Fisicamente, a masturbação é totalmente inclinada para o eu. Seu foco é para dentro. Não compartilha. É um fogo que alimenta a si mesmo".
- A atividade sexual foi criada por Deus para ser compartilhada com outro ser humano, no contexto do casamento.

3. Egocentrismo

Tentativa desordenada de compensar sexualmente nossa incapacidade de compartilhar nossa vida com os outros. De sairmos de nós mesmos, de amar a Deus e ao próximo, de experimentarmos maturidade e crescimento.

4. Válvula de Escape

Alívio para as tensões, pressões, sobrecargas do dia a dia, compensação para o tédio, rotinas, situações mal resolvidas, stress, dor emocional, sentimentos de rejeição ou inadequação, ansiedade.

Ciclo Sexual

Partindo do princípio que a masturbação esteja sendo utilizada como "válvula de escape". Válvula de escape – conforto emocional temporário – prazer físico – o orgasmo físico reforça a presença e o poder das imagens e fantasias sexuais em nossas mentes – em geral, a pessoa precisa aumentar cada vez mais as doses, ou recorrer a fantasias cada vez mais extremas e bizarras, podendo ou não substituir o ato da masturbação por parceiros.

Consequências

- Estabelecimento de um vício ou compulsão – perda do autocontrole ou domínio próprio.
- Vida de pensamentos impuros, pornografia, relações sexuais ilícitas.
- Aprisionamento em nós mesmos, em nossas fantasias. "Deus nos ama, e não deseja que estejamos amarrados a qualquer tipo de prisão. Ele deseja que cresçamos até a maturidade completa como homens e mulheres. A masturbação pode bloquear os planos de Deus para nossas vidas."
- Reforço da solidão, do egocentrismo, da imaturidade. "Maturidade significa muitas vezes a capacidade, ou de negar a gratificação de certas carências e desejos, ou de satisfazê-los de forma adequada."
- Deixamos de experimentar o alívio que o próprio Deus pode fornecer quando buscamos nele o auxílio em momentos de ansiedade, temor, tentação e angústia.

Desta forma a masturbação "rouba" de mim justamente aquilo que tenho de mais precioso, a possibilidade de uma intimidade cada vez maior com Deus. São justamente os momentos de lutas que podem levar-nos a uma intimidade maior com Ele.

Alguns pensam: "*Ainda bem que o moço pode usar a masturbação como veículo de alívio e liberação sexual.*" Mas os que afirmam isso parecem ignorar algumas coisas importantes.

Primeiramente, ignoram os resultados da masturbação na vida de quem a pratica. Somente os que nunca usaram de tal prática desconhecem a sensação de vida sub-humana, de frustração, de nojo, de descontentamento e insatisfação que a masturbação patrocina. Sem falar na consciêncioa de pecado, que é aguçada no que se masturbou.

Em segundo lugar, ignoram a posição bíblica a respeito do assunto. A Bíblia ensina implicitamente que a masturbação é pecado. Em **Mateus 5.28,** Jesus diz: "*Qualquer que olhar para uma mulher com intenção impura, no coração já adulterou com ela.*" É impossível haver masturbação sem intenção impura no coração. Ninguém consegue se masturbar pensando nas "cataratas do Iguaçu", ou na "Estátua da Liberdade". O pensamento de quem se masturba se prende a alguém do sexo oposto, e a imaginação corre solta, sem restrições. **No dizer de Jesus, implicitamente, masturbação é adultério.** Paulo diz que "*o corpo não é para a impureza, mas para o Senhor, e o Senhor para o corpo*". (I Co 6.13b).

Outra recomendação clara da Palavra de Deus é: *"Fugi da impureza! Qualquer outro pecado que uma pessoa cometer, é fora do corpo; mas aquele que pratica a imoralidade peca contra o próprio corpo. Acaso não sabeis que o vosso corpo é santuário do Espírito Santo que está em vós, o qual tendes da parte de Deus, e que não sois de vós mesmos? Porque fostes comprados por preço. Agora, pois, glorificai a Deus no vosso corpo"(I Co 6.18 a 20).*

Em último lugar, ignoram o "LIVRAMENTO NATURAL" que Deus dá. Todo homem tem, de modo natural, uma válvula de escape noturna para o fato da saturação do sêmen no seu órgão sexual. Esse derrame noturno, inconscientemente, não é pecaminoso. A própria Bíblia fala a respeito do assunto em **Levítico 15.2 e 3:** *"Qualquer homem quer tiver fluxo seminal do seu corpo será imundo por causa do fluxo. Esta, pois, será a imundícia por causa do fluxo, ou se o seu corpo o estanca, esta é a sua imundícia".* É interessante observar que esta imundícia seria purificada com uma simples lavagem (**Lv 15.5**), e que o vazamento do fluxo não está dentro das imundícias para as quais se exigia uma purificação de sete dias. Por que será? Porque, realmente, o "vazamento noturno do fluxo seminal masculino" é um escape natural, promovido pelo organismo, aprovado por Deus, para o alívio das tensões sexuais que se acumulam de modo inconsciente e constante. **(I Coríntios 10.13)**.

Pelas três razões consideradas até agora, julgo não haver justificativa para aqueles que querem liberar a masturbação com o rótulo de "alívio físico".

Vimos no contexto dessas considerações que é o abrasamento sexual que leva o jovem a masturbar-se. Ele vem da casa da namorada, com dores horríveis nos testículos pelos estímulos sexuais que recebeu, e, frustrado por não ter sentido o alívio imediato de seu desejo, apela para a masturbação. Faz isso durante algum tempo, mas a frustração de não ter a "realidade do que ele deseja", o persegue. Logo ele começa a compartilhar com a namorada a sua prática de "alívio". Estimula-a a praticar também. Ela reluta, mas, pela sua própria necessidade e solidariedade ao desejo do amado, cede.

A prática da masturbação na mulher faz com que ela rompa "mil bloqueios" mentais e psicológicos, e comece a, inconscientemente, admitir a possibilidade de se satisfazer um dia realmente com o seu namorado. Desse ponto em diante, o **diabo vai-se tornando o senhor da situação.**

A MASTURBAÇÃO INICIA LIBERAÇÃO PARA ENTRAGA DOS SEIOS

É em razão das carícias livres em áreas demarcadas como lícitas que vem o abrasamento. Este conduz à masturbação, a qual provoca a insatisfação incontida que, sutilmente, inicia seu processo de "realização total", na vida do jovem, explorando o seio da namorada que, por sua vez, já não resiste tanto, em decorrência do fato de que seus bloqueios já foram rompidos, nesse sentido, quando ela se entregou à masturbação.

Hoje em dia, é praticamente "careta" o namoro que não usa, pelo menos, o apalpar dos seios. Como Sansão, muitos jovens cristãos têm feito segundo o costume dos jovens do seu tempo (**Juízes 14.10**). No entanto, nossa conduta como cristãos não é estabelecida pela "conduta deste mundo", pois tal cultura é perversão aos olhos de Deus, e os que a praticam acabam condicionando a mente a um estado doentio e reprovável **(Romanos 1.28-31).**

Alguns pensam que a moça que entrega o seio para ser apalpado não está "muito certa", mas que isso não chega a assustar do ponto-de-vista de Deus. No entanto, o conceito de Deus sobre a jovem que entrega o seio, para ser utilizado pelo namorado como elemento de excitação sexual, nos é revelado em **Ezequiel 23.3:** *"Estas prostituíram-se na sua mocidade; ali foram apertados os seus peitos, e apalpados os seus seios da sua virgindade."* Notemos que não era uma devassa, essa mulher do texto, mas, antes, uma virgem que entregara o seio, na paixão de sua juventude. O pior é que o pecado de entregar o seio é chamado de prostituição.

Outra passagem Bíblica que confirma esta verdade é **Oséias 2.2**, em cujo texto Deus manda tirar os "*adultérios de entre os seus seios*". **A carícia no seio é pecaminosa no relacionamento do namoro.**

É impossível um casal de namorados, que liberou o uso do seio para maior prazer no seu relacionamento, permanecer apenas nessa prática, pois o diabo os incitará a ir mais adiante.

O APALPAR DOS SEIOS LEVA AO BEIJAR DOS SEIOS

Em **Provébios 16.27,** a Palavra de Deus afirma que "*o homem depravado cava o mal, e nos seus lábios há como que fogo ardente*". Os lábios de um jovem apaixonado, que tem acesso ao seio da namorada, é, certamente, um indiscutível elemente de excitação pré-orgásmica.

Em **Provérbios 6.27,** há a seguinte afirmativa: "*Tomará alguém fogo no seio, sem que as suas vestes se incendeiem?*" Realmente isso é impossível. O jovem tem fogo nos lábios e com esse fogo ele incendeia o seio da jovem, e os resultados são:

1) As vestes se incendeiam; ou seja, a jovem perde as vestes, porque o beijar de seus seios já exige que ela a tire, pelo menos, a parte superior de sua vestimenta.

2) As vestes se incendeiam como símbolo de que o beijar de seios atinge, em excitação, a todo o corpo, e é difícil haver controle da situação em meio a essa prática.

Ora, com o livre acesso para o beijar dos seios, os jovens namorados já estão prontos para o próximo passo: *DEITAREM-SE JUNTOS.* Muitos namorados que ainda não completaram o ato sexual, ficam deitados juntos, em carícias profundas, que, inevitavelmente, os conduzirão ao ato sexual completo.

A RELAÇÃO SEXUAL PRÉ-CONJUGAL CONDUZ À HUMILHAÇÃO

Em **Gênesis 34.1, 2 e 3**, lemos: "*Ora Diná, filha que Lia dera à luz a Jacó, saiu para ver as filhas da terra. Viu-a Siquém, filho do heveu Hamor, que era príncipe daquela terra, e **tomando-a a possuiu**, e assim a humilhou.*"

O processo foi o seguinte: *VIU-A, TOMOU-A, POSSUIU-A E HUMILHOU-A.*

É uma narrativa rápida de um namoro mal orientado. Todo namoro começa no "**viu-a**". É o flerte. Depois passa ao "**tomando-a**". Isso não acontece necessariamente em todo namoro, mas, como já vimos, tem acontecido na maioria, e significa a entrega do corpo. A sequência é **"possuiu-a".** Diz respeito ao "ato sexual completo". E o final é **"humilhou-a".** É a desgraça de milhares de moças.

A grande maioria dos homens só admite casar-se com uma virgem, apesar de eles mesmos há muito terem rompido as barreiras da castidade.

Nisto tudo quem fica marcada, sofrida, abandonada e humilhada é a mulher.

Deus reservou o sexo para o contexto de amor entre o marido e a esposa, ou seja, para o casamento. Leia atentamente **Provérbios 5.17-21.**

Veja o seguinte diagrama: O caminho do envolvimento físico até a relação sexual.

ABSTINÊNCIA

DAR AS MÃOS

ABRAÇAR E BEIJAR

////////////////////// **LINHA DIVISÓRIA** //////////////////////

BEIJO PROLONGADO

CARÍCIAS LEVES

BEIJO DE LÍNGUA
INCLUINDO BEIJOS NA ÁREA DO PESCOÇO E ORELHA

TOCAR OS SEIOS POR CIMA DA ROUPA

TOCAR OS SEIOS POR BAIXO DA ROUPA

CARÍCIAS PESADAS

TOCAR A REGIÃO DOS GENITAIS POR CIMA DA ROUPA

TOCAR A REGIÃO DOS GENITAIS POR BAIXO DA ROUPA

SEXO ORAL

GENITAL COM GENITAL

Relação Sexual

Chamo a sua atenção para uma linha chamada de "**linha divisória**". Você deseja saber até onde você pode ir nas carícias? Bem, se a minha opinião interessar, aqui vai. Não acredito que casais solteiros, independente de sua idade, possam passar desse ponto sem ter problemas. Se você e seu namorado estão sinceramente comprometidos em reservar o sexo para o casamento, vocês precisam entender que ultrapassando essa linha, estarão despertando desejos um no outro que não poderão satisfazer de maneira correta fora do casamento. Isso nos leva ao seguinte princípio: Definir seus padrões e traçar suas "linhas divisórias" ajudará você a ficar firme numa situação que exigirá muita resistência. Isso o impedirá de cometer um erro do qual mais tarde você se arrependa.

Como você pode se guardar sexualmente para o seu futuro cônjuge

Decisões a serem tomadas por você

1. Não ficarei no quarto de meu namorado (a) com a porta fechada;
2. Não irei à casa de meu namorado (a) quando todos tiverem saído e ele (a) estiver sozinho.
3. Não irei com meu namorado (a) ao motel ou drive-in.
4. Não ficarei sozinho (a) com meu namorado (a) à noite em lugar escuro ou solitário.
5. Não assistirei a filmes no cinema, nem verei vídeos ou revistas pornográficas que possam provocar excitação sexual, sozinho (a) ou ao lado de meu namorado (a).
6. Procurarei dar abraços rápidos em meu namorado (a) evitando uma aproximação prolongada para que nossos corpos não fiquem muito encostados e nós, muito excitados.
7. Quando já estivermos namorando há algum tempo, deixarei bem claro que não aceito carícias pesadas ou fazer sexo.
8. Se minhas amigas (os) começarem a transar com seus namorados (as), tentarei

conversar para ajudá-las e não deixar-me influenciar por elas.

9. Não me isolarei, com meu namorado (a), mas terei vários amigos e participarei de várias atividades com eles.
10. Procurarei manter sempre um diálogo aberto e constante com meus pais.
11. Se não conseguir alcançar esse diálogo com meus pais, procurarei um adulto em quem posso confiar; que possua princípios cristãos e entenda as dúvidas e temores de um (a) adolescente.
12. Selecionarei cuidadosamente minhas amizades e antes de qualquer namoro, procurarei conhecer bem o rapaz (garota).
13. Tentarei manter uma meditação a sós, se possível diariamente, lendo a Bíblia e orando.
14. Procurarei ir a uma igreja onde possa conhecer mais a Deus e também outras pessoas.
15. Lembrarei constantemente: estou me guardando para meu marido (esposa).
16. Lembrarei constantemente: não sou a (o) única (o) adolescente/Jovem do mundo que está decidida (o) a permanecer virgem até o casamento.
17. Lembrarei sempre que as paixões carnais fazem guerra contra minha alma.

Aprendendo a resistir

1. Aproxime-se do nosso Criador (Deus) que melhor que ninguém, sabe como funcionamos."
2. Controle seu próprio corpo. **I Tessalonisenses 4.3-8:** "*Pois esta é a vontade de Deus, a vossa santificação: que vos abstenhais da prostituição, que cada um de vós saiba possuir o próprio corpo, em santificação e honra, não com o desejo de lascívia, como os gentios que não conhecem a Deus, e que, nesta matéria, ninguém ofenda nem defraude a seu irmão, porque o Senhor, é vingador contra todas estas coisas, como também antes vos avisamos e testificamos claramente, porquanto Deus não nos chamou para a impureza, e, sim, em santificação. Portanto, quem rejeita estas coisas, não rejeita ao homem, mas sim a Deus, que vos dá o seu Espírito Santo.*"
3. Desenvolva um relacionamento com Jesus de forma a ajudar a resolver sua solidão.
4. Aprenda a dizer 'NÃO!"

5. Crie medidas preventivas para evitar tentações.
6. Medite na Palavra de Deus para ser "transformado pela renovação da mente". (Romanos 12.1-2).
7. Evite assistir a programas de televisão ou a filmes imorais, com apelos eróticos.
8. Mantenha seus pensamentos cativos e obedientes a Jesus Cristo – 2 Coríntios 10.3-5: *"Porque, embora andando na carne, não militamos segundo a carne, Porque as armas da nossa milícia não são carnais, e, sim, poderosas em Deus, para destruir fortalezas; anulando sofismas e toda altivez que se levante contra o conhecimento de Deus, levando cativo todo pensamento à obediência de Cristo."*
9. Namorados, comuniquem um ao outro seus sentimentos sobre envolvimentos sexuais.
10. Tenha amizade com alguém que você respeite muito e a quem você possa prestar contas de suas atividades.
11. Relacione-se com pessoas que possuam os mesmos padrões e valores que você.
12. Não se julgue suficientemente forte para enfrentar tentações sexuais.
13. Planeje bem seus encontros; seja criativo(a) ocupando o tempo com atividades diferentes.
14. Estabeleça seus padrões mesmo antes de iniciar o namoro.
15. Pense bem nos benefícios que você terá, ao esperar para ter sexo apenas no contexto do casamento.
16. Envolva-se com uma turma onde você possa ser você mesmo(a), autêntico(a) e receber aceitação e apoio.
17. Evite permanecer sozinho(a) com seu (sua) namorado(a) por longos períodos de tempo.
18. Controle o contato físico.
19. Faça um compromisso consigo mesmo(a) e com Deus.

Motivos para não "fazer amor" antes do casamento

1. Deus, claramente, diz que devemos esperar. I Tessalonisenses 4.3-8.
2. O sexo antes do casamento prejudica nossa amizade com Deus.

3. O sexo antes do casamento interfere na comunicação do casal.
4. O desejo por sexo torna-se mais forte que o próprio amor (amor erótico e não o ágape).
5. O sexo pré-nupcial pode levar à dependência e vícios sexuais.
6. O sexo pré-nupcial "tira o brilho" do relacionamento sexual no contexto do casamento.
7. O sexo antes do casamento oferece maior possibilidade de se contrair alguma doença venérea (sexual), que são muito perigosas.
8. Pode surgir ressentimento, amargura entre o casal, pelo fato de um deles já haver perdido a virgindade e o outro não.
9. O sexo pré-nupcial corrói a confiança mútua no relacionamento.
10. O sexo pré-nupcial corrói o respeito mútuo tão importante no casamento.
11. O sexo antes do casamento diminui consideravelmente a autoestima das pessoas.
12. O risco de uma gravidez indesejada, abortos, está sempre presente.
13. O medo de comparações com experiências passadas, caso o casal se case ou não.
14. O sexo antes do casamento abala o relacionamento do jovem com seus pais.
15. O sexo pré-nupcial muitas vezes provoca, mais tarde, experiências extraconjugais.
16. Uma vez que um relacionamento pré-nupcial é iniciado, torna-se muito difícil abandoná-lo.
17. O sexo antes do casamento pode criar sentimentos fantasiosos.
18. O sexo antes do casamento pode, no futuro, causar efeitos prejudiciais aos filhos.
19. O sexo pré-nupcial pode prejudicar a reputação. A sua moral.
20. A espera para praticar o sexo, apenas no casamento, demonstra amor.
21. A espera para praticar o sexo, apenas no casamento, oferece oportunidades para desenvolvimento de uma forte amizade entre o casal.
22. O rompimento de um relacionamento onde o sexo tenha sido praticado é mais doloroso.

A ESPERA TEM A BÊNÇÃO E A APROVAÇÃO DE DEUS
CAMPANHA MUNDIAL PELA PUREZA SEXUAL DOS JOVENS E ADOLESCENTES – QUEM AMA ESPERA.

A idéia surgiu aqui nos Estados Unidos em abril de 1993. Milhares de Jovens assinaram um cartão assumindo o compromisso de se manterem **puros** até o casamento. O sucesso da campanha já alcançou 100 países no mundo! Aderir à campanha significa declarar ao mundo que os ***jovens cristãos estão comprometidos com a pureza sexual*** e que a abstinência pré-marital é a única solução aos problemas relacionados à promiscuidade.

QUAIS OS OBJETIVOS DESTA CAMPANHA?

Transmitir o valor espiritual, emocional e físico de permanecer puro até o casamento.

- Desafiar as famílias cristãs a assumirem os padrões bíblicos de comportamento sexual.
- Oferecer às igrejas uma forma de apoiar a família cujos filhos assumirem o compromisso de pureza sexual no casamento.
- Transmitir ao mundo uma melhor alternativa para as campanhas pelo "sexo seguro".

PORQUE ESPERAR?

Só o verdadeiro amor pode motivar alguém a permanecer puro até o casamento. Quem ama de verdade saberá esperar com paciência pelo casamento, quando finalmente poderá demonstrar todo o seu amor pelo cônjuge, também através do sexo. Pelo menos cinco facetas do amor podem motivar a pureza sexual.

1. Amor a Deus. Obedecer aos mandamentos de Deus é uma forma pura de demonstrar o seu amor a Ele.

2. Amor ao(a) seu(sua) namorado(a). Sexo antes do casamento sempre machuca as pessoas. Se você se importa com seu(sua) namorado(a), você pode escolher não magoá-lo(a) através de um comportamento sexual desregrado.

3. Amor ao futuro cônjuge. Você pode assumir um compromisso com essa pessoa antes mesmo de conhecê-la. Isso inclui o compromisso de esperar pela expressão sexual dentro do casamento.

4. Amor ao seu futuro filho. Você pode começar a amar o seu futuro filho desde já. Esse amor inclui o desejo de trazê-lo ao mundo para fazer parte de uma família já constituída e estruturada.

5. Amor a si mesmo. O seu cuidado consigo mesmo pode levá-lo a evitar um comportamento que o leve à culpa, a relacionamentos partidos, a doenças ou até mesmo à morte.

A campanha está lançada. Agora, basta aderir a ela, demonstrando que você quer assumir este compromisso também. Não fique aí parado, participe da campanha! Com certeza, assumir o compromisso de abster-se sexualmente até o casamento irá trazer inúmeros benefícios à sua vida e à vida de outras pessoas. Imagine o impacto que o mundo sofrerá ao ver milhares de jovens pregando com suas próprias vidas a opção de Deus para o sexo! Quantos bebês não desejados serão poupados, quantas vidas escaparão da morte provocada por doenças sexualmente transmissíveis! Como ficará satisfeito ao ver os seus filhos fazendo aquilo que lhe agrada!

E você, que está pensando que esta campanha chegou tarde demais, lembre-se que Deus se agrada de um coração quebrantado e contrito. Arrependa-se das coisas feitas no passado e mude de direção, assumindo o compromisso de a partir de hoje afastar-se da impureza. Quando se confessa os pecados, Deus perdoa e ensina a viver de acordo com o seu padrão, que é melhor. Quem já fez o compromisso, afirma com certeza que todos aqueles que assumirem este compromisso serão ricamente abençoados e experimentarão a alegria e a paz, por estarem fazendo a vontade de Deus!

47 Razões para esperar

1. Deus ordena que sejamos puros.
2. O sexo pré-conjugal pode dificultar o noivado e o relacionamento no casamento.
3. A espera permite liberdade para desenvolver amizades profundas.
4. O sexo pré-conjugal anula o sentimento especial sobre o sexo no casamento.
5. Deus separou o sexo para o relacionamento conjugal.
6. As doenças transmitidas sexualmente são perigosas.

7. O sexo pré-conjugal prejudica seu andar com Deus.
8. Pode haver ressentimento entre os cônjuges quando um perdeu a virgindade antes do casamento, e o outro não.
9. O sexo pré-conjugal faz baixar a autoestima.
10. O rompimento depois do sexo pré-conjugal com alguém, deixam feridas e cicatrizes.
11. O sexo pré-conjugal interrompe a comunicação no relacionamento.
12. O sexo pré-conjugal torna mais difícil o rompimento.
13. O desejo de sexo e não de amor se torna predominante.
14. A culpa pode ser evitada.
15. A gravidez indesejada e os abortos podem ser evitados.
16. Só há uma "primeira vez".
17. A espera produz verdadeira satisfação na noite nupcial (lua-de-mel) e no casamento.
18. O medo da comparação sexual depois do casamento será evitado
19. Você não ficará sujeito a justiça de Deus.
20. O índice de divórcio entre os que praticam o sexo pré-conjugal é altíssimo.
21. Evitar o sexo pré-conjugal cria confiança no relacionamento permanente no casamento.
22. O sexo pré-conjugal prejudica o relacionamento do indivíduo com os pais.
23. A espera trará as bênçãos de Deus.
24. A espera produz dignidade.
25. O sexo pré-conjugal quase sempre leva ao sexo extraconjugal.
26. Jesus pode preencher a necessidade de intimidade sem sexo.
27. O sexo pré-conjugal é um pecado contra o corpo.
28. O sexo pré-conjugal pode levar ao vício sexual.
29. Não faça um irmão mais fraco pecar.

30. É um testemunho negativo para Cristo.
31. A espera mostra ao seu parceiro no casamento quanto você o ama;
32. O sexo pré-conjugal pode levar a sentimentos confusos.
33. Uma vez envolvido o sexo pré-conjugal, é mais fácil repetir a dose.
34. O sexo pré-conjugal mata o verdadeiro amor.
35. A espera traz maturidade.
36. As expectativas falham.
37. O sexo pré-conjugal induz à síndrome do desempenho.
38. As lembranças negativas de amizades rompidas permanecem.
39. A espera traz verdadeira liberdade.
40. É um pecado contra Deus.
41. O sexo pré-conjugal pode tornar difícil tomar as decisões acertadas com respeito ao relacionamento.
42. Esperar pelo casamento pode levar a bons padrões de hábito.
43. O sexo pré-conjugal pode ter efeito sobre os filhos.
44. A espera mantém o respeito mútuo.
45. O sexo pré-conjugal pode prejudicar a sua reputação.
46. Deus tem os melhores planos para mim.
47. O sexo pré-conjugal pode levar a maus resultados para toda a sociedade.

Campanha Eu Escolhi Esperar (EEE)

www. euescolhiesperar.com

Quem são

Atualmente é coordenada por uma ONG chamada M.O.B. - Mobilizando o Brasil. Está sediada na cidade de Vila Velha/ES. Possui um escritório com várias pessoas em tempo integral que cooperam na manutenção da Campanha.

Nelson Junior, casado com Angela Cristina, pai de Ana Carolina e Milena. É pastor desde 1998, formado em Teologia pelo IBAD, é da Igreja em Vitória e membro da Associação de Pastores Evangélicos de Vila Velha. Trabalha com jovens e adolescentes há pouco mais de 20 anos.

Emerson Alexandre, casado com Rosana, pai de José Alexandre, Naiara e João. É pastor desde 2003, formado em Teologia pelo Seminário Teológico Batista do Sul do Brasil, pastor na Igreja Batista Memorial em Guarapari e é o coordenador administrativo e de tecnologia da Campanha.

Victor Vieira, casado com Stephanie, pastor na Igreja em Vitória, um dos diretores do MOB e um dos coordenadores do Eu Escolhi Esperar.

Stephanie Vieira, casado com Victor Vieira, é pastora na Igreja em Vitória, formada em Seviço Social pela Universidade Federal do Espírito Santo. É a coordenadora de logística e eventos, cuida da agenda e todo suporte necessário para a viabilização dos encontros da Campanha pelo Brasil.

Fabricio Gama, é casado com Célia, membro da Igreja em Vitória, particicipa da Campanha desde seu surgimento. Coordena a logistica da campanha nas viagens e encontros pelas cidades do Brasil.

Lincoln Borges, solteiro, é membro da Missão Cristo Vive, cantor e compositor. Ele atualmente trabalha como Produtor dos Eventos da Campanha pelo Brasil.

Mobilização

Vivemos numa sociedade que perdeu os valores e principios básicos, que abandonou bons costumes e é evidente a ausência de boas referências de familias saudáveis e casamentos duradouros. E o mais agravante, as pessoas são estimuladas a viverem suas experiências sentimentais e sexuais cada vez mais precoce, assistimos uma juventude cada vez mais imoral e devassa. Adolescentes com vida sexual ativa e crianças sendo abusadas.

Somos uma campanha cristã que atua em duas áreas específicas: sexualidade e vida sentimental. Com o objetivo de encorajar, fortalecer e orientar adolescentes, jovens e pais sobre a necessidade de viver uma vida sexualmente pura e emocionalmente sáudável, valorizando a importância de saber esperar o tempo certo, a pessoa certa e a forma certa de viverem as experências nestas duas áreas da melhor maneira.

Sexo fora do casamento não é um problema religioso, vai muito além disto. As consequências de praticá-lo fora do contexto do casamento são drásticas, evidentes e inegável: alto índice de gravidez na adolescência, o crescimento descontrolado de doenças sexualmente transmissíveis, a prática cada vez mais comum do aborto, exploração e abuso sexual infantil e o alto índice de divórcios.

Pesquisas recentes revelam que a cada quatro casamentos no Brasil pelo menos dois terminam em divórcio, ou seja, metade dos casamentos no Brasil. Em 2012 o IBGE divulgou o novo perfil social, o Brasil está se tornando o país de solteiros. As pessoas estão com medo de se casar e evitam viver uma vida a dois.

A banalização dos padrões sociais estabelecidos para os relacionamentos está produzindo uma geração de pessoas emocionalmente desajustadas, complicadas e cada vez mais egoístas. As pessoas são estimuladas a viverem suas experiências sentimentais cada vez mais precoce. Namoro é visto como uma prática comum inofensivo. Sem medir tais implicações, as consequências só serão vistas no casamento diante de crises e conflitos conjugais.

Outra séria questão é a distorção sobre o sexo. Liberdade sexual não é sexo sem limites. E sexo nada tem haver com devassidão, infidelidade, multiplos parceiros ou promiscuidade. Vivemos um contexto que explora a sensualidade e a busca do prazer independente de suas consequências. Liberdade sem responsabilidade é libertinagem e altamente nocivo ao indivíduo, a familia e a sociedade como um todo.

A gravidade dos problemas não são apenas sociais. Na igreja cristã a realidade também é muito triste. Pequisa do IBEPC, um instituto cristão de pesquisas, revelou que 66% dos jovens que frequentam uma igreja com idade de 13 a 24 anos não são mais virgens. E metade desses jovens tem uma vida sexualmente ativa mesmo depois de convertidos ao cristianismo. A tolerência ao divórcio dentro da igreja é cada vez mais comum e a separação cresce entre os cristão e líderes.

O fracasso conjugual está diretamente ligada a vida que vivemos como solteiros. As familias desustruturadas é o fruto de casais desustruturados. A falta de valores, limites e ensino agrava ainda mais esta situação. O assunto pode até não ser o tema mais importante a ser debatido, porém é o mais urgente. A família é um projeto de Deus e o agente direto na formação do indivíduo e sua ausência ou desestruturação refletirá na sociedade em algum momento. Está na hora de cuidarmos bem do nosso coração e da nossa casa, e vivermos uma vida sentimental sadia e duradoura e uma vida sexualmente pura e santa.

Mais informações

Em abril de 2011 a campanha foi lançada nas redes sociais e cresceu rapidamente agregando milhares de jovens através do Twitter (microblog). Em maio já eram mais de 5.000 adeptos em apenas um mês. Por várias vezes **EuEscolhiEsperar** aparecia entre os 10 assuntos mais comentados do Twitter, em um medidor chamado Trends Topics.

Em junho deu-se início aos encontros "Eu Escolhi Esperar" que acontecem nos finais de semanas pelas cidades do Brasil. O primeiro seminário aconteceu em Nova Iguaçu/RJ reunindo aproximadamente 500 jovens adolescentes. Mais de 100 mil jovens já participaram dos encontros organizados pela campanha no Brasil.

Atualmente mais de 1 milhão de jovens aderiram a causa pelas redes sociais. Em 2013 o alvo da campanha é organizar encontros em todas capitais e nas maiores cidades do Brasil afim de reunir o maior número possível de pessoas, incluindo uma Tour nos Estados Unidos e Haiti.

Entrevista com o Pr. Nelson Júnior

Confira a interessante entrevista exclusiva que o Pr. Nelson Júnior concedeu ao portal Verdade Gospel

***Verdade Gospel* – Como surgiu a idéia desse movimento?**

Nelson Júnior – Surgiu com a história da minha própria vida. Eu com 12 anos tomei essa decisão, de guardar-me para o casamento. Porém minha decisão não foi guardar só o meu corpo, no que diz respeito a casar virgem somente.

Mas guardar além do corpo, o meu coração, os meus sentimentos. Eu não queria sofrer emocionalmente como a grande maioria dos jovens e adolescentes da minha época. Eu queria uma experiência nova, eu queria experimentar um relacionamento puro, verdadeiro e duradouro.

O assunto "vida sentimental" pode não ser o assunto mais importante a ser ensinando, mas é hora da igreja considerar urgentemente que é o assunto que mais faz sofrer na vida de adolescentes, jovens e muitos adultos.

Depois da decisão de aceitar Jesus, para mim, a segunda mais importante decisão é a pessoa com a qual vamos nos casar. Afinal, casamento é eterno.

Devido a grande demanda no tema surgiu a ideia de fazermos uma mobilização voltada para os cristãos, sejam eles adolescentes, jovens, casados e viúvos.

***Verdade Gospel* – Imaginava que a campanha chegaria ao sucesso que é hoje?**

Nelson – Não imaginava essa repercussão. Porém só confirma para mim que o assunto precisa ser ensinado e abordado urgentemente. Costumo dizer que o "Eu Escolhi Esperar" fez sucesso como movimento não por causa de uma moda, mas por causa do tema. Existem milhares de jovens nessa nação que se posturaram, e essa mobilização "caiu como uma luva".

***Verdade Gospel* - O senhor acredita que a maioria dos jovens evangélicos segue o princípio de se abster da relação sexual antes do casamento ou ainda é preciso investir muito para que essa prática seja mais conscientizada nas igrejas? Qual sua visão sobre a conduta dos jovens cristãos sobre a castidade?**

Nelson – Em pesquisa recente e inédita no Brasil traçou o comportamento sexual do jovem cristão e revelou que mais de 60% dos jovens cristãos já tiveram relações sexuais mesmo depois de convertidos. Como pode? Todo jovem sabe que sexo fora do casamento está fora da vontade de Deus e é pecado. E por que praticam? Por causa da cultura. Eles sabem que não podem, mas não entenderam por que não pode. A igreja é na sua maioria moralista. Confundiu puritanismo com pureza. Essa mobilização tem uma proposta, trazer uma mudança de cultura. Confrontar a cultura mundana que está disfarçada dentro dos cristão e compartilhar a cultura do Reino de Deus. Nós começamos um trabalho visando os próximos 10, 20, 30 anos à frente. Os resultados virão a médio e longo prazo, creio nisso!

***Verdade Gospel* – Quais são seus ensinamentos para que os jovens consigam resistir às tentações e ter um namoro santo?**

Nelson – Confronto hábitos, costumes e sofismas. Não trabalhamos no "Pode! Não pode!". Trabalhamos com conceitos, valores bíblicos. Sexo não começa em cima de uma cama. Sexo começa na mente e no coração. Quando pararmos de tentar combater a doença e começarmos a trabalhar no foco dela, onde tudo começa, não vamos precisar lutar contra nossa natureza física, porque nossa natureza terrena (carne) estará mortificada para o velho homem e suas obras.

***Verdade Gospel* – Conte-nos curiosidades sobre o movimento, objetivos alcançados e quais os projetos futuros diante desse grande sucesso nas redes sociais? Existem outros projetos, sobre outros temas, que careçam dessa política de conscientização?**

Nelson – Nesses 6 meses já fomos por várias vezes um dos assuntos mais falados do Brasil. No dia do sexo (06/09) a nossa mobilização no Twitter com a campanha #EsperarValeApena foi durante 24h o assunto mais comentado do Brasil no Twitter, que é a rede social mais acessada do país. Já fomos matérias em vários canais de noticias, chamamos a atenção dos não-cristãos.

Outra coisa muito interessante, o assunto virou tema de provas em escolas. Recebemos e-mails que o tema foi discutido em salas de aula dentro de universidades. Temos várias pessoas não cristãs que nos seguem e sempre escrevem agradecendo, dizendo que estão mudando de pensamento, vendo as coisas de uma forma diferente. Isso é uma mudança de cultura.

***Verdade Gospel* – Deixe uma mensagem para os jovens cristãos que namoram e querem fazer a vontade de Deus, se abstendo da relação sexual precoce.**

Nelson – Minha mensagem para nossa geração, é que a vontade de Deus não é que sejamos virgens! Forte isso né? Pois é, em 1ª Tessalonissences 4:3-4 não diz: "esta é a vontade de Deus a nossa virgindade". Diz que a vontade de Deus é a nossa inteira santificação! Deus quer muito mais que nossa virgindade, Deus nos quer por inteiro. Deus quer muito mais que partes do nosso corpo, Ele quer nosso corpo inteiro. Se casar virgem, não quer dizer que você está casando puro. Já pensou nisso? Comece a pensar.

A vida é feita de escolhas. Hoje você faz suas escolhas e amanhã suas escolhas fazem você. Quando você não escolhe, você já escolheu. Tudo chega com o tempo para aqueles que no Senhor, esperam. Vale a pena esperar por aquilo que será para sempre. Não troque o que é eterno, por aquilo que é passageiro. Deus tem um plano para todas as áreas da sua vida, inclusive emocional. Creia, viva e descubra!

"Eu Escolhi Esperar" MOVIMENTO DE SANTIDADE NO NAMORO CRESCE ENTRE JOVENS CRISTÃOS

por **Nelson Junior**

A campanha "Eu Escolhi Esperar" – uma mobilização que tem o objetivo de fortalecer, encorajar, apoiar e dar suporte àqueles que abraçaram a vontade de Deus para suas vidas – tem ganhado força em todo o país e traz como versículos tema desta campanha **1 Tessalonicense 4** vs.3 -*"Pois esta é a vontade de Deus: a vossa santificação, que vos abstenhais da prostituição;"* e vs4 -*"que cada um de vós saiba possuir o próprio corpo em santificação e honra,".* Se você ainda não entendeu, calma que eu te explico. Trata-se da decisão de esperar no Senhor o tempo, a pessoa e a forma certa para os relacionamentos.

Virgindade

Pode até parecer estranho falar de virgindade nos dias atuais, onde os valores morais estão cada vez mais deturpados. No entanto, para nós, jovens cristãos, interessa agradar a Deus e não ao mundo. Por isso, a campanha pretende mostrar a importância de se viver uma vida sexual e emocional de forma pura e santa. Dessa forma, a virgindade deixará der ser o foco e se tornará a consequência na vida daqueles que buscam santidade.

"Deus quer muito mais do que a sua virgindade. Ele quer santidade e pureza. E não apenas isso! Ele quer que você guarde seu corpo? Sim! E também o seu coração. O foco é sermos santos, porque Ele é santo. Se um jovem mantiver puro o seu caminho, ele vai casar virgem" ensina o coordenador da campanha.

Pesquisadores estão comprovando os benefícios da espera. Um pesquisador de uma universidade americana entrevistou 2.035 pessoas, religiosas ou não, com idade entre 19 e 71 anos e períodos de casamento que variam de seis a 20 anos. Os casais que dizem NÃO ter feito sexo antes do casamento apresentaram um relacionamento melhor em quatro aspectos: comunicação, satisfação com o relacionamento, percepção da estabilidade e até qualidade sexual.

Fica a dica

Você tem consciência de que é preciso esperar, de que Deus se agrada dessa decisão e até tem vontade de seguir esse ensinamento bíblico, mas deve estar se perguntando: como controlar meus impulsos?

"A Bíblia diz que 'o homem é escravo daquilo que o domina' (2 Pe. 2.19). Mas o domínio próprio é fruto do Espírito (Gl 5.22) . Para ver todas as áreas da sua vida sob o controle é necessário andar com Deus. A carne é fraca, mas pecado não serve de vitamina para ninguém. Vida com Deus e experiências com o Espírito Santo cooperam no fortalecimento do nosso homem interior", aconselha pastor Nelson.

"O grande erro dos que esperam é viver uma vida esperando um alguém. Não esperem por uma pessoa, esperem NA pessoa (de Deus). Os que esperam por alguém se cansam. Os que esperam no Senhor renovarão as suas forças. É promessa, e não é a única. Sua vida não é como carros, que as pessoas entram, testam e escolhem se vão querer ou não. Deus tem um plano para todos nós, em todas as áreas das nossas vidas, inclusive na sentimental.

Seja mais um!

No Brasil, milhares de jovens estão dizendo NÃO ao sistema mundano que estimula as pessoas à sexualidade, devassidão, descompromisso, desonra, imoralidade sexual, vícios e a banalização de relacionamentos. A decisão de "esperar no Senhor", não é nada fácil. E para alguns, manter o compromisso de esperar se torna um fardo pesado.

A decisão de esperar é uma escolha voluntária e não pode ser fruto de uma pressão, senão ela falha. A decisão precisa vir de uma experiência pessoal com Deus, e revelação da Sua vontade. Inicia-se então um processo: a renovação da nossa mente (Rom. 12:2) e desconstrução de falsas ideias aprendidas no mundo. E assim a jornada é corresponder com o padrão de Deus para os relacionamentos.

Líderes de jovens, um alerta!

Um dos possíveis motivos porque a campanha possa ter conquistado tantos adeptos talvez seja a falta de ações para essa faixa etária sobre assuntos como sexo e relacionamentos nas igrejas. "Muitos jovens estão mal informados a respeito da sexualidade nos padrões de Deus. O assunto ainda é um tabu em muitas famílias, os pais não ensinam o conceito de Deus sobre o relacionamento para seus filhos;

o tema ainda é evitado nos templos. Então, muitos adolescentes vão aprender de forma errada no mundo, e depois trazem todo o aprendizado para dentro da igreja e para seus futuros relacionamentos. E pior, casam debaixo desses conceitos", adverte.

NÃO SOU MAIS VIRGEM, E AGORA?

Aos que se arrependeram e deixaram a vida de pecado, eu tenho uma boa notícia: Deus é um Deus de recomeços. "Ele faz nova todas as coisas. Ele regenera o homem, Ele escreve uma nova história. O fato de você ter tido experiências anteriores, uma vez arrependido, creia que Deus faz tudo novo, de novo. Ele é 'expert' nisso. Para aqueles que ainda vivem uma vida dupla, uma na igreja e outra fora dela, digo, nunca é tarde para se fazer aquilo que é certo, reconcilie-se com Deus já. Ele te ama, Ele te espera".

"O inimigo de nossas almas tenta gerar culpa, remorso e acusação, porém, Jesus é libertador e purifica o homem de todo pecado. Os erros de ontem não tiram a preciosidade da decisão que é tomada no hoje. Não há condenação para aqueles que estão em Cristo".

Então decida-se. Eu já escolhi esperar. E você?

ALGUNS COMENTÁRIOS SOBRE "EU ESCOLHI ESPERAR"

"Louvado seja Deus!! Concordo com esse movimento, e assim que vi, falei para minha filha, e ela já postou a frase de capa: EU ESCOLHI ESPERAR. Vou divulgar em minha igreja. Abraço fraterno e a paz de Cristo!"

Adriana - 31 de janeiro de 2012

"Amei esse projeto. Na minha igreja tem poucas jovens, mas como sei que esperar é uma escolha pessoal. Quero muito fazer parte desse movimento."

Priscila - 17 de fevereiro de 2012

"....gostaria de informações desse movimento, Eu Escolhi Esperar ,(sou casado tenho trê filhos solteiros), e saber como podemos fazer parte dele ,de uma forma interativa ,e ficar conhecendo um trabalho tão importante em

nossos dias ,trazendo concientização aos nossos jovens, que em muitas ocasiões não sabem lidar com isso, questões que são abordadas por vocês, com muita naturalidade, sem mais um forte abraço ,e parabéns pelo exelente trabalho que vem sendo desenvolvido por vocês".

Pr. Marcos Ruzevel O. Rosa - 29 de fevereiro de 2012

"Eu escolhi esperar e me orgulho muito disso, sei que Deus me honrará muito me enviando uma pessoa abençoada que me aproxime cada vez mais d'Ele, amém. E acho esse movimento uma maravilha, pois ele com certeza está ajudando a muitos jovens que estão sendo levados pela voz do inimigo, que Deus lhes abençoe por isso."

Queren Hapuk - 7 de maio de 2012

"Eu escolhi esperar às vêzes é muito dificil, mais DEUS está me dando forças todos os dias para esperar n'Ele algo muito maior e melhor!!!"

Priscila - 4 de junho de 2012

"E eu estou no movimento, sei que é muito dificil estar em santidade, ainda mas para nós jovens, que aprendemos tantas coisas diáriamente. Tenho 15 anos, e sei que Deus tem o melhor para minha vida por isso esperarei pelo meu Isaque, e sei que serei abençoada com um casamento na hora certa e do melhor modo..."

Amandáh Felizardo - 5 de junho de 2012

"Eu adorei este movimento, e concordo completamente. Hoje sou um jovem de 24 anos que estou perto de um casamento no qual eu decidi esperar por alguém que Deus havia preparado para mim .... e como diz aqueles que esperam por alguém se cansam, mas, aqueles que esperam em alguém (Deus) renovam suas forças. E Deus me renovou e me fez esperar, e hoje estou muito feliz... Parabéns pelo movimento e Acretido muito que jovens vão entrar neste movimento de corpo e alma e coração..."

Diogo Ibson - 19 de junho de 2012

"Que bom que DEUS tá levantando homem de visão, prá ajudar nossos filhos. Escutei você pastor, no rádio e amei o progeto que DEUS te deu - muito bom . Tenho dois filhos e sempre falo com eles que vale apena esperar no senhor JESUS.

Ana Maria - 24 de julho de 2012

"Eu casei virgem, com 21 anos, e foi uma das melhores decisões que eu já tomei na vida. Meu casamento é extremamente abençoado e somos muito feliz."

Diego Henrique de Brito - 24 de julho 2014

Isabelle Drummond, jovem atriz global, diz que irá casar virgem seguindo preceitos bíblicos.

> *"Alguns amigos e amigas minhas também pensam assim. Isso é uma coisa que eu quero. É um princípio meu, um princípio bíblico, da igreja." Relata Isabelle Drummond se referindo ao sexo depois do casamento.*

Visite: Gospel +, Noticias Gospel, Videos Gospel, Musica Gospel É muito comum acompanharmos na mídia notícias sobre a vida afetiva e até mesmo sexual de famosos. Sejam estas por fatos feitos ou por decisões expostas em questão das suas escolhas. Assim como a algum tempo atrás o jogador de futebol Kaká, a jovem atriz global Isabelle Drummond de 17 anos virou notícia ao declara em entrevista a revista QUEM que esperará até o casamento para entregar-se a alguém.

> *"Nunca namorei. Eu sou muito tímida e sei que, quando for para acontecer, vai acontecer. Tenho outros focos agora, outras coisas para fazer. Estou estudando e trabalhando muito".*

Isabelle interpretou ainda pequena a boneca Emília no 'Sítio do Pica-pau Amarelo' e hoje vive a menina Rosa, na novela das seis 'Cordel Encantado' e sem inibição nenhuma diz que nunca namorou e pretende sim se casar virgem.

Ela afirma ser cristã , porém, ressalta que sua religião é Deus, Jesus. A maioria de sua família são católicos. Isabelle conta que sempre frequenta a igreja aos domingos e quando pode procura participar aos sábados do grupo de jovens.

50 Tons de Esperar em Deus

por **Nelson Junior**

Pastor e Idealizador do Eu Escolhi Esperar

O Fifty Shades of Grey (Cinquenta Tons de Cinza) é um romance erótico bestseller da autora britânica Erika Leonard James publicado em 2011. O primeiro livro de uma trilogia vendeu mais de 10 milhões de livros nas seis primeiras semanas.

Cinquenta Tons de Cinza é o enredo de uma virgem de 21 anos na Faculdade de Literatura que, após entrevistar Christian Grey para o jornal da faculdade, passa a ter um relacionamento com um magnata e se torna escrava sexual de Grey.

Resolvi escrever um artigo contando **50 pontos para aqueles que esperam em Deus**. Ao contrário do Livro, não é um conto ou fantasia. Mas a história verdadeira de quem descobriu que liberdade é não ser escravo de seus próprios prazeres e uma pessoa livre é a que tem o poder de dizer "Não!" para tudo aquilo que nos faz mal. Liberdade não faz escravos.

Que estas palavras fortaleça sua decisão e edifique na sua jornada com Deus:

1. Tudo chega com o tempo, para quem sabe esperar.
2. O que vale a pena possuir, vale a pena esperar.
3. Vale a pena esperar por algo que se terá a vida inteira.
4. Não espere sentado. Espere de joelhos.
5. No tempo errado é impossível algo dar certo.
6. A pressa é inimiga do coração.
7. A questão não é "o que" esperar, e sim "em quem". Eu Escolhi Esperar em DEUS.
8. Deus vai dar aquilo que é melhor para você. Mas necessariamente não quer dizer que é aquilo que você quer.
9. Esperar com um propósito não é perda, é ganho.
10. Esperar em Deus é confiar sem reservas.
11. Nenhuma espera é longa e nenhum caminho é distante, quando você sabe com quem vai encontrar-se.
12. A ansiedade é a evidência de um coração que ainda não aprendeu a descansar na soberania de Deus.

13. Quantas vezes nós perdemos as bênçãos de Deus porque elas não estão empacotadas como esperamos?
14. O coração diz o que é melhor pra você agora, Deus diz o que vai ser o melhor pra você o resto da vida!
15. Eu escolhi esperar não para ter um final feliz, mas a história inteira.
16. Está demorando? É porque você ainda não chegou no nível que Deus quer te levar.
17. Se não vale a pena esperar por aquilo que você orou, então não vale a pena pedir.
18. Quem não está pronto pra esperar a pessoa certa também não está pronto pra tê-la.
19. Ilusão pensar que esperar é fácil. Mais ilusão ainda é pensar que não vale a pena
20. O que importa não é a velocidade em que você caminha, e sim a distância que você percorre.
21. Se o passo que você der não desafiar a sua razão, não será um passo de fé.
22. Esperar em Deus não é uma ilusão. Ilusão é achar que você pode viver sem Ele.
23. Esperar não é perder tempo, é ter a certeza que há um tempo certo pra tudo.
24. Os que esperam precisam fazer do tempo um aliado e não inimigo.
25. Deus nunca chega atrasado, nós é que não sabemos esperar.
26. Não adianta seu corpo esperar se seu coração tem pressa!
27. Uma das grandes desvantagens de termos pressa é o tempo que nos faz perder.
28. Sua ansiedade não tira a tristeza do seu amanhã, mas rouba sua força no dia de hoje.
29. Desesperar-se não resolve o problema, aumenta-o.
30. A coisa certa, na hora errada, se torna a coisa errada.
31. A impaciência e a ansiedade estão associadas e nos tiram do lugar de onde jamais deveríamos ter saído.
32. A ansiedade pode roubar dias de vida, nunca acrescentar.
33. Tome cuidado para não perder o melhor de Deus por ficar esperando o melhor do seu jeito.
34. Não adianta colocar as suas inquietudes no altar de Deus se não é capaz de esperar o tempo certo de sua resposta.

35. Aquele que espera pode dormir tranquilo porque não corre o risco de brincar com o sentimento alheio e nem ferir os seus
36. No processo da espera, uma vitória só não basta.
37. Seu foco não é a espera. Seu foco precisa ser seu relacionamento com Jesus.
38. Esperar em Deus não é só ato de amor, mas também um passo de fé.
39. Não acredite na mentira que pelo fato de esperar pelo tempo certo, você está perdendo tempo. Daqui alguns anos, você verá qto tempo ganhou!
40. Não se frustre caso a resposta de Deus hoje tenha sido "não". Isso revela que Ele tem algo melhor a seu respeito amanhã.
41. Quem espera em Deus não está parado. Só não percebeu ainda o quanto já caminhou, mas sabe para onde está indo.
42. A espera só parece longa quando não sabemos o valor daquilo pelo qual perseveramos.
43. Quando você finalmente encontrar quem você espera, você vai perceber o quanto valeu a pena ter esperado por ela.
44. Se você espera o melhor de Deus para você então, por favor, seja o melhor de Deus para a vida de quem também te espera.
45. Escolha seu futuro cônjuge devagar e bem, pois é o único parente que você pode ESCOLHER.
46. Quando somos novos queremos fazer tudo correndo. Os mais experientes já aprenderam que andando também chegam no mesmo lugar.
47. De que adianta correr se você está no caminho errado?
48. Não esperes esperando: espera vivendo, cada segundo na presença do Criador
49. Se for para Deus. Se for por Deus. Se for com Deus. Tudo vale a pena. Inclusive a espera.
50. Não vou dizer que é fácil e que nunca deu vontade de desistir, mas vale muito mais a pena continuar.

Filme e Web série

Li que "Eu Escolhi Esperar", vai ganhar uma web série e um filme onde serão divulgados os princípios bíblicos da proposta de se manter virgem até o casamento, afirma "Notícias Gospel".

Com mais de 2,5 milhões de seguidores, o movimento foi fundado pelo pastor

Nelson Júnior, 38 anos, e tem ganho cada vez mais expressão entre os jovens e adolescentes evangélicos do Brasil.

A produção ficará a cargo da Purpose Films, e a direção será assinada por Maurício Bettini, 32 anos.

Segundo Bettini, o filme e a série vão abordar "as complicações e dificuldades de falar sobre sexo e virgindade". Na entrevista concedida à TV Folha, Bettini cita o exemplo do jogador David Luiz, que é noivo e aderiu ao movimento. "Ele é seguidor do que o pastor Nelson acredita", resume o diretor.

O pastor Nelson, que se casou virgem aos 21 anos e será a inspiração do diretor para a produção da série e do filme, diz que teve que lidar com a desconfiança do próprio pai sobre sua heterossexualidade e se esquivar da proposta de perder a virgindade numa "casa de especialidades do sexo" aos 16 anos.

"Era um domingo na igreja com minha mãe, outro no futebol com meu pai. Ele não era cristão e sempre duvidava da minha masculinidade", relembra o pastor.

Além dos princípios mais óbvios na proposta de virgindade até o casamento, Nelson explica que outros conceitos sustentam esse princípio, como evitar que famílias desestruturadas surjam no meio do processo.

Ainda, fiquei sabendo, através de Notícias Gospel, que um filme sobre namoro cristão "à moda antiga" quer disputar bilheterias com "50 Tons de Cinza", aqui nos Estados Unidos.

O filme sobre namoro cristão "à moda antiga" irá estrear nos cinemas americanos no mesmo dia que a adaptação do best-seller erótico "50 Tons de Cinza". O filme "Old Fashioned" (À Moda Antiga, em tradução livre) tem como proposta para os cinemas uma visão de relacionamento diferente da proposta pelos livros de E.L. James.

Lançado recentemente, o trailer de "50 Tons de Cinza" foi um fenômeno de acessos e compartilhamentos nas redes sociais. Em apenas cinco dias de seu lançamento, o vídeo alcançou 36 milhões de visualizações no YouTube e se tornou o trailer mais visto do ano.

Entre às diversas reações ao filme, uma que tem chamado bastante atenção é o anúncio de "Old Fashioned". Rik Swartzwelder, diretor, roteirista e protagonista da produção cristã, apresenta a obra afirmando sua crença de que *"existem pessoas que esperam mais do amor, e do cinema, do que objetificação e dominação".*

"Eu quero contar uma história de amor que leva a idéia de romance Divino à sério. Uma história que, sem pedir desculpas, explora a possibilidade de um padrão mais elevado nos relacionamentos; no entanto, também tem plena consciência do quão frágeis somos todos nós e não busca amontoar a culpa naqueles que cometem erros" – declarou Swartzwelder.

Na trama, o personagem de Swartzwelder será um ex-bon vivant em busca de um relacionamento sério que conhece uma mulher "de espírito livre" e se apaixona por ela. Seu par romântico no filme será interpretado por Elizabeth Ann Roberts.

"Será uma história que vai explorar, sem ressalvas, a possibilidade de haver um padrão mais alto nos relacionamentos moderno" – explica Swartzwelder.

Tendo como slogan a frase "Chivalry makes a comeback" (O cavalheirismo está de volta, em tradução livre), o filme será levado aos cinemas pela Freestyle Releasing, distribuidora que lançou recentemente o filme "God's

Not Dead" ("Deus Não Está Morto"), que surpreendeu nas bilheterias dos EUA com arrecadação de US$ 60 milhões, e custo de apenas US$ 2 milhões.

Sobre o lançamento simultâneo a "50 Tons de Cinza" no dia 13 de fevereiro de 2015, véspera do Valentine's Day, o Dia dos Namorados, os responsáveis por "Old Fashioned" afirmam se tratar de uma luta de Davi contra Golias.

"Estrear no mesmo final de semana de Cinquenta Tons de Cinza será definitivamente uma luta de Davi contra Golias. Eles terão mais salas, mais dinheiro, mais campanhas publicitárias... Mas nós estamos esperançosos de que não estamos sozinhos em nossa crença de que há pessoas que desejam mais do amor, e do cinema, do que objetificação e dominação"– afirma Rik Swartzwelder.

Com a Palavra Pr. Lucinho

Tiago Chagas, da Igreja Batista da Lagoinha, publicou, no Gospel, um ótimo artigo do pastor Lucinho, sobre sexo antes do casamento.

O abençoado pastor de Jovens Lúcio Barreto, da Igreja Batista da Lagoinha, um profeta de Deus nesta geração, bem conhecido em todo o Brasil e em vários países do mundo Visite: Gospel +, Noticias Gospel, Videos Gospel, Musica Gospel.

Para o pastor Lúcio Barreto, "*um namoro santo só existe quando há entendimento entre o casal, de que formará uma só carne. Não adianta um lado ser santo e o outro não*".

Segundo ele, há a necessidade de um "*compromisso do casal com Cristo*", e um período de apresentações entre os dois jovens: "*Já vi jovens começarem o relacionamento orando, jejuando e muito comprometidos, mas um dos lados estava só de fachada [...] Sempre proponho o período de 'corte' para saber se está pisando em areia movediça ou em um chão sólido, pois assim irá construir a base para um namoro santo, sabendo que aquela pessoa com quem está ama a santidade e a pureza*".

O pastor Lucinho acredita que a única forma de evitar o sexo antes do casamento é uma entrega do casal ao Espírito Santo: "*Eu só conheço uma força no mundo que faz o solteiro, casado ou qualquer pessoa refrear algum desejo, seja o de comprar, o sexual, de apetite ou dormir, essa força se chama Espírito Santo. Só Ele consegue controlar nossos desejos, ainda mais na juventude, em que isso é tão explorado e descontrolado*", contextualiza.

Na entrevista concedida ao site da Igreja Batista da Lagoinha, o pastor Lucinho sugere que os jovens peçam a Deus para dar força nos momentos de fraqueza: "A *gente entrega 365 dias, mas sempre há três ou quatro que estamos 'virados' (sensíveis) e as resistências estão mais baixas. Então, temos que pedir a Deus: 'Senhor, não deixe coincidir o dia da minha fraqueza com a tentação ideal, se não será 'prato cheio' para eu cair'*".

O pastor Lucinho propõe ainda que os jovens passam por "*um período de abstinência de tudo, inclusive de namoro*", e justifica sua sugestão com uma comparação incomum: "*Assim como um drogado precisa de abstinência, muitos necessitam não apenas encontrar alguém para casar, mas se encontrar primeiro, porque a pessoa não está bem com ela mesma*".

O pastor Lucinho lista ainda uma série de sugestões para que os jovens consigam evitar o sexo antes do casamento. Confira abaixo, na reprodução integral da entrevista:

Como ter um namoro santo?

Um namoro santo só existe quando há entendimento entre o casal, de que formará uma só carne. Não adianta um lado ser santo e o outro não. O compromisso do casal com Cristo precisa ser muito forte. Já vi jovens começarem o relacionamento orando, jejuando e muito comprometidos, mas um dos lados estava só de fachada. O lado forte é quase sempre influenciado pelo lado fraco. Geralmente e infelizmente não são o contrário, quem está muito bem com Deus, geralmente, é influenciado por quem não está e não o contrário. A primeira coisa no início do relacionamento é você saber em qual terreno está pisando. Sempre proponho o período de "corte" para saber se está pisando em areia movediça ou em um chão sólido, pois assim irá construir a base para um namoro santo, sabendo que aquela pessoa com quem está ama a santidade e a pureza.

Como evitar os desejos da carne?

Eu só conheço uma força no mundo que faz o solteiro, casado ou qualquer pessoa refrear algum desejo, seja o de comprar, o sexual, de apetite ou dormir, essa força se chama Espírito Santo. Só Ele consegue controlar nossos desejos, ainda mais na juventude, em que isso é tão explorado e descontrolado. Muitas vezes o que acontece com o casal de namorados é o famoso daqui pra ali, o casal sai do culto entra no carro e começa a se beijar, depois se encontra sem roupas, podendo até ter consumado o ato sexual.

Conheço um casal em que ambos especificaram o que não seria feito. A moça disse ao rapaz: "Você não vai encostar ao meu pescoço por motivo nenhum, porque ativa algo em mim que eu não quero", houve honestidade. Não se pode ficar em certos lugares sozinhos, usar roupas provocantes. É preciso impor limites em um relacionamento, tanto ela quanto ele. Às vezes começa conversando, depois pega na mão, sempre o dia seguinte exige um pouco mais do dia anterior. E aí como muitos jovens não têm perspectiva de se casarem cedo, não vê uma data, não vê uma possibilidade, o casal acaba não esperarando.

Apenas a mulher deve impor limites ou os dois?

Algumas mulheres "partem para cima", mas atualmente tanto o homem quanto a mulher precisa frear. Na verdade, para mim, o homem sabe que pode levar a namorada dele para a cama, mas pode também optar por não levá-la, por ver que ela está num dia mais carente. E age assim: "Eu poderia aproveitar da sua fragilidade, mas não vou fazer isso", e a mesma coisa a mulher, porque a gente entrega 365 dias, mas sempre há três ou quatro que estamos "virados" (sensíveis) e as resistências estão mais baixas. Então, temos que pedir a Deus: "Senhor, não deixe coincidir o dia da minha fraqueza com a tentação ideal, se não será 'prato cheio' para eu cair.'"

O casal é cristão, porém, não segue os preceitos bíblicos. Como ajustar o namoro à luz da Palavra?

Primeiro é um choque de gestão. Tem que parar com o que está fazendo de errado. Penso que a maioria dos jovens precisa, dentro e fora da igreja, de um período de abstinência de tudo, inclusive de namoro. Muitos sentem medo de não ter alguém, e em um, dois, três anos acabam se envolvendo com tanta gente ou com uma só pessoa, e tão profundamente que não dá para sair e entrar em outro relacionamento.

Assim como um drogado precisa de abstinência, muitos necessitam não apenas encontrar alguém para casar, mas se encontrar primeiro, porque a pessoa não está bem com ela mesma. Então, o casal, primeiramente, deve parar o ato sexual. Se possuir hábitos de ir para o motel, precisa deixar de frequentar. Caso o relacionamento esteja sem limites, deve parar com todas as liberdades. Geralmente (os jovens não gostam que eu fale isso), quando o relacionamento já tem sexo, muita coisa está acontecendo, então, sugiro um "dar tempo" ou até mesmo terminar.

O que defendo é o seguinte: se a pessoa que está com você for de Deus para sua vida, independentemente das circunstâncias, ela irá voltar para você. Quando o casal continua junto fica mais difícil para eles se absterem e fazerem a busca pelo Senhor. Podem conversar, mas devem evitar saírem juntos, ficar sozinhos. Isso para quando forem para o casamento dizerem assim: "Puxa, não venci na área sexual só porque me casei, consegui vencer antes". Acredito na segunda virgindade, que é quando Cristo entra na vida de alguém. A pessoa pode ter tido a vida mais promíscua, mas Jesus a purificou, e do momento para frente é um recomeço.

O que não posso fazer em um namoro?

- Evite ficar sozinho com o namorado (a);
- Evite entregar demais o coração, tem gente que com um mês, dois meses de relacionamento, diz assim: "Você é tudo pra mim, eu morro sem você". Vá devagar, não entregue suas emoções tão rapidamente;

- Não fique sem orar;
- Não fique sem ler a Bíblia,
- Não fique sem mentores dentro da igreja, e, principalmente, seus pais monitorando passo a passo do namoro;
- Não misture a vida financeira se não tiver noivado ou ter marcado o casamento,
- Não se isole dos amigos, porque muitos quando começam a namorar se afastam dos trabalhos na igreja e ficam sozinhos, apenas os dois. E se o namoro terminar, não terão mais amigos na igreja. Esses são alguns conselhos simples.

Quais lugares frequentar?

Indico sempre a casa de ambos, dos pais, pois namorar perto dos pais dá temor. Outra sugestão boa é a igreja e os amigos. Tudo que é feito em grupo é legal. Mas veja que engraçado: o motivo número um de divorcio hoje é o arrependimento de não ter curtido a vida de solteiro. Alguns quando se casam pensam assim: "Nossa, não curti a vida de solteiro, vou voltar a sair, a encontrar pessoas".

Já o solteiro que pode fazer isso não faz, ele se isola. O solteiro está agindo como casado e o casado quer agir como solteiro. Ainda que esteja noivo(a), é solteiro, tem que sair muito com os amigos, sair com o grupo. É lógico que às vezes ele irá sair sozinho ou com outro casal de amigos. Enquanto os homens saem juntos para assistirem a um jogo, as mulheres vão para o shopping. Um tem que dar espaço para o outro, a questão do ciúme tem que ser muito bem resolvida. Os sinais sempre aparecem, ninguém se casa enganado. A pessoa tem que ser honesta com ela mesma, ver algumas coisas que apontam para algo ruim, que possam acontecer dentro do casamento.

O namoro só deixa de ser santo se houver sexo?

Não, umas das piores coisas que pode acontecer ou talvez seja a pior, é a defraudação: gerar no outro um desejo que não pode ser realizado. Um rapaz me perguntou assim: "Até onde posso ir com a minha namorada um milímetro antes de pecar?" Eu falei: "É a mesma coisa de você me dizer que quer andar na beirada do precipício. Você anda, mas o risco de você cair é muito grande, pois está muito perto. Então vou lhe dar a seguinte resposta: faça com a sua namorada tudo o que você quiser que um rapaz faça com a com a sua filha quando ela namorar." "Mas como assim, qual será o limite?" Simples o limite, faça com essa jovem tudo que você puder fazer no altar da igreja". Entenda que as atitudes são um boomerang, fazer com a filha dos outros é legal, mas a vida anda. Hoje você é estilingue, amanhã será a vidraça. Tome cuidado!

O homem olhar para outra mulher ou vice-versa também traz o pecado para o namoro?

Não, a gente precisa entender que Deus colocou em nós a condição de apreciar sem pecar. Posso olhar um carro, posso olhar uma mulher e dizer: "Olha que bonita!", e não desejá-la, arrancar-lhe a roupa em minha cabeça e não levá-la para a cama. Quantas vezes eu e minha mulher, casados, assistindo a um filme ou em lugar, cometamos sobre alguém. Exemplo: Eu e a Patrícia estávamos na praia, quando disse: "Paty, veja esse cara. Poxa, ele está cuidando do corpo, parece mais velho, mas está muito bem, em forma." Hoje a sociedade está tão pecaminosa, tudo é sexo, arrancar a roupa. É possível apreciar, achar legal sem imediatamente cometer pecado.

Como saber se a opinião de outras pessoas (como amigos, pessoas não cristãs) está influenciando?

Contar tudo só mesmo para quem pode ajudar. Não vou contar para os meus amigos que estou com uma dor, vou a um especialista, ao médico. Pode ser que você irá se abrir com um amigo(a) que está no mesmo grau que você. As igrejas estão cheias de pastores, casais mais velhos que podem ser mentores, sem contar os pais. Temos o hábito de ir atrás de quem não pode acrescentar nada à nossa vida, e não de quem tem todas as ferramentas, porque já passou por experiências semelhantes, e pode aconselhar, mas às vezes não escutamos. O jovem, principalmente, chega a duvidar dos conselhos da mãe: "Ah, o que a minha mãe pode dizer?" É preciso saber que Deus guardou dentro dos pais um amor pelos filhos que ninguém sente. Logo, eles podem dizer o que servirá como solução.

É bom ser acompanhado por alguém?

É muito importante o acompanhamento de alguém, pois tem coisa na vida que a gente consegue fazer sozinho, mas há aquelas que acontecem somente com ajuda. E a vida sentimental tem se tornado "calcanhar de Aquiles" para muita gente, e essa é a área mais frágil, mais destruída da vida da pessoa. Então, se a pessoa tiver um coach (técnico), alguém que o aconselha aonde ir, como ir, será muito bom. Digo, porque passei por isso, e tenho o privilégio de fazer atualmente aos outros. Vejo que faz toda a diferença, é um presente de Deus!

Como um namoro Cristão deve ser?

O Pr. Leandro Almeida - *Pastor da Mocidade Igreja Batista da Lagoinha Belo horizonte/MG,* respondendo a pergunta **Como Um Nomoro Cristão Deve Ser?** Ele sugere quatro princípios essenciais para que um namoro cristão dê certo. *"Ressalto que, para um relacionamento ser bem sucedido, depende essencialmente das pessoas envolvidas nele, e não nos fatores externos",* afirma o pastor.

1. Com propósito

Somos guiados por aquilo que temos como propósito. Se você será um bom funcionário em uma empresa, isso depende do propósito pelo qual você está ali. Sua motivação irá fazer com que você tenha atitudes condizentes com o propósito que tem. Um namoro cristão que não tem por objetivo o casamento pode sim levar ambos para a perdição. Sendo assim, não existe motivo para existência desse relacionamento. Não estamos dizendo que deve-se iniciar um namoro com a data do casamento marcada. Não. Mas deve-se ter no coração o propósito do casamento, pois se forem guiados por tal propósito, tudo o que se fizer nessa jornada será orientado e direcionado por ele. O propósito tem força para te impedir de acabar mal e te fortalecer para vencer as adversidades e tentações.

2. Com responsabilidade

Ir até a casa da moça e pedir aos pais a permissão para namorar não é coisa do passado, é coisa de responsável. Acatar as direções dadas pelos pais e líderes fortalecem esse principio. Responsabilidade traz credibilidade.

Quanto mais responsabilidade um tiver com o outro e, principalmente, consigo mesmo, mais sólido e maduro será esse relacionamento.

A irresponsabilidade deixa qualquer um inconsequente. Faz o que "dá na telha". Não ouve opinião dos outros, principalmente dos pais e líderes... Faz você criar desculpas para atitudes imaturas. Enfim, ela faz você afundar-se sem ter a noção do "tamanho do buraco". Se está assim, é a hora de acordar. Levante-se! Você não é mais menino (a). Seja responsável.

3. Com paciência

O namoro é um ótimo lugar para se exercer uma bela característica do fruto do espírito: a paciência. Se existe algo que todo casal de namorados necessita é disso. A paciência é uma virtude que te ajuda a viver o melhor de Deus na hora certa. Tantos atropelam as fases da vida e se destróem deixando de viver algo poderoso e maravilhoso: a família saudável. Você define como será seu casamento agora no seu namoro. Se você planta paciência em seu namoro, certamente irá colher coisas preciosas em seu casamento. Espere!

4. Com santidade

Esse é um dos temas mais falados por nós e muitos que ministram sobre relacionamento. Mas é um princípio extremamente necessário para os "pombinhos". Sem santidade vivemos fora do plano de Deus. Sem santidade estragamos tudo.

Muitos entram em um relacionamento direcionados pelo Espírito, fazem tudo corretamente - oram, jejuam - e, quando abandonam a santidade, se vêem sozinhos e perguntam se Deus realmente estava nisso. Ele até estava, mas por causa da escolha pelo pecado, Ele se distancia.

Deus é o maior interessado em que você dê certo no relacionamento. Ele é o maior interessado em seu casamento. Portanto, reavalie seus propósitos no relacionamento. Verifique se o nível de responsabilidade está "ok" e se existe paciência e santidade nisso.

Se assim for, você está num caminho maravilhoso para um excelente casamento.

CAPÍTULO 06

A SENSUALIDADE E O NAMORO

por Marcos de Souza Borges (Coty)

O período de namoro é uma das fases mais críticas na vida de uma pessoa realmente comprometida com Deus. Um relacionamento sentimental estará sendo nutrido e, por conseguinte o desejo sexual acaba sendo fortemente despertado. Ter o equilíbrio espiritual que esta situação demanda nunca é uma tarefa fácil.

Uma vitória nesta fase pode refletir positivamente em todo o período de casamento, enquanto amargar certos níveis de derrota pode fazer germinar no futuro insegurança, ciúmes e desconfiança no relacionamento conjugal.

Objetivamente, no namoro se estabelece as bases espirituais para o casamento, no noivado traça-se o novo plano de vida a dois, onde não apenas os privilégios serão considerados, mas o preço de viver à dois será devidamente calculado, e no casamento dá-se a união dos corpos.

Obedecer esta seqüência atingindo uma realização satisfatória nestes três níveis irá proporcionar um relacionamento estruturado e estável. Inverter esta seqüência, como tem sido praxe na sociedade, acarreta uma variedade de problemas indesejáveis que podem condenar o casamento desde cedo a muitos reveses.

Sabemos que todo sucesso real parte de uma vitória na esfera espiritual, onde pela fé e obediência edificamos a vontade de Deus. O apóstolo Paulo nos deixa uma palavra de exortação. *Pois esta é a vontade de Deus, a vossa santificação: que vos abstenhais da prostituição, que cada um de vós saiba possuir o próprio corpo, em santificação e honra, não com o desejo de lascívia, como os gentios que não conhecem a Deus, e que, nesta matéria, ninguém ofenda nem defraude a seu irmão, porque o Senhor, contra todas estas coisas, como antes vos avisamos e testificamos claramente, é o vingador, porquanto, Deus não nos chamou para a impureza, e, sim, em santificação. Destarte, quem rejeita estas coisas não rejeita ao homem, e, sim, a Deus, que também vos dá o seu Espírito Santo." (1 Ts 4:3-8).*

Este termo:"... *que cada um de vós saiba possuir o próprio corpo...",* também pode ser traduzido como:"... *que cada um de vós saiba possuir a sua esposa...".* Esta palavra que traduzimos como "esposa", no literal é "vaso", que é mesma palavra que Pedro usa quando cita a mulher como "vaso" mais frágil. Esta sabedoria exigida no namoro é caracterizada pelo domínio próprio, respeito e temor em relação àquele que nos dá o Espírito Santo, o qual é a provisão da vitória na sua expressão máxima.

Aqui temos em pauta o eixo espiritual para o relacionamento de namoro: santificação e honra. Paulo traça limites para que o processo de santificação não fosse neutralizado. Ele revela, portanto, o objetivo prioritário do espírito de sensualidade que é a imoralidade sexual. Quando é falado de abster-se da prostituição, a palavra usada aqui é "pornéia" que abrange todo contexto de imoralidade: incastidade, fornicação, prostituição, e vários outros tipos de comportamento sexual ilícito.

Conceitos básicos

Para entendermos de forma mais prática os limites de Deus no relacionamento sexual, vamos expor a definição de alguns conceitos básicos:

1. Cobiça: É o sentimento interior do homem, o qual embora não consiga aquilo que deseja, nutre interiormente este desejo de forma exagerada. Cobiça é a expressão de falharmos em renunciar coisas que estão se tornando ídolos nas nossas vidas.

Esta tem sido a causa interior, apesar de muitas vezes não reconhecida, de muitas depressões nervosas e sentimentos crônicos de infelicidade provenientes de desejos desenfreados e insatisfeitos. A cobiça fomenta ansiedades, tensões nervosas e pensamentos obstinados que caracterizam um ambiente interno de derrota espiritual e stress.

2. Lascívia: Concentrar em alguma coisa ou pessoa para despertar o desejo sexual próprio fora dos limites e padrões de Deus. É uma condição onde o desejo sexual assume uma posição dominante. Pensamentos viciosos, fantasias sexuais entram em ação afogando a mente e escravizando a alma. É fundamental ressaltarmos que o principal órgão sexual é a mente.

Precisamos investir em santificação principalmente na dimensão da nossa vida de pensamentos. Não permita que sua mente se torne uma lata de lixo!

3. Defraudação: Despertar os desejos sexuais de outra pessoa, os quais não poderão ser satisfeitos corretamente.

Agressão moral ou provocação onde os valores e sentimentos da outra pessoa são desrespeitados, manipulados, abusados ou seduzidos. É qualquer tentativa egoísta de ganhar mais a qualquer custo e por todos os meios independente dos outros e dos seus direitos. Ir além, ultrapassar os limites tirando o melhor que puder. Querer ter mais do que é devido.

4. Fornicação: Relação sexual irresponsável fora da aliança do casamento. Adolescentes e jovens são constantemente desafiados a fornicarem para de alguma maneira conseguirem se auto-afirmar perante outros. Eles só esquecem, muitas vezes, de levar em conta o que pode vir a suceder depois de nove meses.

5. Adultério: Infidelidade conjugal, prevaricação, quebra da aliança do casamento.

6. Prostituição: Comercializar o corpo; manipular bens, situações ou posições através da prática sexual.

Bases para o namoro

1. Santidade: vestes de linho e atos de justiça

A santidade é a roupagem da nossa fé e obediência a Deus. São atitudes que demonstram a justiça do reino de Deus. "E foi-lhe permitido vestir-se de linho fino, resplandecente e puro; pois o linho fino são as obras justas dos santos" (Ap 19:8}.

A santidade num namoro é fruto do verdadeiro amor, que inclui o respeito, o domínio próprio e o compromisso, onde sobre tudo estamos dispostos a obedecer ao ministério do Espírito Santo nos deixando ser convencidos e guiados pela verdade. Com isto não queremos gerar uma mentalidade puritanista ou perfeccionista. Aliás, é indispensável distinguirmos entre santidade verdadeira e o perfeccionismo religioso.

A verdadeira santidade é você se separar para Deus vivendo objetivamente para a sua glória e de acordo com os valores do seu reino. Uma mente dividida que oscila possibilitando um ânimo dobre em relação aos propósitos específicos de Deus peca frontalmente contra o espírito de santidade.

Ser santo significa literalmente ser separado para um único propósito. A essência da santificação reside também numa fé inabalável no sacrifício de Jesus e não no nosso esforço humano onde tentamos compensar nossos fracassos.

O perfeccionismo religioso é uma falsa moral caracterizada pelo rigor exagerado no comportamento externo e cerimonialismo. É o endeusamento de regras particulares sustentado pela insegurança e justiça própria. É também caracterizado pela maxivalorização do irrisório onde se acaba coando um mosquito e engolindo um camelo.

Perfeccionismo leva à intolerância transformando conceitos em preconceitos taxativos e inflexíveis, mais baseados num padrão externo de comportamento do que nas motivações íntimas do coração. Regras relativas se tomam leis absolutas e com isto as leis absolutas se tornam apenas uma sombra. Esta foi a síndrome dos fariseus. *"Mas Israel, buscando a lei da justiça, não atingiu esta lei. Por que? Porque não a buscavam pela fé, mas como que pelas obras; e tropeçaram na pedra de tropeço" (Rm 9:31,32).* Legalismo não é santidade, é apenas um disfarce da santidade.

Pessoas que se afirmam num padrão externo de santidade, na maioria das vezes, estão compensando fracassos morais internos e ocultos. Acabam se anulando espiritualmente. Sacrificando transparência e quebrantamento se tornam escravos da religiosidade.

Quando falamos sobre a santidade no namoro, precisamos encarar as pessoas na sua totalidade, com suas fraquezas, conflitos, sentimentos, crises, mas acima de tudo nutrindo fé na verdade que o poder de Deus se aperfeiçoa na nossa fraqueza.

2. Sensualidade: *"... jóia de ouro em focinho de porca"*

Quando desfocaliza-se a santidade invoca-se a sensualidade. O desejo de lascívia é o padrão mundano que Paulo reprova. Este é o padrão daqueles que não conhecem a Deus onde a mente e a vontade estão subjugados por desejos desenfreados. Este provérbio retrata com precisão o significado de um namoro permeado pela sensualidade: *"Como jóia de ouro em focinho de porca, assim é a mulher formosa que se aparta da razão". (Pv 11:22)*. Percebe-se aqui a insensatez espiritual de se apartar do pudor, do recato e do respeito mútuo. Este texto prega abertamente acerca da inconveniência da sensualidade no relacionamento de namoro. Ninguém colocaria um bracelete de ouro no focinho de uma porca. Ou seja, não adianta tentar embelezar aquilo que é imundo e repugnante.

Precisamos tomar uma decisão muito definida em relação à base na qual vamos construir nosso namoro e casamento. Sabemos que a sensualidade representa o caminho largo por onde o mundo nos induz. Percorrer este caminho pode ser o início de um futuro comprometido e condenado às muitas dores e traumas irreversíveis ocasionados por um casamento frustrado. Isto tem sido um xeque-mate na felicidade de muitas pessoas.

Defraudação na área de casais

Existem muitas maneiras sutis de sermos absorvidos na batalha espiritual cooperando com o espírito de sensualidade. Vamos salientar agora pontos práticos que comumente são negligenciados, mas que podem estar contribuindo decisivamente para dificultar ou até mesmo destruir o plano de vida que Deus tenha para um casal.

1. Fofoca

A fofoca nada mais é que comentários excessivos, especulativos e indevidos sobre relacionamentos alheios.

Esta é uma área de tentação muito forte principalmente para as mulheres. Quando se começa a fazer declarações de caráter negativo, acerca de especulações ou assuntos onde a privacidade das pessoas está em jogo, dificilmente não se terá péssimos resultados.

Este tipo de comportamento promove uma propaganda depreciativa das pessoas em questão. Comentários assim, sempre tendem à deturpação dos fatos reais, promovendo conclusões injustas baseadas em detalhes mínimos. O saldo desta agressão indireta, por trás, acaba sendo um imenso déficit de ressentimentos e inimizades.

Em Lv 19:16, a Palavra de Deus nos adverte: *"Não andarás como mexeriqueiro entre os teus povos: Não te porás contra o sangue do teu próximo: Eu sou o Senhor".* A fofoca é uma maneira discreta de se cometer um homicídio: relacionamentos são destruídos, sentimentos são machucados, e muitas pessoas acabam se frustrando espiritualmente e abandonando a fé e a igreja.

Podemos definir a fofoca como "falar mais e mais do que só resulta em menos e menos". **Aqui podemos emoldurar a seguinte lei: muita fofoca, pouca oração.** Quem fala muito da vida alheia, normalmente está com problemas sérios na sua vida de oração. Quando de fato oramos por alguém, vamos alcançar o coração de Deus por esta pessoa e com certeza saberemos poupá-la com a nossa língua.

A fofoca, além de impedir a vida de oração, é também uma forma de liberar demônios, liberar morte, conturbando espiritualmente a situação e as pessoas. Com isto, todos perdem, só o espírito de sensualidade se satisfaz no seu propósito.

2. Simular namoros

É muito comum encontrar pessoas, que uma das poucas coisas que elas fazem na igreja, é ficar adivinhando e conjeturando quem gosta de quem, quem combina com quem, quem saiu com quem, quem começou a namorar ou terminou o namoro com quem, etc. Este tipo de pessoa sempre acaba sendo uma luva nas mãos do espírito de sensualidade.

Se um relacionamento de namoro, que envolve pessoas submissas ao Senhor teve origem no coração de Deus ou está debaixo da sua bênção e aprovação, ele tem tudo para de uma forma natural fluir e acontecer no tempo certo. A nossa participação neste processo particular deve ocorrer apenas se alguma das pessoas envolvidas tiver a iniciativa de nos procurar. Neste caso, devemos ouvir, aconselhar, orar com a pessoa, mas nunca nos rebaixarmos a manipular o namoro, nem muito menos, ficar simulando encontros e situações.

Esta simulação, que é também uma forma de "forçar a barra", em muitos casos, acaba sendo uma precipitação, que pode até mesmo abortar o relacionamento.

Não tente "dar uma mãozinha para Deus" usando sua habilidade de simular namoros. É muito perigoso quando se intromete na vida sentimental de pessoas forçando situações. Esta não é uma boa maneira de se iniciar o que no futuro deverá ser um lar. Além disto provocar muitos constrangimentos, a pessoa corre o risco de estar alimentando um sentimento que não está sendo e que nem será correspondido. A pessoa em questão acaba sendo iludida e desiludida.

Outra forma corriqueira e crítica de provocar namoros é através do uso abusivo do dom de profecia. É extremamente fácil manipular as pessoas, principalmente os novos na fé, usando misticamente o nome de Deus. Usar o nome de Deus em vão é coisa muito séria na Bíblia, apesar de não ser na nossa cultura.

Toda profecia deve ser confirmada por mais de um profeta, bem como julgada: *"E falem dois ou três profetas e os outros julguem".* (I Co 14:29). Só deve haver manifestação do dom de profecia em coexistência com o dom de discernimento de espíritos. São dons complementares. É necessário provar os espíritos, principalmente de alguém que afirma ser profeta. Infelizmente, muitas falsas profecias, as quais deveriam ser julgadas com discernimento tem sido uma ferramenta usada para alimentar o engano sentimental.

Em I Coríntios 14:3, o apóstolo Paulo ensina que as finalidades da profecia se resumem em consolar, exortar e edificar, e de maneira alguma defraudar sentimentalmente as pessoas induzindo-as, devido a interesses próprios, a um relacionamento de namoro ou casamento.

E o pior é que muitos fazem questão de se colocarem debaixo da influência de tais profecias, pois querem ouvir apenas aquilo que favoreça a sua paixão, como declarou Jeremias: "Os *profetas profetizam falsamente, e os sacerdotes dominam pelas mãos deles, e o meu povo assim o deseja: e o que fareis no fim disto?" (Jr5:31).* Idolatrar nossos sentimentos nos leva ao terrível engano de fazer da nossa vontade a voz de Deus.

Precisamos estar muito apercebidos com estas coisas, buscando a Deus com um coração puro e verdadeiro, estando prontos a ouvir não só o "sim", bem como o "espera" ou até mesmo o "não" do Espírito Santo. Caso contrário, ao invés de experimentarmos a vontade de Deus, vamos amargar a vontade de homens interesseiros e mal intencionados.

3. Temor humano

Temor humano é definido pelo comportamento de aprovarmos e incentivarmos algo que Deus desaprova, com medo de desagradar a pessoa e perder a sua apreciação.A Bíblia diz que esta é uma forma sutil de preparar uma armadilha: *"Quem teme ao homem arma ciladas, mas o que confia no Senhor estará seguro".* (Pv 29:25)

Normalmente as armadilhas do inimigo são preparadas na área sentimental onde o ser humano é mais influenciável e vulnerável. Estas armadilhas se tornam mais eficientes quando pessoas tidas como conselheiros agem com temor humano.

Às vezes deparamos com relacionamentos começando em bases falsas, afrontando princípios e conselhos da Palavra de Deus. Estarmos desprovidos do temor humano é uma condição chave para o Senhor nos usar com a palavra certa, no tempo certo, da maneira certa, livrando pessoas destes laços.

Nunca devemos alimentar um relacionamento que temos dúvida sobre a vontade de Deus. Se não estamos aptos a aconselhar a pessoa ou o casal, devemos orientá-los aos líderes da igreja.

É também comum vermos pessoas que dizem ter uma "palavra de Deus" para começar um namoro reprovado, principalmente casos de jugo desigual. Como conselheiros não devemos nos convencer apenas por isto. Julgar uma profecia, não é apenas julgar a palavra, mas julgar o princípio. Se a pessoa tem a "palavra de Deus", mas não tem o princípio de Deus, ela deve ser advertida.

> *"Não deixará de repreender o teu próximo, e nele não sofrerás pecado". (Lv 19:17)*
>
> *"Melhor é a repreensão aberta do que o amor encoberto" (Pv 27:5)*
>
> *"Fiéis são as feridas feitas pelo que ama, mas os beijos do que aborrece são enganosos". (Pv 27:6)*

4. Maledicência

Uma das principais causas da maledicência é o ciúme. De certa forma, é bem comum no meio de solteiros, pessoas estarem gostando de pessoas, se sentindo atraídas e desenvolvendo determinada apreciação mutuamente. Mas estes sentimentos podem precipitar-se quando a pessoa de quem alguém estava gostando, começa a gostar de outro ou até mesmo namorar com outra pessoa.

Sabemos que ter um sentimento por alguém não significa nenhum problema, mas ter um sentimento por uma pessoa já comprometida é um problema a ser resolvido. Se este sentimento não for devidamente dominado e renunciado, ele pode se tornar profundamente doentio e obstinado, se transformando em ciúme: *"Cruel é o furor e a impetuosa ira, mas quem parará perante o ciúme?" (Pv 27:4)*. Lembro-me de uma situação onde uma moça continuava a orar pelo seu "prometido" mesmo depois dele já ter casado com outra pessoa. Esta obstinação doentia expressa o controle que o espírito de sensualidade pode chegar a exercer através do orgulho de uma pessoa.

Quanto mais este sentimento for nutrido, maior e mais dolorosa será a ferida. Uma das maneiras de descarregar a dor provocada pelo ciúme é através da maledicência. A maledicência como reação do ciúme expressa a voz do espírito de sensualidade.

5. Coerção sentimental

Coerção sentimental significa arrancar informações sentimentais de uma pessoa através de perguntas constrangedoras, muitas vezes, no momento errado, no lugar errado, perto de pessoas erradas. A pessoa é surpreendida tendo sua privacidade sentimental saqueada.

Essas perguntas que invadem assuntos e sentimentos particulares é uma maneira manipulativa de induzir a pessoa a expor algo que não tinha liberdade de fazê-lo. A pessoa é obrigada a violentar a própria vontade de expressão, gerando um constrangimento esmagador ou submetendo a pessoa a uma plataforma de humilhação e vergonha que se não for superado com maturidade pode gerar bloqueios e profundas feridas sentimentais.

Em II Samuel 13:4, vemos Jonadabe, sagazmente, arrancando uma informação sentimental dos lábios de Amnom, e numa atitude de lisonja, ele propõe um plano diabólico de relacionamento para que ele conquistasse Tamar. Depois de ser manipulado a expor seu sentimento, Amnom estava constrangido a obedecer ao terrível conselho de Jonadabe que resultou num incesto.

Obviamente que qualquer pessoa se sentirá defraudada ao ser forçada a falar algo que ela não queria falar. Esse tipo de opressão reflete uma forte influência do espírito de sensualidade. Jamais devemos forçar a porta do coração de alguém para arrancar uma informação sentimental particular, principalmente se a pessoa não deu tal liberdade.

Se você acha necessário aconselhar alguém nesta área sentimental, ponha-se primeiro à porta, como o Senhor Jesus fez com a igreja de Laodicéia. Se a pessoa não ouvir a sua voz, não ouse entrar. Porém, se a própria pessoa teve confiança de se abrir, podemos ter a liberdade de contribuir com esta pessoa empaticamente através do aconselhamento.

6. Correção incorreta

Tanto deixar de corrigir como também usar doses de agressão direta ou indireta na correção, principalmente de um casal, são extremos que trazem muitos prejuízos. Precisamos, antes de tudo, corrigir nossa maneira de corrigir antes de corrigir alguém.

A correção agressiva e intransigente quase sempre proporciona um efeito contrário ao que se pretendia. O "como" falar é tão importante quanto o "o que" falar. A correção não pode ser apenas resumida no zelo, antes deve ser equilibrada pela compaixão e sabedoria. Caso contrário a correção se transforma numa manifestação da indignação e ira humana, o que espiritualmente significa dar lugar ao diabo para imprimir profundas feridas.

A correção também não deve ser confundida com condenação. A condenação destrói a esperança e desencaminha qualquer solução. A correção que restaura é precedida pelo espírito de perdão e não de condenação.

Um dos momentos mais críticos do relacionamento é a repreensão. É um momento doloroso, difícil e constrangedor. Muitas vezes tem-se que lidar com a melindrosidade, o embrutecimento e o pecado da pessoa. Temos em pauta um clima intenso de batalha espiritual. Uma das artimanhas do espírito de sensualidade é influenciar pessoas a serem resistentes à repreensão. O seu objetivo é usar a repreensão para ferir. É necessário estarmos muito sensíveis a Deus e à real necessidade das pessoas em questão, nutrindo um coração compassívo, perdoador, e atento à revelação do Espírito Santo.

O segredo para destruir o encantamento da sensualidade na vida de um casal é trazer às pessoas entendimento adequado das verdades adequadas de Deus, através de uma sábia correção, que é feita no tempo certo, com a motivação certa e do modo certo.

Princípios espirituais para o namoro

Depois da conversão a Cristo, não existe uma decisão mais importante a ser tomada do que o casamento. Devemos admitir que o casamento é uma faca de dois gumes, ou seja, pode vir a ser uma grande bênção, mas também pode desestruturar pessoas pelo resto de suas vidas. O que vai decidir isto é a nossa diligência em submeter aos princípios e limites estabelecidos sabiamente por Deus.

Vamos mencionar alguns passos que nos ajudam a estabelecer, desde o namoro, bases firmes para a vida conjugal.

1. Entregar o direito de casar

Estabelecemos isto mais na dimensão de um conselho. Abrir mão do direito de casar não quer dizer deixar de casar. A princípio pode parecer algo muito radical para se fazer, mas, de fato, a renúncia, apesar de ser um caminho estreito, é também o caminho mais curto e suave para se atingir um objetivo.

Descansar sentimentalmente mantendo-nos distantes da ansiedade e precipitação, ou seja, entrar no descanso de Deus é um autêntico atestado de aprovação espiritual. A renúncia gera estas proporções de descanso e aprovação.

Toda área de nossas vidas que não rendemos a Deus, constitui uma brecha para que o inimigo, de uma ou outra maneira, tire proveito sobre nós, enganando, roubando ou até mesmo destruindo. Esta é uma das causas de presenciarmos tantos relacionamentos confusos, onde as pessoas se encontram deprimidas e insatisfeitas sentimentalmente.

Um dos mais importantes caminhos que Deus estabeleceu para aplainar nossas vidas e nos conduzir ao que queremos é o direito de renúncia. Quando perdemos nossos direitos para Deus, os direitos de Deus passam a ser nossos. Quando damos a Deus tudo que ele pede, receberemos tudo que ele promete. Esta é a lei da conquista: subjugar nossos direitos e desejos à vontade de Deus, confiando no seu caráter.

Vemos de uma forma muito expressiva este princípio em ação na vida de Rute (Rt 1:11-16). Esta pobre jovem, que acabara de ficar viúva, ao fazer um firme voto de fidelidade à sua sogra Noemi, ao povo de Noemi e ao Deus de Noemi, abre mão de conseguir um marido em Moabe indo com sua sogra para Israel. É interessante notar como esta atitude liberou tão rapidamente esta área de sua vida.

Pouco tempo depois, de uma maneira sobrenatural, Deus promove seu relacionamento com um candidato legítimo a tomá-la por esposa. Boaz veio a ser seu marido e redentor, que além de restaurar a sorte de sua sogra, foi uma cura para toda decepção e trauma conjugal que havia sofrido anteriormente.

Com esta atitude, Rute, uma moabita, uma estrangeira em Israel, teve seu opróbrio da viuvez quebrado e se tornou parte da linhagem messiânica, vindo a ser a bisavó do Rei Davi. Deixou uma descendência espiritual que não podemos dimensionar. Tudo isto pelo simples fato de abrir mão do direito de se casar.

2. Abrir mão da pessoa idealizada

Isto não quer dizer que é errado alistar as características que você quer que uma pessoa tenha e orar a Deus por uma pessoa assim. Mas, é verdade que muitos se casam apenas com a aparência física da outra pessoa e quando, no dia a dia do casamento descobrem o que realmente estava no conteúdo se assustam e desiludem.

Quando mencionamos este ponto, estabelecendo-o também, como um conselho, e não como um princípio absoluto, partimos do verdadeiro pressuposto que Deus é dono de toda sabedoria e possui, obviamente, um bom gosto tremendamente apurado. Além disto, não existe um outro ser no universo que queira tanto o nosso bem quanto nosso amoroso Pai celestial.

Porque, então, não permitir que ele possa nos dar o cônjuge que certamente vai se encaixar conosco em todas áreas de nossas vidas: espiritual, ministerial, psicológica, sentimental, emocional, física, etc.

É interessante como a Bíblia revela que desde o nascimento de Isaque e Rebeca, o Senhor tinha feito um para o outro. Assim que Abraão se dispôs a sacrificar seu filho, que ainda era de tenra idade, em obediência a Deus, imediatamente é anunciado o nascimento de Rebeca (Gn 22:23), que seria futuramente a esposa de Isaque. Em Gênesis 24, Deus providencia sobrenaturalmente a união deles.

Entendo que o que realmente liberou todo este plano conjugal divino foi o sacrifício de Abraão. Ele sacrificou seu maior sentimento e desejo que estavam personificados em Isaque, com isto, ele gerou uma família digna de ser a linhagem messiânica.

O objetivo não é criar uma doutrina em cima de uma situação, idealizando que Deus só tem um "Isaque" para cada "Rebeca" e vice-versa. Podemos dizer que Deus têm vários "Isaques" para cada "Rebeca e vice-versa". Isto significa que Deus respeita e abençoa, de fato, o nosso direito de escolher um cônjuge, desde que, esta escolha não se baseie num relacionamento em jugo desigual.

O ponto é que Deus só encaminhará sobrenaturalmente a pessoa mais certa para nós, se, realmente, dermos a ele esta liberdade, através da atitude de abrir mão da pessoa que nós mesmos idealizamos. Esta é uma área de maior dificuldade para os homens.

A nossa maior tendência é idealizar alguém, que na verdade se encaixa muito mais com o modelo de aparência exigido pelo padrão secular do que com nossas reais "necessidades" como pessoa. Sonhamos com uma "miss" ou com o "príncipe encantado". Isto muitas vezes pode acabar nos levando à decepção.

Salomão na sua sabedoria disse:

> *"Não cobices no teu coração a sua formosura, nem te prendas com os teus olhos".* (Pv 6:26);
>
> *"Enganosa é a graça e vaidade a formosura, mas a mulher que teme ao Senhor, esta será louvada".*(Pv 31:30);
>
> *"Do Senhor vem a mulher prudente."* (Pv 19:14);
>
> *O que acha uma boa esposa acha uma boa coisa e alcançou a benevolência do Senhor".* (Pv 18:22)

A mulher sábia que estrutura e edifica seu lar, uma boa esposa, a mulher prudente que vem do Senhor, é uma expressão da sua benevolência que alcançamos, principalmente quando abrimos mão do nosso preferencialismo.

3. Jugo desigual

Não devemos, em hipótese alguma, assumir um relacionamento de namoro com alguém que seja incrédulo ou infiel.

> *"Não vos prendais a um jugo desigual com os infiéis; porque que sociedade tem a justiça com a injustiça? E que comunhão tem a luz com as trevas? E que concórdia há entre Cristo e Belial? Ou que parte tem o fiel com o infiel?... Ora, amados, pois que temos tais promessas, purifiquemos de toda a imundícia da carne e do espírito, aperfeiçoando a santificação no temor do Senhor.* (II Co 6:14-II Co 7:1)

Através do jugo desigual invoca-se a injustiça, as trevas, o senhorio de demônios e a infidelidade. Este comprometimento polui as nossas vidas imprimindo uma contaminação e imundícia na profundidade do nosso próprio espírito. A palavra com a qual o próprio Deus descreve este tipo de jugo, sociedade, comunhão, concórdia ou tomar parte é abominação.

> ***"Judá foi desleal,*** *e abominação se cometeu em Israel e em Jerusalém; porque Judá profanou a santidade do Senhor, a qual ele ama, e* ***se casou com a filha de deus estranho.*** *O Senhor extirpará das tendas de Jacó o homem que fizer isto."* (Ml 2:11,12)

Quando alguém se compromete e casa em jugo desigual está cometendo uma deslealdade contra Deus e admitindo como "sogro espiritual" o próprio diabo. Ou seja, quando Malaquias fala: "se *casou com a filha de deus estranho",* quem seria espiritualmente o sogro desta pessoa? Certamente seria este *"deus estranho".* Por isto o espírito de sensualidade é tão insistente quanto ao jugo desigual, pois é uma estratégia fatal de ligar uma família a ele através do casamento em cima de um juramento: "até que a morte nos separe".

É lógico que quando se casa com a filha de alguém, e este alguém, agora seu sogro, vem te visitar, você está constrangido a recebê-lo. Um casamento em jugo desigual invoca a visita deste "sogro" e a partir daí é que tantos problemas inesperados e sofrimentos começam a solapar o relacionamento trazendo a infelicidade, desarmonia e destruição. É desta forma que muitos literalmente passam a "comer o pão que o sogro amassou". Por isto Salomão exorta: *"Anda com os sábios e serás sábio, mas o companheiro dos tolos será afligido".* (Pv 13:20)

Vamos considerar dois tipos de jugo desigual no namoro, que seriam os mais sutis:

- **Mundano bonzinho com o crente fraco:** Neste caso, pelo menos aparentemente, estes dois tipos de pessoas estão muito próximos da linha que divide o salvo e o perdido. O mundano bonzinho é aquela pessoa de boa família, que não tem muitos vícios, trabalhador, etc, mas que ainda não "nasceu de novo", e que pode até mesmo, estar muito mais longe disto do que se supõe. O crente fraco, por sua vez, é aquela pessoa que está em declínio espiritual, negociando princípios de Deus, e devido ao envolvimento sentimental com um incrédulo (mundano bonzinho), abusa com a desculpa: "vou trazê-lo para Jesus". Mas enquanto pensa assim, está cego para enxergar que já perdeu a batalha e se encontra em grande perigo espiritual, onde sua própria salvação pode estar em jogo.

Infelizmente, muitos têm se casado sob este sofisma e pelo resto da vida passam a colher os amargos frutos da sua desobediência. Quase sempre, esta outra pessoa que se esperava que convertesse ao Evangelho, rebela-se ainda mais levando o casamento e a família à infelicidade. Em outros casos, interessantemente, o mundano bonzinho se converte e o crente fraco desvia, o que de certa forma, faz cumprir a maldição do jugo desigual proferida por Malaquias: "O Senhor *extirpará das tendas de Jacó o homem que fizer isto*"

Em raríssimos casos o casal vem a permanecer firme na fé. Certamente, não vale a pena correr este risco pois sempre ficam algumas seqüelas que perturbam o lar.

- **Crente verdadeiro com o falso irmão:** *"Mas agora vos escrevi que não vos associeis com aquele que, dizendo-se irmão, for devasso, ou avarento, ou idólatra, ou maldizente, ou beberrão, ou roubador, com o tal nem ainda comais".* (1 Co 5:11)

Não podemos deixar nossos sentimentos falar mais alto que o discernimento espiritual. Não se iluda pensando que todo mundo que freqüenta uma igreja é um crente sincero. Precisamos abrir bem os nossos olhos para não sermos enganados numa coisa tão séria quanto é o casamento. Alguém já disse: "Antes de se casar abra bem os seus olhos, porque depois de casar terá que fechá-los para muitas situações".

4. Não namorar imediatamente após um relacionamento frustrado

Quando uma pessoa termina um namoro, geralmente ela trás consigo um certo desequilíbrio espiritual e sentimental devido aos eventuais conflitos enfrentados. Muitos querem curar as feridas de um namoro frustrado através de outro namoro. Mas, na verdade, quanto mais você é motivado a alimentar suas carências usando novos relacionamentos para isto, mais severas serão as derrotas. É indispensável, portanto, que a pessoa se restabeleça pela comunhão com Deus, onde o tempo é um fator muito importante neste processo de cura. É necessário voltar a descansar nesta área.

Se a pessoa parte imediatamente para outro relacionamento, dificilmente não estará tomando uma resolução precipitada, podendo estar sendo induzida pelo espírito de sensualidade, a dar mais um passo em falso, o que só irá agravar as suas feridas e apertar as algemas e cadeias sentimentais impostas pelo inimigo.

5. Dar uma trégua sentimental para crescer espiritualmente

Creio que este é um excelente conselho para novos convertidos: só assumir um relacionamento de namoro depois de assumir uma boa maturidade espiritual. Esta é também uma maneira prática de priorizar a coisa mais importante da vida de um ser humano: nossa comunhão com Deus.

Com isto permitimos que ele mesmo reorganize toda nossa vida, principalmente no aspecto sentimental. É assustador como, hoje em dia, as pessoas trazem do mundo, pesadas cargas de imoralidade e muitas feridas sentimentais. Nesta era da permissividade, infelizmente, a maioria das pessoas chegam na igreja desestruturadas sentimentalmente.

Este posicionamento tem, também, uma ligação forte com a batalha espiritual que um novo convertido enfrenta. Sabemos que a fúria do inimigo é direcionada contra uma pessoa que foi recentemente arrancada do seu império. E pelo fato de um recémconvertido não ter os seus sentidos espirituais bem exercitados na palavra de Deus, o principal alvo de ataque do diabo quase sempre é na área sentimental.

É fácil constatar estatisticamente a quantidade de pessoas com menos de três anos de conversão que tem se desviado do Evangelho devido a problemas relacionados com sentimentos e namoros, que acabaram por furtar as prioridades espirituais da pessoa, abafando o desejo de consagração concedido pelo Espírito Santo.

Seria tremendamente sadio, se cada novo convertido adquirisse antes de partir para um namoro, uma boa base espiritual, disciplinando-se a manter uma vida devocional diária. Não estou te dando um remédio que não tomei. Os quatro anos de trégua sentimental que dei após minha conversão foram decisivos para o plano conjugal e familiar que tenho desfrutado.

6. Saber lidar com o sentimento

O que fazer quando somos sobressaltados por um sentimento? Como nos portar espiritualmente? Paulo nos instrui:

> *"Rogo-vos, pois, irmãos, pela compaixão de Deus, que apresenteis os vossos corpos em sacrifício vivo, santo, e agradável a Deus, que é o vosso culto racional. E não vos conformeis com este mundo, mas transformai-vos pela renovação do vosso entendimento, para que experimenteis, qual seja a boa, agradável e perfeita vontade de Deus".* (Rm 12:1,2).

Mais uma vez repetimos que não há nada de errado ou pecaminoso em se ter um sentimento por alguém. O sentimento é uma faculdade inerente ao ser humano, a qual o próprio Deus obviamente nos concedeu e respeita.

O importante é sabermos que um sentimento pode alterar totalmente o curso de nossas vidas. Poderíamos dizer que Deus tem um propósito para cada um de nós e muitos planos ou alternativas para atingir este propósito. Como a tendência de um sentimento levado a sério envolve uma possibilidade de casamento, é muito importante estarmos atentos em relação à eles, discernindo criteriosamente se existe um aval do Espírito Santo, como também estando cientes dos novos rumos que aquele sentimento pode causar no nosso futuro.

Precisamos aprender a fazer escolhas espiritualmente inteligentes mediante a influência de um sentimento, e nunca, permitir que sejamos imediatamente vencidos agindo inconseqüentemente.

É também muito importante mencionarmos que basicamente um sentimento pode ter três procedências: ele pode surgir do nosso próprio coração, pode vir de Deus pelo fato de nos abrirmos para os seus planos, e também pode vir do espírito de sensualidade devido a legalidades cedidas a esta entidade.Paulo nos dá uma receita prática para alinharmos nossa vida sentimental com a vontade de Deus. Mais uma vez, a palavra de ordem é sacrifício, ou seja, renúncia. Devemos nos submeter a um culto racional apresentando o sentimento como parte integrante do corpo, num sacrifício vivo, santo e agradável a Deus.

Qualquer sentimento que não estejamos prontos a renunciá-lo em virtude de uma convicção dada pelo Espírito Santo é uma brecha para o espírito de sensualidade atuar. Nossos sentimentos representam muitas vezes fortes influências espirituais que precisam ser dominadas. Só assim podemos, de fato, andar no Espírito. Ou sacrificamos ou idolatramos nossos sentimentos.

Sacrificar o sentimento não significa **anular** o sentimento, muito pelo contrário, esta é a maneira pela qual tornamos nossa vida sentimental saudável e abençoada. Isto proporciona qualidade de caráter e revelação clara da direção de Deus que necessitamos. Quando submetemos determinado sentimento ao fogo do sacrifício (o amor é sofredor -1 Co 13.4), por mais que isto seja inicialmente doloroso, vamos por fim, mais do que conhecer mentalmente, vamos, efetivamente, experimentar a boa, agradável e perfeita vontade de Deus. Vale a pena!

Se aquele sentimento era um laço do nosso coração ou do inimigo, seremos libertos, ou seja, aquilo que é palha será queimado. Se aquele sentimento tem a aprovação do Espírito Santo, aquilo que é ouro será ainda mais purificado pelo santo fogo do sacrifício.

7. Namorar com o firme propósito de casar

Isto, naturalmente é uma conseqüência do item anterior. É importante ressaltar que Deus não brinca com os sentimentos de ninguém, e nem nós devemos fazê-lo. As conseqüências disto, ainda que muitas vezes abstratas, podem ser muito mais sérias que imaginamos.

Nossas motivações para entrar num relacionamento de namoro são muito relevantes. Motivações erradas sempre induzem a princípios errados. Princípios errados geram morte.

Sendo o mundo espiritual um campo extremamente fértil, ou seja, o que se planta, colhe, precisamos estar apercebidos de como temos semeado na área sentimental, em relação aos nossos próprios sentimentos como também em relação aos sentimentos de outros. Qualquer outra intenção no namoro que não seja compromisso real com a pessoa, sempre produz amargas conseqüências, principalmente para nós mesmos.

Nosso Pai celestial, de forma alguma, fica unindo pessoas para saber se vai dar certo ou não, como um cientista num laboratório, que mistura substâncias desconhecidas para saber qual será a reação: se aquilo vai explodir ou vai combinar. Deus tem princípios e propósitos definidos e devemos nos encaixar com firmeza de coração neles.

Estou certo que Deus é capaz de compreender quando um relacionamento de namoro realmente não dá certo, mas é indispensável uma motivação certa. A partir do momento que conhecemos objetivamente a vontade de Deus, precisamos nos empenhar a pagar o preço de permanecermos nela, estando abertos para sofrer as devidas e necessárias transformações que irão nos ajustar naquele relacionamento. O fruto disto é a maturidade e um genuíno amor.

8. Ter a bênção dos pais e líderes

É muito sábio estar sujeito ao conselho de pessoas experimentadas. Geralmente as autoridades estabelecidas por Deus são portadores da sua voz.

Quando um relacionamento está contrariando o parecer de alguma autoridade, algo pode estar errado. Este é um forte indício de algum tipo de perigo espiritual. Vale a pena dar uma parada, ponderar o conselho, dominar a voz estridente dos nossos sentimentos e ouvir a Deus, até mesmo o seu "não".

Namorar com autorização dos pais e líderes espirituais é também um ponto de prova para os nossos sentimentos. Nos submetendo a este tipo de aprovação, estaremos construindo um relacionamento seguro e protegido espiritualmente. Esta é uma maneira poderosa de tomarmos posse da herança que nos cabe como filhos.

9. Manter uma boa comunhão espiritual no namoro

"Alegra-te, mancebo, na tua mocidade, e recreie-se o teu coração nos dias da tua mocidade, e anda pelos caminhos do teu coração e pela vista dos teus olhos: sabe, porém, que por todas estas coisas te trará Deus a juízo. Afasta, pois, o desgosto do teu coração, e remove da tua carne o mal, porque a adolescência e a juventude são como uma bolha de sabão. Lembra-te do teu Criador nos dias da tua mocidade, antes que venham os dias maus, e cheguem os anos dos quais venha dizer. Não tenho neles contentamento". (Ec 11:9-12:1)

A adolescência e a juventude não são um tempo muito fácil espiritualmente falando. Nossos valores ainda se encontram amolecidos e isto nos torna abertos e vulneráveis a todo tipo de influências. Principalmente na fase do namoro, parece tão fácil ser moralmente nocauteado por um sentimento e ser lançado à lona, vivenciando trágicas derrotas nostálgicas.

Paulo deixa um conselho para seu jovem discípulo Timóteo, que de fato, quase sempre, só percebemos sua real grandeza um pouco mais tarde: *"Foge também das paixões da mocidade; e segue a justiça, a fé, o amor, e o paz com os que, com um coração puro, invocam o Senhor.* (II Tm 2:22).

Esta palavra *"foge"*, significa, no grego, **correr com pavor.** Ou seja, precisamos evitar agressivamente o descontrole imposto pela paixão. Suportar o jugo da mocidade. Não se pode perder de vista o principal objetivo do namoro que é estabelecer uma forte base espiritual para o casal.

Lembro-me que durante o meu namoro com minha esposa, precisei tomar uma decisão de namorarmos sem nenhum toque físico. Foram oito meses assim, até que pudéssemos estabelecer os limites adequados para o nosso namoro. Foi algo radical. Foi um preço a ser pago. Fiz isto, não porque era santo demais, mas exatamente pelo contrário. Foi um tempo difícil, porém precioso. Nosso domínio próprio se fortaleceu. O relacionamento foi preservado. Nossa afinidade espiritual expandiu e temos sentido os benefícios disto até hoje. Isto é alicerce!

Quando um casal não toma passos práticos de investir na comunhão espiritual, mais cedo ou mais tarde, eles vão sendo embalados, como um caminhão sem freios numa descida, a toda sorte de defraudação e lascívia. O resultado será um desastre.

Isto acaba gerando uma inversão no propósito de Deus: o namoro vira o período que se resume apenas no contato físico, até mesmo sexual; como conseqüência, o noivado torna-se um período traumatizante onde o casal se vê pressionado a apressar o casamento, muitas vezes, em virtude de uma gravidez indesejada; e no casamento eles vão tentar, em meio a muitas dificuldades e dores, consertar toda a situação.

Isto normalmente exigirá um alto preço de posicionamento, obediência e perseverança diante de uma realidade espiritual, que muitas vezes, se encontra sobrecarregada de opressões. Mas, o mais importante, é que todo este processo de derrota e saqueamento espiritual pode ser evitado.

Salomão na sua larga experiência sentimental aponta que o caminho para afastarmos o desgosto do nosso coração, evitarmos os dias maus, e os anos de tristeza é temer as conseqüências dos nossos atos, remover da nossa carne o mal, considerar a transitoriedade da juventude e acima de tudo nunca esquecer de Deus, ou seja, lembrar do nosso Criador, principalmente na nossa juventude.

Através da comunhão espiritual no namoro em oração, no compartilhamento da Palavra, pode-se manter a paz e a confiança, ao nível de uma boa consciência para com Deus. Isto é o que vivifica e fortalece os laços do relacionamento.

Esta base espiritual sólida no namoro, autenticada por uma consciência tranqüila diante de Deus e dos homens é a expressão profética de um lar firme e estruturado:

> *"... a casa dos retos florescerá".* (Pv 14:11).

A FRAQUEZA DE SANSÃO E O TEMOR DE JOSÉ

por **Marcos de Souza Borges (Coty)**

> *"Qual é o homem que teme ao Senhor? Ele o ensinará no caminho que deve escolher (Sl 25:12).*

Esta pergunta sugere que Deus está procurando atentamente pessoas que tenham a preciosa qualidade de temê-lo, para iluminar-lhes de maneira sobrenatural seu caminho. Não estamos falando de ter medo de Deus e viver debaixo de uma opressão religiosa, mas da graciosidade de se ter a disposição íntima de viver de acordo com o senhorio e a soberania de Deus, amando o que Deus ama e aborrecendo o que ele aborrece.

Enquanto o homem que tem o temor de Deus enxerga seu caminho com os olhos de Deus, o que o abandona terá os olhos do entendimento arrancados. Esta é uma conclusão dramática do paralelo que propomos entre José e Sansão. Para demonstrar mais detalhadamente os efeitos que o temor de Deus têm no destino do ser humano, vamos colocar lado a lado a vida destes dois grandes homens da Bíblia: Sansão e José.

Ambos tinham um chamado ministerial de grandes proporções. Ambos também tornaram-se personalidades proeminentes em suas gerações. Ambos para se estabelecerem em tudo quanto Deus teria para eles passaram pelo teste que todo homem chamado por Deus passa: o teste da pureza, que expressa nosso controle sobre os picos sentimentais e os desejos ardentes. É exatamente isto que faz a diferença entre alguém que anda ou não anda no espírito; entre o verdadeiro e o falso sucesso.

Ambos foram confrontados de maneira forte e insistente pelo espírito de sensualidade, o que representou um crivo para que pudessem ser empossados e sustentados espiritualmente numa dimensão mais elevada de autoridade. Diante da mesma prova, enfrentando as mesmas hostes demoníacas, apesar de ambos obterem grandes vitórias, eles tiveram um fim bem diferente como vamos apresentar.

A fraqueza de Sansão

A transgressão da debilidade sentimental crônica

Parece que este título não combina muito com Sansão, mas um fato extremamente relevante em Sansão foi sua vida moral debilitada e desprovida do temor de Deus. Na sociedade atual onde a ética do caráter está fora de moda, este modelo de fraqueza assimilada por Sansão se torna mais sutil ainda.

Sansão foi um dos homens mais investidos do poder sobrenatural de Deus. Não se sabe de alguém que tenha tido poderes semelhantes a não ser em fantasias de super-heróis ou em contos mitológicos. Ele era uma verdadeira fortaleza de Deus para sua nação.

Era brutalmente carismático. O Espírito do Senhor se manifestava através dele concedendo-lhe forças e habilidades físicas fenomenais. Sozinho, ele estava enfrentando e eliminando o cativeiro imposto pelos filisteus sobre sua nação.

Em várias investidas de Sansão contra os filisteus ficou comprovado que ele era imbatível. Ninguém poderia vencê-lo fisicamente, nem mesmo todo um exército. Com uma queixada de jumento, ele feriu mil homens de uma vez. E através de muitas outras investidas foi crescendo em fama e se tornou a maior dor de cabeça dos seus inimigos. Mas a fraqueza de Sansão começa a transparecer quando ele parece ignorar que poderia ser traído pelos seus sentimentos. A causa de Sansão como juiz e defensor de Israel não se delimitava apenas na esfera humana contra os filisteus, mas tinha uma real conotação espiritual.

É muito interessante notar na história de Sansão como apesar dele estar obtendo vitórias aterradoras no âmbito humano, ele estava perdendo terreno espiritual. Isto, em muitos casos pode ser explicado por esta lei moral: Poder e fama sem o temor e o zelo de Deus podem ser elementos catalisadores para a fermentação e controle do espírito de sensualidade. E o resultado disto é sempre catastrófico e escandaloso.

Esta é a mortal transgressão da debilidade sentimental crônica que tem aleijado o destino e subvertido o futuro de muitas pessoas promissoras.

Pessoas conseguem enfrentar muitos ataques e resistências na vida até que precisam enfrentar seus próprios sentimentos. Em poucos instantes a pessoa está nocauteada pela paixão, beijando a lona espiritualmente, negociando princípios, rebelando-se contra seus líderes, abandonando o chamado de Deus e duvidando das suas mais importantes convicções.

A ROTA DA DECADÊNCIA

Como já temos dito, para toda queda moral, existe uma escada com degraus de princípios quebrados e leis violadas. Vamos analisar esta rota do fracasso na vida de Sansão através dos três principais episódios de sua vida.

1. Primeiro Episódio: o casamento de Sansão (Jz 14)

> *"E desceu Sansão a Timnata: e, vendo em Timnata a uma mulher das (ilhas dos filisteus, subiu, e declarou-o a seu pai e à sua mãe, e disse: Vi uma mulher em Timnata, das filhas dos filisteus, tomai-ma por mulher".*(Jz 14:1,2)

Cobiça: vencido pelos olhos

Primeiramente percebemos a vulnerabilidade de Sansão à cobiça. Apesar do seu vigor físico, ele parecia não ter forças suficientes para dominar a si mesmo. Ele simplesmente viu, desejou, e subjugou-se à cobiça, obedecendo seu imediatismo sentimental. Esta é a primeira característica de alguém a quem o Senhor não está mostrando o caminho que deva escolher.

O caminho que Deus nos aponta a escolher tem sempre a marca da cruz. Ele é estreito suficiente para peneirar nossos desejos e sentimentos frenéticos e compulsivos. Sem perceber Sansão estava começando a perder o controle da situação espiritual.

Ao endossar seu desgoverno sentimental e subjugar-se à cobiça, Sansão estava fazendo de seus próprios sentimentos um terrível inimigo espiritual.

> *"Porém seu pai e sua mãe lhe disseram: Não há porventura mulher entre as filhas de teus irmãos, nem entre todo o meu povo, para que tu vás tomar mulher dos filisteus, daqueles incircuncisos? E disse Sansão a seu pai: Tomai-me esta, porque ela agrada aos meus olhos".*(Jz 14:3)

Sansão quis tanto agradar os seus olhos que acabou ficando sem eles. Neste texto, vemos um erro duplo:

Desacatou o conselho dos pais

É necessário estar sempre batendo nesta tecla. As conseqüências de não honrarmos nossos pais violando mandamentos ou desacatando conselhos que estão em harmonia com a palavra de Deus são amaldiçoantes. Principalmente no caso de Sansão que era um homem nazireu (Jz 13:4,5), ou seja, seus pais é quem haviam assumido a responsabilidade de ajudá-lo a não pecar contra o voto feito a Deus que lhe concedia um plano especial de vida.

Porém, Sansão, delirando por confiar no seu carisma, estava desprezando a mais forte proteção espiritual que possuía: o conselho de seus pais. A velha história se repetindo: a arrogância de exaltar o carisma em detrimento do caráter, da submissão e humildade. Ignorantemente, Sansão já estava vulnerabilizando seu voto.

É importante fazer um breve resumo de algumas das sérias conseqüências de desonrar nossos pais, as quais se cumpriram literalmente na vida de Sansão.

- **Encurtar a vida:** "*Honra a teu pai e a tua mãe, para que se prolonguem os teus dias na terra que o Senhor teu Deus te dá*".(Ex 20:5)

A Palavra de Deus é uma espada de dois gumes. Ela corta para a bênção e para a maldição. A promessa da obediência ao quinto mandamento é vida longa e abundante. A sentença da desobediência é morte prematura, vida marcada por muitas frustrações, tendências depressivas, e outras alternativas de sobrevida. Não é de se admirar que Sansão tenha morrido prematuramente.

- **Maldições:** "*Maldito aquele que desprezar seu pai ou a sua mãe*". *(Dt 27:16).* Uma inumerável gama de adversidades como vícios, problemas psicológicos e sentimentais, problemas financeiros, tormentos espirituais, enfermidades, problemas crônicos de relacionamento e temperamento, etc, são respaldadas pela atitude de desprezar os pais. Devido a isto Sansão foi um homem atormentado temperamentalmente e perseguido sentimentalmente como vamos estar mostrando.

- **Cegueira** (vida de tropeços):

> "*Os olhos que zombam do pai, ou desprezam a obediência da mãe, corvos do ribeiro o arrancarão e os pintãos da águia os comerão*". (Pv 30:17)

Sansão teve literalmente seus olhos arrancados pelos filisteus. Algumas maneiras desta cegueira se expressar seriam: não encontrar soluções e direções na vida; praticar os mesmos erros que condena; cair em ciladas do inimigo, acreditando em suas acusações e mentiras sobre Deus, sobre pessoas, e sobre si mesmo.

Quando Jesus abordou os fariseus enquadrando-os na profecia de Isaias: "*E neles se cumpre a profecia de Isaias, que diz: ouvindo, ouvireis e não entendereis, e, vendo, vereis, mas não percebereis*" (Mt 13:14), a causa que ele aponta é que aqueles homens religiosamente invalidaram o mandamento de honrar os pais através do Corbã (oferta ao Senhor), que nada mais era que um pretexto espiritual para estarem desobrigados da responsabilidade de honrar seus pais (Mt 7:6-12).

Contraíram uma insensibilidade espiritual tão aguda que chegaram a planejar e executar a morte do Messias, tão prometido e esperado por séculos, principalmente por eles mesmos.

Jugo desigual com os incircuncisos

Além de desacatar o conselho de seus pais, Sansão estava cometendo simultaneamente o erro de *"tomar mulher dos incircuncisos filisteus"*.

A circuncisão é uma marca física para expressar a aliança espiritual com Deus. Foi inaugurada entre Deus e Abraão. Significa alguém que está pactuado com os valores do reino de Deus e que tem a mente e o coração abertos e susceptíveis à revelação divina.

Em contrapartida, a incircuncisão denota alguém espiritualmente endurecido pelo pecado ou até mesmo pela tradição religiosa. É um termo forte, algumas vezes usado pelo apóstolo Paulo para confrontar judeus exageradamente inflexíveis e fechados. Na linguagem de hoje seria dizer que estas pessoas tinham uma "fimose" na mente e coração que as enclausurava numa compreensão carnal e estática (tradicional) das verdades espirituais. Assim eram os filisteus, totalmente fechados para a revelação de Deus, e por isto infrutíferos.

Jugo desigual, como já descrevemos anteriormente, e mais uma vez enfatizamos, expressa uma situação moral de desequilíbrio que peca contra os critérios de uma associação ou aliança. É o grosso equívoco de querer conciliar o inconciliável, como Paulo exorta: *"Não vos prendais a um jugo desigual com os infiéis; porque, que sociedade tem a justiça com a injustiça? E que comunhão tem a luz com as trevas? E que consenso tem o templo de Deus com os ídolos?..."* (II Co 6:14-16)

Valores morais não têm atribuições relativas, mas absolutas e neste texto Paulo mostra isto evidenciando os extremos excluindo possibilidades de meios termos ou combinações. O que a Palavra de Deus evidencia é que alguém que se submete a uma aliança com os infiéis, ou com a injustiça, ou com as trevas, ou com os ídolos está se auto-excomungando do reino de Deus.

Paulo também coloca um outro aspecto importante do jugo desigual dizendo:

> *"Ou não sabeis que o que se ajunta com uma meretriz, faz-se um corpo com ela? Porque serão, disse, dois numa só carne. Mas o que ajunta com o Senhor é um mesmo espírito"* (I Co 6:16,17).

Aqui reside um outro princípio espiritual que assevera o poder de contaminação do jugo desigual. Ou seja, é impossível alguém praticar o jugo desigual e sair ileso espiritualmente.

Jugo desigual é descrito como um estado de prostituição espiritual onde o crente acaba encarnando o caráter e o padrão de comportamento do espírito imundo que governa a outra pessoa.

Obviamente, baseado neste entendimento é que os pais de Sansão suplicaram a ele que não se casasse com uma filistéia, mas com uma das filhas de Israel.

Sansão começa a quebrar seus votos

> *"E desceu, e falou àquela mulher, e agradou aos olhos de Sansão. E depois de alguns dias voltou ele para a tomar, e apartando-se do caminho a ver o corpo do leão morto, eis que no corpo do leão havia um enxame de abelhas com mel. E tomou-o nas suas mãos, e foi-se andando e comendo dele; e foi-se a seu pai e sua mãe, e deu-lhes dele, e comeram, porém não lhes deu, a saber, que tomara o mel do corpo do leão".* (Jz 14:7-9).

Talvez por Sansão ter simplesmente herdado o voto de nazireado, ainda não estava encarando tão a sério como devia os planos de Deus para sua vida. Estava levando uma vida espiritual superficial, procurando apenas manter as aparências e satisfazer seus sentimentos. A partir daqui ele começa a sentir os efeitos prejudiciais disto.

O texto acima mostra como Sansão peca contra seu nazireado tocando um defunto e comendo algo impuro (o mel em contato com a carcaça do leão). É como se a impureza espiritual contraída por Sansão devido à sua intenção de se casar com uma filistéia estivesse se materializando.

Sansão tanto tinha consciência do seu erro que ele ocultou de seus pais que havia tomado o mel do corpo do leão. Estava andando em trevas.

Contrai um espírito ferido

É interessante notar como as coisas começam a dar errado para Sansão. As conseqüências do jugo desigual desabam como uma avalanche sobre ele. No banquete de noivado, Sansão propôs um enigma para os filisteus adivinharem. E no desfecho de tudo, se torna vítima de um grande esquema de traição. Primeiramente foi traído pelos filisteus como descreve o texto:

"E sucedeu que, ao sétimo dia, disseram à mulher de Sansão: Persuade a teu marido que nos declare o enigma para que porventura não queimemos a fogo a ti e à casa de teu pai." (Jz 14:15)

É também simultaneamente traído pela sua própria noiva que dançou a música tocada pelos seus compatriotas, manipulando-o a contar a resposta do enigma e declarando-a aos filisteus (Jz 14:17).

E por fim foi duplamente traído pelo pai de sua noiva, que depois de tudo pronto para o casamento, deu a filha em casamento a um outro homem, que era o seu melhor amigo (Jz 14:20).

Dá para ver que os relacionamentos de Sansão não eram nada confiáveis. Que calamidade! O casamento de Sansão termina com o fato traumatizante dele ser traído na sua lua de mel. Todo este episódio de traição onde seu amigo acaba ocupando seu lugar na noite de núpcias penetrava como uma espada nas suas costas, deixando uma ferida mortal.

Aqui começa a aparecer o perfil interior de Sansão: um homem decepcionado e desiludido sentimentalmente. Suas emoções abaladas e seus sentimentos em pedaços. Os próximos passos de Sansão foram marcados pela inconseqüência e desespero. Ele se tornou implacável, oscilando em extremos de rejeição e violência, dor emocional e busca pelo prazer, inferioridade e revolta.

2. Segundo Episódio: A prostituta de Gaza

> *"E foi-se Sansão a Gaza, e viu ali uma mulher prostituta, e entrou a ela". (Jz 16:1)*

Decadência total

Num tipo de rebelião sentimental, Sansão busca alívio para sua dor num ato de prostituição. Literalmente, ele "chuta o pau da barraca", desonrando sua família, sua nação e seu Deus. Desafoga suas angústias com uma prostituta filistéia. Aqui, portanto, Sansão engole a isca e já se mostra duramente manipulado pelo espírito de sensualidade em virtude de suas feridas sentimentais.

Tornou-se, espiritualmente falando, como uma cidade sem muros. Estava aberto e sem defesas contra os fulminantes ataques que a partir daqui se tornariam mais convidativos ainda. Para quem tem uma certa clareza de como este espírito de sensualidade é implacável, é fácil prever que seria uma questão de pouco tempo para Sansão terminar de entregar o jogo.

Sua consciência em relação aos mandamentos de Deus estava obscurecida. Qualquer luz de discernimento espiritual parecia não existir mais. Sua confiança exagerada no carisma descompensava cada vez mais seu caráter. Não possuía nada mais que o dom da força física, o que seria insuficiente para fazê-lo prevalecer dentro da intensa batalha espiritual que já se encontrava, onde sua situação já era crítica e perigosa.

3. Terceiro Episódio: O caso Dalila - o nockaute final

> *"E depois disto aconteceu que se afeiçoou a uma mulher do vale de Soreque, cujo nome era Dalila".(Jz 16:4)*

Consumido pela paixão

É incrível como episódios de paixão e traição vão se acumulando na vida de Sansão. Tudo parece se repetir trazendo, desta vez, um trauma incurável. Os filisteus agora querem não mais o segredo de um enigmazinho para ganhar uma aposta, mas eles querem o segredo da manifestação de Deus através de Sansão. Os filisteus haviam descoberto o seu "forte ponto fraco". Ele poderia ser facilmente vencido através de artifícios da sensualidade. Era claramente um homem vulnerável nos seus sentimentos.

Tudo parecia colaborar com os interesses dos filisteus. Sansão estava apaixonadamente enfeitiçado por Dalila. Mais uma vez uma noiva de Sansão está disposta a se vender e traí-lo em favor dos seus inimigos. Dalila começa uma insistente manipulação para arrancar de Sansão o segredo de suas forças.

Ainda que ele, por várias vezes, mentiu para Dalila acerca do seu segredo, sendo surpreendido pelos filisteus no seu ódio de destruí-lo, sendo abertamente traído por ela, ele parecia não enxergar um palmo à frente do seu nariz. Sansão já estava espiritualmente embriagado pelo vinho da sensualidade para não se dar conta do perigo mortal que o rondava.

Quanto mais dias se passavam, mais Sansão se tornava escravo dos seus sentimentos até que ele não resistiu à manipulação "amorosa" de Dalila e se vendeu ao inimigo:

> "E *sucedeu que, importunando-o da todos os dias com as suas palavras, e molestando-o, a sua alma se angustiou até a morte. E descobriu-lhe todo o seu coração, e disse-lhe: Nunca subiu navalha à minha cabeça, porque sou nazireu de Deus desde o ventre de minha mãe: se viesse a ser rapado, ir-se-ia a minha força, e me enfraqueceria, e seria como todos os mais homens". (Jz 16:16,17)*

Aqui se quebra o último voto do nazireado: Sansão já havia tocado em defunto, comido coisa imunda (carcaça do leão, queixada do jumento), se embriagou com o vinho da luxúria e omosto da sensualidade, e agora, tem as sete trancas dos seus cabelos cortados, rompendo definitivamente pela prostituição espiritual sua aliança com a plenitude do Espírito, os sete espíritos de Deus descrito em Is 11:2.

Imediatamente ele foi traído por Dalila, capturado pelos filisteus, que depois de arrancarem seus dois olhos, levaram-no a Gaza, e o prenderam com correntes de bronze. A paixão não apenas é cega, mas ela também cega, enfeitiça, arranca os olhos do entendimento.

Agrilhoado e sem forças, Sansão andava em círculos moendo no cárcere como um animal de carga, humilhado debaixo do jugo de seus inimigos. Antes de ser vencido pelos filisteus, Sansão foi vencido pelos seus sentimentos. Seu maior inimigo estava dentro dele mesmo.

Derrotado pelos próprios sentimentos e escravo do espírito de sensualidade, é condenado à cegueira, prisão, trabalhos forçados incluindo a diversão dos filisteus. Ele se tornou o troféu de Dagon, a maior conquista dos filisteus, e uma vergonha para Deus e sua nação.

É terrivelmente triste, quando por tantas vezes, somos obrigados a conviver com o testemunho de pessoas com um tremendo potencial, mas que simplesmente se deixaram trair pelo espírito de sensualidade. Trocaram toda sua herança em Deus por um sentimento. Venderam sua primogenitura por um prato de lentilhas. Tornaram-se reprovadas para o propósito de Deus, sofrendo abalos pessoais sem proporções, destruindo suas famílias, ministérios e causando prejuízos incalculáveis ao reino de Deus através de grandes escândalos.

Não importa quanto carisma tenhamos, ou o quanto Deus já tenha nos usado, se abandonarmos o temor de Deus, seremos saqueados e destruídos. "O segredo *do Senhor é para os que o temem; e ele lhes fará saber a sua aliança" (Sl 25:14).*

A falta do temor de Deus levou paulatinamente Sansão a barganhar o segredo de Deus com o espírito de sensualidade. Ele pecou contra a aliança de Deus. O fim não foi outro senão uma tragédia.

O TEMOR DE JOSÉ

"Assim Potifar deixou tudo o que tinha nas mãos de José, de modo que de nada sabia do que estava com ele, a não ser do pão que comia. Ora, José era formoso de porte e de semblante. Depois destas coisas, a mulher de seu senhor pôs os olhos em José, e lhe disse: Deita-te comigo. Mas ele recusou e disse à mulher do seu senhor: Estando eu aqui, meu senhor não se preocupa com o que passa na casa, e entregou nas minhas mãos tudo o que tem. Ninguém há maior do que eu nesta casa, e nenhuma coisa me vedou, senão a ti, porque és sua mulher. Como, pois, posso cometer este tão grande mal, e pecar contra Deus? Embora ela instasse com José dia após dia, ele, porém, não lhe dava ouvidos, para se deitar com ela, ou estar com ela. Certo dia ele entrou na casa para atender aos seus deveres, e ninguém dos da casa se encontrava presente. Ela o pegou pela capa, dizendo: Deita-te comigo! Mas ele deixou a capa nas mãos dela e fugiu, escapando para fora." (Gn 39:6-12)

José não teve uma ascensão tão súbita quanto Sansão e muito menos tinha poderes sobrenaturais. Vendido pelos próprios irmãos, era um jovem que parecia condenado desde cedo a uma vida escrava e sem muitas expectativas.

Teve o seu espírito forjado na fornalha da rejeição, incorporando o princípio espiritual que também se cumpriu na vida do Messias:

"A pedra que os edificadores rejeitaram tornou-se cabeça da esquina" (Sl 118:22).

Apesar do traumatizante início que José teve em sua vida, ele tinha uma decisão que estava acima de qualquer habilidade carismática: O temor de Deus. Nisto residiu a grande força de José que superou em muito todo vigor e carisma de Sansão, arremessando-o para o topo da vontade de Deus. O temor de José proporcionou a ele mais que força, mais que poder, autêntica autoridade divina. Uma posição confere poder, porém autoridade genuína vem do caráter, e isto José possuía.

José simplesmente não negociava os princípios de Deus. Por isto, quando agredido carinhosamente pelo espírito de sensualidade através da esposa de Potifar, ele nem cogitou qualquer possibilidade de ceder. Ele teve um discernimento claro da investida maligna.

Apesar da dose de encantamento que acompanhava a cantada sedutora daquela mulher, pois a proposta partia dela e não dele, do fato de estarem sozinhos e acima de tudo da insistência com a qual ela o abordava, tudo que José fez foi absurdizar a situação:

> "... *Como, pois, posso cometer este tão grande mal, e pecar contra Deus?*" (*Gn 39:9*)

José tinha uma qualidade rara: era confiável. Mesmo sem ninguém por perto, era confiável. Unha uma profunda consciência da presença e da onipresença de Deus. Caráter é aquilo que você é quando não está sendo policiado. Não podia suportar a idéia de trair a confiança de seu patrão e muito menos a confiança de Deus. Ele não barganhou suas responsabilidades com o prazer, por mais fácil e tentador que fosse. Era um homem de caráter, um verdadeiro líder, um homem digno de ser seguido porque servia com lealdade.

Mais uma vez foi injustiçado, caluniado e preso, em virtude da sua integridade com Deus. Era um homem piedoso. Não foi um preço barato. Foram aproximadamente treze anos de masmorra. A palavra que Jesus usou para descrever a situação daqueles que são perseguidos e injuriados por causa da justiça é: Bemaventurados! Como a Palavra de Deus confirma:"... *Mas enquanto José ficou ali no cárcere, o Senhor era com ele; estendeu sobre ele a sua benignidade, e lhe concedeu graça aos olhos do carcereiro".{Gn 39:21}*

Não é de se admirar que, durante estes anos, no "Seminário da Masmorra", José tenha se tornado num dos homens mais cheios do espírito de revelação e sabedoria. No tempo certo, depois de ser vendido pela família, traído e caluniado pela esposa do seu patrão e esquecido pelo companheiro de cela que havia sido restituído no reino, Deus se lembrou de José.

Seu quadro foi revertido e aquele sonho que provocou implacavelmente a inveja dos irmãos se cumpre literalmente. Foi estabelecido na mais alta posição de autoridade, estando apenas abaixo de Faraó, na maior nação daquela época. Um homem plenamente aprovado na escola do quebrantamento, que teve o pescoço do espírito de sensualidade debaixo de seus pés.

Agora, através do seu profundo discernimento e pela preciosa sabedoria adquiridos em todos estes anos de exílio, abasteceu-se do trigo de Deus para saciar a fome do mundo. Os celeiros estavam cheios do trigo fino. Tinha os recursos de Deus para alimentar as nações. Sua hora chegara! Seu sonho se concretizou! O propósito de Deus na sua vida se cumpriu cabalmente!

Conclusão

Acredito que muitas coisas poderiam ser bem diferentes para Sansão, que acima de tudo é um símbolo de líderes que estão exaltando seu carisma em detrimento do temor de Deus, que estão em busca de se tomarem grandes personalidades, mas se esquecendo da integridade moral. O caráter é a espinha dorsal da alma.

Certamente Sansão não precisaria e nem deveria morrer como morreu, prematuramente, quase que num ato heróico de suicídio, matando mais filisteus na sua morte do que em toda a sua vida. Atingiu fortemente seus inimigos, porém foi também fatalmente atingido por eles. Um golpe mortal de retaliação que selou de forma dramática o seu destino. Podemos nos poupar e poupar a outros, sendo guiados por Deus, temendo-o, respeitando profundamente sua presença, seu governo e seus propósitos.

Apesar da avalanche de imoralidade, infidelidade, traição, perversão que o diabo tem vomitado no mundo através do ocultismo e sensualidade, Deus está levantando para si, um povo zeloso, santo, que em breve esmagará a cabeça de Satanás debaixo de seus pés.

Portanto, muitas coisas podem ser diferentes com você, com sua família, com seus relacionamentos, se você entrar nesta batalha com discernimento, inspirado no exemplo de José, um homem como qualquer outro, porém possuidor de uma profunda consciência profética da presença de Deus. Foi preservado, guiado, inspirado e prevaleceu pelo temor de Deus!

Os dois tipos de geração

Tenho percebido nitidamente que nestes dias de decadência moral e desintegração familiar em que vivemos existem dois tipos marcantes de geração dentro da igreja:

A **geração Sansão** formada por adolescentes e jovens que apesar do estupendo potencial estão afogados na ciranda da sensualidade, cegos, presos, sujeitos a tormentos malignos, andando em círculos na vida. Estão experimentando algo pior que a morte: uma vida sem propósito. Esta geração tem sido uma vergonha para seus pais e para Deus. São pessoas que vivem apenas para seus desejos e paixões.

Mas também existe a **geração José**, formada por aqueles que não negociam o sonho e o propósito de Deus. São também adolescentes e jovens que fazem parte da geração visionária dos últimos dias profetizada por Joel. Pessoas consistentes, perseverantes e que olham firmemente para o propósito de Deus.

Esta é a geração daqueles que buscam diligentemente a face do Deus vivo. Não se deixaram ofuscar ou cegar pela sedução do mundo. Estão debaixo de um poderoso derramar do Espírito, cheios de visão, de objetividade, e inspirados pelas profecias dos

lábios de Deus vão mudar a história do mundo. Quero convidar você a fazer parte desta geração!!!

Termino com duas perguntas:

1. A qual destas gerações você tem pertencido?
2. Porém a pergunta mais importante é: "A qual geração você quer pertencer?!!!"

COMO EVITAR E LIBERTAR-SE DA PORNOGRAFIA?

Colosensses 3:1-17

CONCEITO

Afinal, o que é pornografia mesmo? Alguém já disse que é mais fácil reconhecer a pornografia do que definí-la. Os dicionários nos dizem que pornografia é o caráter imoral ou obsceno de uma publicação. Material pornográfico é aquele que descreve ou retrata atos ou episódios obscenos ou imorais.

_ *"Figura(s), fotografia(s), filme(s), espetáculo(s), obra literária ou de arte, etc., relativos a, ou que tratam de coisas ou assuntos obscenos ou licenciosos, capazes de motivar ou explorar o lado sexual do indivíduo. Devassidão, libidinagem"* (Aurélio)

_ "é tudo aquilo que explora e desumaniza o sexo, de forma que os seres humanos são tratados como coisas e as mulheres, em particular, como objetos sexuais." (Relatório de Langoford, de 1972).

A pornografia e a masturbação, andam juntas, ou seja, quem esta sendo dominado pelo vício da pornografia, fatalmente esta na prática da pornografia. Vivendo assim no pecado sexual, que é uma grande realidade em nosso meio meio. E nós não podemos ignorar esta realidade, que esta "destruindo" a vida adolescentes, jovens, adultos e também muitos casamentos. Temos que levar à sério este grande ataque de Satanás para destruir a família. Em Cristo existe libertação e uma vida de Santidade.

◇◇◇◇◇◇◇◇◇◇◇◇◇◇

Em primeiro lugar temos que entender as raízes da pornografia.

◇◇◇◇◇◇◇◇◇◇◇◇◇◇

Curiosidade

Para a maioria a curiosidade do desconhecido é a razão pela qual os rapazes são atraídos por fotos explícitas de mulheres. Para alguns rapazes que experimentam desejos homossexuais, existe também uma curiosidade, porém focalizada em outros homens, e nas mulheres por outras mulheres.

Procura por intimidade

Alguns dos usuários da pornografia são "solitários" que não têm relações sadias com outras pessoas.

Talvez não tenham aprendido habilidades sociais para formar relacionamentos sadios significativos de amizade ou namoro; outros têm medo de se aproximar de outras pessoas por temer rejeição.

"A nudez veicula uma idéia de intimidade em nossa cultura e, deste modo, a pornografia oferece uma ilusão de intimidade com outra pessoa sem qualquer risco."

Relacionamentos fantasiosos

A pornografia pode estar intimamente ligada com nossas fantasias de intimidade com mulheres ou homens.

Desejamos amor e aceitação incondicionais, e projetamos esta aceitação nas mulheres e homens que vemos na pornografia.

Deus nos criou com um desejo de compartilhar nossa sexualidade com outra pessoa. Se não pudermos obtê-lo por meio de um relacionamento conjugal inspirado por Deus, procuraremos substitutos baratos e a pornografia é o combustível desta ilusão.

A Nutureza Caída do Homem

Aqui esta a grande Raíz do problema: **O PECADO.**

Não podemos esquecer que a pornografia foi criada em pecado, é vendida em lugares para prática de pecado, e seu propósito é distorcer a beleza que Deus criou acerca do sexo.

◇◇◇◇◇◇◇◇◇◇◇◇◇◇

Em segundo lugar temos que ver a pornografia como um vício sexual

◇◇◇◇◇◇◇◇◇◇◇◇◇◇

A pornografia tornou-se uma das áreas mais lucrativas do comércio eletrônico. Estima-se que a receita chegue a bilhões de dólares.

Na Erótika Fair, feira especializada do mercado erótico que acontece em outubro em São Paulo. O evento é uma prova do gigantismo de um setor que movimenta cerca de 500 milhões de reais ao ano apenas no Brasil – no mundo, são 60 bilhões de dólares anuais...

O número de pessoas que visitam sites de sexo a cada dia tem sido estimado em 60 milhões. Juntos, os cinco maiores sites de sexo tem mais visitantes que MSNBC.com e CNN.com combinados (canais de notícias). Todos estes sites estão disponíveis a seus filhos a cada minuto da vida deles. E eles são fáceis de achar, em apenas alguns segundos.

A pornografia na Internet é tão extensa que é correto dizer que ela está aqui para ficar, e é provável que nunca seja impedida. A cada dia aproximadamente 400 novos web sites pornográficos são abertos na Internet de lugares como Tailândia e Rússia.

De acordo com o "U.S. News and World Report" (um jornal americano), os surfadores da web gastam $970 milhões em web sites pornográficos em 1998, subirá para $10 bilhões em 2013. Um pesquisador estima que 60 milhões de americanos têm visitado web sites de sexo explícito.

Trágicamente o percentual de homens cristãos envolvidos não é muito diferente do número de não salvos. De acordo com a maioria das pesquisas, pelo menos 17% de cristãos vêem pornografia regularmente. A internet tem criado as imagens sexuais mais disponíveis ao click do mouse na privacidade do escritório ou casa de qualquer um.

Nos Estados Unidos, estima-se de 10 milhões de crianças ficam on-line todos os dias. Muitos são ávidos para fazer "amigos eletrônicos" com quem possam bater-papo. Em um recente estudo de aproximadamente 1500 crianças com idades entre 10 e 17, descobriu-se que uma em cada quatro foi exposta indesejavelmente a algum tipo de imagem de pessoas nuas ou pessoas realizando atos sexuais. Uma em 33 recebeu uma solicitação agressiva, significando que alguma pessoa na Internet as pediu para encontrar ou telefonar, ou as mandava correspondência, dinheiro ou presentes.

Se você não está convencido que a pornografia é um problema, dê uma olhada em seu jornal local. Os jornais comumente reportam incidentes em que indivíduos como um decano da Escola Divindade da Universidade Harvard, um executivo da Disney Internet, muitos professores universitários, professores de escolas, e outros cidadãos uma vez respeitados ao redor do país foram "flagrados" acessando sites de pornografia na Internet.

Em "Pornography, Main Street to Wall Street", (Pornografia, Principal Via Para a Wall Street) H. W. Jenkins reporta que o Dr. Mark Lasher, um sócio-fundador da Aliança Cristã para a Recuperação Sexual (é ele mesmo um recuperado do vício do sexo), pronunciou aos ouvintes de um congresso ano passado: "Muitos na comunidade médica acham que uma substância, para viciar, deve criar uma tolerância química. Os alcoólicos, por exemplo, com o passar do tempo devem consumir mais e mais álcool para alcançar o mesmo efeito. Novas pesquisas, como a dos Doutores Harvey Milkman e Stan Sunderwirth, demonstraram que a fantasia sexual e atividade, por causa das químicas cerebrais produzidas naturalmente, têm a habilidade para criar a tolerância do cérebro ao sexo. Eu tenho tratado mais de mil homens e mulheres viciados. Quase todos começaram com a pornografia."

Jenkins continua: "A Internet faz com que as imagens pornográficas sejam mais facilmente acessíveis, e virtualmente com variedade ilimitada. Seria um milagre se as crianças não estivessem encontrando essas coisas, mesmo que isso significasse ativar os 'filtros' providenciados por seus pais ou seus provedores de Internet... Se a exposição intensifica a tolerância, e a tolerância piora o problema, ter imagens pornográficas ilimitadas de fácil alcance em cada computador é como produzir efeitos sociais que ainda não levamos em conta."

Rudolfh Bantim, em um artigo para o TechTudo, ele revela o seguinte: *Uma pesquisa realizada pelo site Extreme Tech constatou que a pornografia é responsável por 30% do tráfego de toda a Internet. Segundo o estudo, cerca de 100 milhões de páginas de conteúdo pornográfico são acessadas diariamente.*

O cálculo foi realizado de acordo com o tempo de acesso dos internautas e o número de visualizações de páginas de sites de conteúdo pornográfico. A permanência média dos usuários em sites de conteúdo adulto fica entre 15 e 20 minutos, enquanto nas páginas comuns esse índice gira em torno de três a seis minutos.

A pesquisa constatou ainda que o site Xvideos é o maior site de pornografia do mundo, com aproximadamente 4,4 bilhões de páginas visualizadas e 350 milhões de visitantes por mês. Os únicos sites que ultrapassam suas estatísticas de audiência são o ***Facebook*** *e o* ***YouTube****.*

De acordo com o estudo, durante o horário de maior público, o tráfego de adultos em sites pornográficos chega a 1 terabyte por segundo (1 Tbps), totalizando entre 35 e 40 petabytes de dados mensais.

- 12% de todos os sites são pornográficos.
- $97.06 bilhões é a cifra que a pornografia movimenta mundialmente.
- O Brasil é vice na produção de vídeos pornôs, perdendo apenas para os EUA.
- Por dia, 68 milhões de pessoas procuram por pornografia pelos sites de busca, praticamente 25% de toda procura mundial.
- Por dia, 2.5 bilhões de e-mails são enviados e recebidos com conteúdo pornográfico, 8% de todos os e-mails do planeta.
- De 100% da internet, 42.7% são freqüentadores de sites pornográficos e conteúdos relacionados.
- Os downloads por mês de conteúdo pornográfico são 1.5 bilhões, 35% de todos os downloads da internet.
- 100.000 sites oferecem pornografia infantil.
- 10% dos adultos do mundo inteiro admitem estar viciados em pornografia na Internet.
- 39 minutos é o tempo que passa até ser feito um novo filme pornográfico nos Estados Unidos.

- " As crianças, em média, são expostas à pornografia com a idade de 8 anos.
- " 75% dos estupradores condenados confessam que praticaram em suas vítimas as cenas que viram na pornografia.
- " 80% dos estupradores de crianças confessam que seu problema começou através da pornografia.

A tremenda popularidade da pornografia no mundo de hoje.

Uma estatística de 1995 revelou que os americanos gastam mais em pornografia do que em Coca-Cola. Não é difícil de imaginar que a situação no Brasil não seria muito diferente. Até países antigamente fechados, como a China, em 1993 assistiu a uma enxurrada de material pornográfico em seus limites, após ter aberto, mesmo que um pouco, as suas fronteiras para receber ajuda estrangeira.

Mensalmente, cerca de 8 milhões de cópias de revistas pornográficas circulam no Brasil.

As operadoras de TV a cabo Net e Sky divulgaram recentemente alguns dados acerca do acesso dos assinantes de TV por assinatura aos canais que exibem sexo explicito. Os dados são preocupantes. Segundo a pesquisa, onde foram ouvidas 1.074 pessoas, os que assistem esse tipo de "programa", são homens (74%), casados (76%), têm curso superior ou pós-graduação (63%), vivem bem (57% são da classe A, e 31%, da B) e já passaram dos 31 anos de idade (76%). Segundo dados, esses canais estão presentes em 200 mil lares.

Outros dados surpreendentes da pesquisa: 54% dos casados são casados há mais de dez anos; 70% dos assinantes têm filhos, e, desses, 57% possuem filhos com mais de 18 anos. Metade dos assinantes desses canais tem o hábito de assistir ao canal com a mulher ou o marido. A outra metade, que vê sozinha, é na maioria homem (60%). 47% assistem esses canais no quarto, 38% na sala de estar e, pasmem, 3% dos assinantes têm ponto do quarto dos filhos.

A jornalista Pâmela Paul, no seu livro "Pornificados", publicado pela Editora Cultrix, que tem como subtítulo a frase: "Como a pornografia esta transformando a nossa vida, os nossos relacionamentos e as nossas famílias."

No livro de Pamela Paul existem muitos dados de pesquisas, entrevistas que dão seriedade ao tema. Abaixo destaco algumas que nos levam a reafirmar o quanto a pornografia está permeando danosamente a sociedade e as famílias.

- Todo mês, a Nielsen Net//Ratings faz varreduras pelos sites acessados pelos internautas. Em outubro de 2003, um em cada quatro usuários da Internet acessou um site pornográfico, gastando uma média de setenta e quatro minutos mensais.

- "Pelos menos metade dos homens, nas igrejas cristãs, se envolve com pornografia até certo ponto", afirma Jonathan Daugherry, fundador do ministério cristão Be Broken, um ministério evangélico que procura ajudar pessoas se libertarem da dependência da pornografia.
- Uma pesquisa conduzida pelas renomadas revistas evangélicas americanas, Christianity Today e Leardership, com 2000 líderes cristãos, cerca de 40% deles confessaram visitar regularmente sites pornográficos.
- Outra pesquisa conduzida pelo site Pastor.com, em 2002, revelou que 50% dos pastores admitiram ter visto pornografia no ano anterior.
- Em 2002, a Focus on the Family fez uma pesquisa que apontou que 18% dos cristãos nascidos de novos, (que se dizem convertidos de fato) declararam visitar sites de sexo explicito.
- Quatro bilhões de dólares são gastos anualmente em videopornografia nos EUA.
- As cadeias de hotéis Holiday In, Marriot, Hyatt, Hilton e Sheraton informaram à jornalista que metade dos seus hóspedes encomendam filmes pornográficos por canais pagos. Esses filmes representam 80% do entretenimento dentro dos quartos.
- Um estudo em 2004 constatou que sites pornográficos são visitados três vezes mais frequentemente que a Google, Yahoo e MSN.
- Uma em quatro mulheres divorciadas revelou que o habito da pornografia nos seus maridos, bem como o bate-papo on-line, haviam contribuído para a separação.
- Pesquisas apontaram que quanto mais um homem vê pornografia, menos satisfeito se sente com a aparência e o desempenho sexual da parceira.

Esses são alguns números, dos muitos que Pamela Paul cita em seus estudos, além de muitos depoimentos de homens e mulheres escravizados e vítimas do hábito pornográfico de seus maridos, bem como os impactos negativos na vida sexual de um dependente de pornografia.

A Dimensão do Problema

A pornografia na Internet é tão extensa que deveria horrorizar você. **É algo sério e devemos estar atentos.....**

Deixar crianças acessarem o computador sem supervisão pode ser tão perigoso quanto cheio de expectativa viver dentro de uma livraria para adultos sem olhar. Dizendo de outro jeito, você iria a uma livraria local para adultos e compraria 100 vídeos e 500 outras revistas pornográficas, colocaria na estante de livros no quarto de seu filho, e pediria a ele para não olhá-los? É claro que não. Então faria isso com a Internet?

Se seus filhos têm computadores com acesso à Internet, aprenda como supervisionar suas atividades na Internet. Se você não sabe como executar um computador, então aprenda. Peça a um amigo para mostrar como controlar atividades na Internet. Converse com seus filhos. Planeje o que você fará.

De acordo com Craig Gross, 76% dos pais não sabem o que seus filhos fazem online e 1/3 das pessoas que vêem pornografia online são mulheres. Disse que $13 bilhões são os gastos com revistas e filmes, e $57 bilhões os gastos mundiais.

Se você suspeita que há um problema com seu **cônjuge,** pergunte a ele ou ela; não com críticas, mas com amor. Procurem juntos obter ajuda para este problema crítico.

A Pornografia é terrivelmente errada, porque desvirtua as pessoas e ultimamente as destrói.

O pior de tudo é a pornografia infantil, pois destrói o corpo e a alma das crianças que ainda não experienciaram sua própria identidade e sexualidade.

A pornografia é disponível a todos, inclusive aos líderes da igreja. É um terreno traiçoeiro.

E não se iluda pensando que a pornografia e a masturbação são problemas apenas dos homens jovens e solteiros, ou que seja somente coisa de adolescentes. **São problemas reais que estão presentes em homens e mulheres de todas as idades, casados e solteiros**.

Vivemos tempos de Sodoma e Gomorra. Nunca, na história da humanidade, a sensualidade e a pornografia foram tão presentes na vida do homem e da mulher. Também nunca foram tão aceitas e recebidas com braços abertos.

O QUE VEM A SER VÍCIO SEXUAL?

O viciado sexual, está continuamente obcecado com pensamentos e emoções sobre sexo, e seu comportamento é controlado por seus impulsos sexuais.

Todas as dependências são caracterizadas por esta incapacidade da parte do dependente em dizer não a seus impulsos ao vício.

Se o viciado sexual sente que "tem que fazê-lo" ele o fará. Não importa quão ameaçador seja o seu comportamento para a sua família, sua profissão ou mesmo sua vida, as emoções do viciado sexual o compelem a agir segundo os seus desejos.

O fundamento de todo vício sexual é a lascívia. Contudo, lascívia não é emoção sexual ou desejo sexual. Lascívia é usar outro ser humano para a própria gratificação sexual.

A lascívia não requer contato físico com outra pessoa. Uma fotografia ou mesmo imagem mental do objeto desejado é suficiente para detonar a lascívia na mente do viciado. É por isso que a pornografia--seja em papel, na TV ou Internet--é um instrumento tão poderoso para a lascívia. Propicia as imagens que a alimentam.

A pornografia internética é particularmente viciadora porque o viciado não precisa dirigir-se a uma banca de revistas ou livraria para apanhar publicações pornográficas. Ele pode acessá-la na privacidade de seu lar.

Uma vez a pessoa esteja enredada, geralmente descobre que não consegue sair do seu vício por si mesma. Pode fazer milhares de promessas a si ou aos familiares, ou a Deus, de que vai parar, contudo mais cedo ou mais tarde está de volta praticando o seu vício.

◇◇◇◇◇◇◇◇◇◇◇◇◇◇◇

EM TERCEIRO LUGAR TEMOS QUE ENTENDER QUE A PORNOGRAFIA DENTRO DAS IGREJAS É REAL.

◇◇◇◇◇◇◇◇◇◇◇◇◇◇◇

NÓS estamos incluídos no problema. Recente pesquisa conduzida sobre uma amostra de cristãos revelou que 36% tinham visitado web sites explícitos; quase a metade os tinha visitado semanalmente ou algumas vezes por mês. Apenas a metade estava ciente de que seu cônjuge sabia que eles estavam acessando esses sites.

Pesquisadores estimam que nos Estados Unidos cerca de 10% dos evangélicos estão afetados. Considerando que no Brasil a facilidade de se obter material pornográfico é a mesma — ou até maior — que nos Estados Unidos, considerando que a igreja evangélica brasileira não tem a mesma formação protestante histórica da sua irmã americana, considerando a falta de posição aberta e ativa das igrejas evangélicas brasileiras contra a pornografia, como acontece nos Estados Unidos, não é exagerado dizer que provavelmente mais que 10% dos evangélicos no Brasil são consumidores de pornografia. Talvez esse número seja ainda conservador diante do fato conhecido que os evangélicos no Brasil assistem mais horas de televisão por dia que muitos países de primeiro mundo, enchendo suas mentes com programas que promovem a violência e o erotismo, e assim abrindo brechas por onde a pornografia penetre e se enraize.

Mais preocupante ainda é a probabilidade de que grande parte desse percentual é de jovens evangélicos adolescentes. Uma pesquisa feita por Josh McDowell em 22 mil igrejas americanas revelou que 10% dos adolescentes havia aprendido o que sabiam sobre sexo em revistas pornográficas. 42% deles disse que nunca aprendeu qualquer coisa sobre o assunto da parte de seus pais. E outros 10% confessaram ter assistido a um filme de sexo explícito nos últimos 6 meses. Uma extrapolação, ainda que conservadora, para a realidade das igrejas brasileiras é de deixar pastores e pais em estado de alarme.

Abalos no Púlpito

Nos anos 1980, ele era considerado um defensor da moral e dos bons costumes. O pastor Jimmy Swaggart, um dos mais importantes televangelistas americanos, fazia de seus programas, transmitidos para mais de 40 países – inclusive o Brasil –, uma verdadeira trincheira na luta contra a carnalidade. Pregador eloqüente e carismático, Swaggart reunia famílias inteiras diante da TV e era crítico contundente da pornografia. Ironicamente, caiu justamente por causa dela, num episódio rumoroso envolvendo prostitutas e uma disputa pessoal com o também pregador televisivo Jim Bakker. Proprietário do canal de televisão PTL (Praise the Lord), com 12 milhões de telespectadores apenas nos Estados Unidos, Bakker acabou se tornando um rival de Swaggart. Tudo ruiu quando fotos suas, acompanhado de garotas de programa, chegaram à imprensa. Na época, atribuiu-se o vazamento das imagens a Swaggart. O troco não demorou. Um detetive particular contratado por Bakker não teve muito trabalho para fotografar Swaggart diante de um motel, com o carro cheio de prostitutas. Sem saída, ele confessou que pagava para que elas fizessem strip-tease para ele. Perdoado pela mulher, Francis, ele foi à tevê, chorou e confessou-se arrependido pelo ato. Contudo, sua reputação e ministério foram irremediavelmente abalados

No fim de 2006, outro escândalo sexual abalou a Igreja Evangélica dos Estados Unidos. Eleito pela revista Time como um dos 25 principais líderes cristãos do país, Ted Haggard admitiu consumir material pornográfico e o envolvimento sexual com um garoto de programa, que o denunciara publicamente. O caso provocou maior espanto porque Haggard era uma das principais vozes contra o homossexualismo.

Quem recentemente também admitiu problemas com o chamado mercado de "conteúdo adulto" foi o pastor australiano Mike Guglielmucci, do ministério Hillsong. Ele confessou, após dois anos declarando-se vítima de um câncer terminal – chegou até mesmo cantar com o auxilio de um tubo de oxigênio –, que sua única doença era o vício em pornografia. A farsa gerou um tremendo mal-estar no badalado grupo de louvor australiano. "Eu sou assim, viciado nesta coisa. Ela consome minha mente", disse, em entrevista a um canal de TV...

Uma pesquisa feita em 1994 entre pastores evangélicos americanos revelou uma relação estreita entre o consumo de pornografia e a infidelidade conjugal. Por causa do receio de serem apanhados e de estragarem seus ministérios, muitos pastores optam por consumir pornografia como voyeurs a praticar o adultério de fato, embora alguns acabem eventualmente caindo na infidelidade prática.

(**Voyeurismo** é uma prática que consiste num indivíduo conseguir obter prazer sexual através da observação de outras pessoas. Essas pessoas podem estar envolvidas em atos sexuais, nuas, em roupa interior, ou com qualquer vestuário que seja apelativo para o indivíduo em questão, o *voyeur*. A prática do *voyeurismo* manifesta-se de várias formas, embora uma das características-chave é que o indivíduo não interage com o objeto (por vezes não cientes de estarem sendo observados); em vez disso, observa-o tipicamente a uma relativa distância, talvez escondido, com o auxílio de binóculos, câmeras, etc., o que servirá de estímulo para a masturbação, durante ou após a observação. Pessoas que chegam ao prazer observando pessoas nuas ou relações sexuais, sem o consentimento dos envolvidos. Muitos voyeuristas masturbam-se enquanto assistem.)

Em quarto lugar temos que entender que as consequências são graves

1. Perda do domínio próprio, auto-controle, ou equilíbrio (desejos escravizantes).
2. Perda da comunhão com Deus

3. Perda da comunhão com a esposa/esposa
4. Perda da comunhão com a igreja
5. Perda da dignidade (Respeito a si mesmo, amor-próprio)
6. Perda da santidade.

Outras conseqüências:

1. Mulheres, homens e crianças são usados como objetos descartáveis.
2. Enriquecimento do mercado ímpio pornográfico.
3. Casamentos desfeitos como resultado do vício da pornografia.
4. Mulheres inocentes e crianças vítimas de crimes sexuais violentos.
5. Envolvimento no homossexualismo quando estimulados a assistir filmes pornográficos com cenas de homossexualismo e lesbianismo.
6. Vida de pensamentos impuros, (a pornografia deixa na mente fortes imagens que não desaparecem tão facilmente), masturbação, relações sexuais ilícitas.
7. A longo prazo o pornógrafo já não se satisfaz mais com as imagens ou masturbação, e passa a desejar estar com alguém de carne e osso.
8. Estimulação sexual cada dia mais precoce em adolescentes e crianças (TV, internet, revistas, vídeos pornôs, etc.), que acabam por acreditar que o comportamento mostrado na pornografia é o que se espera de uma relação sexual.

Depressão

Pornografia - ociosidade espiritual – depressão

por **Marcos Borges (Coty)**

Essa é uma linha de ação muito importante de ser revelada. Haveria alguma ligação entre a pornografia e a depressão? Esse elo é exatamente a ociosidade espiritual. O óscio espiritual constrói uma teia de passividade que seduz e escraviza a vontade. É, literalmente, uma neurose. Isso pode se tornar um abismo imensurável na alma. Esse tipo de apatia espiritual pode ser identificada na essência de muitas questões depressivas.

É importante não negligenciarmos que a pornografia está muito ligada à ociosidade. Ociosidade leva à pornografia e a pornografia leva à ociosidade. O resultado é morte espiritual. Aqui está um dos principais ardis de Satanás fundamentado na sedução e idolatria.

O cérebro, além de ser o principal campo de batalha espiritual, é também o principal órgão sexual. O desejo sexual é orgânico e não devemos nos condenar por possuí-lo. Porém, o outro extremo seria idolatrá-lo. Isso pode ser melhor expressado pela erotização da sociedade pela pornografia.

A grande questão é que a pornografia é altamente viciante. Poucos se dão conta disto. Uma pesquisa feita nos Estados Unidos comprovou que a pornografia vicia dez vezes mais que cocaína e heroína. Essa não é uma questão natural. É totalmente espiritual.

A pornografia tem sido, talvez, o maior ataque satânico contra a estrutura familiar, e contra o sucesso espiritual das pessoas no campo sexual. A vida sexual de muitas pessoas é uma verdadeira anarquia. Uma mente pornográfica oferece uma total desproteção espiritual. Onde há perversão sexual, coexiste a infestação demoníaca e a infelicidade.

PORNOGRAFIA - IMPOTÊNCIA MARITAL - ADULTÉRIO

Uma outra conseqüência espiritual da pornografia é a impotência marital. Isso pode parecer estranho e contraditório, mas é verdade. Existe uma lógica espiritual nesse raciocínio. Sabemos que o homem é sexualmente despertado por aquilo que vê. Seus hormônios são ativados pelo sentido da visão. Na verdade, para a maioria dos homens, o sexo visual dá mais prazer que a própria relação em si.

O principal alvo de Satanás através da pornografia é atingir a figura do marido e do pai. Devido a dificuldades diversas no relacionamento sexual e à facilidade de acesso, o homem pode, facilmente, refugiar-se na pornografia, pela qual acaba sendo totalmente absorvido.

O que ocorre é que os maridos começam a trocar suas esposas pelo sexo pornográfico. Ficam horas e horas todos os dias mergulhados na pornografia. Por incrível que pareça, o que temos constatado é que, quanto mais a pessoa se envolve com a pornografia, mais ela vai perdendo o interesse sexual pela esposa. Seu desejo sexual começa a migrar de dentro para fora do casamento. A intimidade sexual no casamento perde a graça e morre.

Junto com o desejo extraconjugal imposto pelo "espírito da pornografia", a intenção vai seguindo o mesmo caminho. Começa com a masturbação compulsiva e evolui para o adultério. Temos atendido muitos casos em que as esposas foram sexualmente abandonadas pelos maridos e, quando vamos examinar o que está acontecendo, nos deparamos com situações escravizantes de pornografia na vida desse homem.

O relacionamento sexual dentro do casamento tem a função de renovar a aliança espiritual e a intimidade emocional do casal, fortalecendo a confiança e a lealdade. Quando a vida sexual do casal é interrompida, isso certamente vai acarretar muitos infortúnios. No casamento, o sexo corresponde a 10% da vida conjugal, mas, quando bloqueios sexuais surgem, essa situação pode fazer com que a questão sexual corresponda a 70% dos problemas do casal, colocando em sérios riscos essa família.

A pornografia é a essência da "sexolatria ". Com isso, todo zelo espiritual vai sendo congelado e a pessoa regride para níveis paralisantes de ociosidade e passividade.

Pessoas se sentem tão presas que acreditam não conseguirem mais reagir à situação, como se tivessem caído num poço de areia movediça. Quando mais se mexe, mais afunda, supervalorizando a luta e os conflitos que experimentam em relação às tentações sexuais. Vão se tornando cada vez mais subservientes e sem reação. Dessa forma, desaprendem a combater o bom combate da fé contra o pecado. A passividade se instala trazendo, mais cedo ou mais tarde, a depressão.

◇◇◇◇◇◇◇◇◇◇◇◇◇◇

EM QUINTO LUGAR TEMOS QUE BUSCAR A CURA PARA ESTE GRANDE MAL

◇◇◇◇◇◇◇◇◇◇◇◇◇◇

A palavra de Deus nos adverte sobre o pecado da prostituição (IMPUREZA SEXAUL: "13 *Porque vós, irmãos, fostes chamados à liberdade.* ***Não useis então da liberdade para dar ocasião à carne****, mas servi-vos uns aos outros pelo amor.16 Digo, porém: Andai em Espírito, e não cumprireis a concupiscência da carne. 17 Porque a carne cobiça contra o Espírito, e o Espírito contra a carne; e estes opõem-se um ao outro, para que não façais o que quereis. 18 Mas, se sois guiados pelo Espírito, não estais debaixo da lei. 19 Porque as obras da carne são manifestas, as quais são:* ***adultério, prostituição, impureza, lascívia,*** *20 Idolatria, feitiçaria, inimizades, porfias, emulações, iras, pelejas, dissensões, heresias, 21 Invejas, homicídios, bebedi-*

ces, glutonarias, e coisas semelhantes a estas, acerca das quais vos declaro, ***como já antes vos disse, que os que cometem tais coisas não herdarão o reino de Deus."*** (Gálatas 5:13, 16-21).

A palavra é clara que aqueles que cometem esses pecados não herdarão o Reino de Deus. Isso é muito sério. Enquanto Deus quer gerar em seus filhos a sua paternidade e a consciencia do seu Reino, satanás quer fazernos incapazes de recebermos esse Reino, através de nossos próprios pecados.

"*3 Porque esta é a vontade de Deus, a vossa santificação; que vos abstenhais da prostituição; 4 Que cada um de vós saiba possuir o seu vaso em santificação e honra; 5 Não na paixão da concupiscência, como os gentios, que não conhecem a Deus.*" (I Tessalonicenses 4:3-5).

E também..."*5 Mortificai, pois, os vossos membros, que estão sobre a terra: a prostituição, a impureza, o afeição desordenada, a vil concupiscência, e a avareza, que é idolatria; 6 Pelas quais coisas vem a ira de Deus sobre os filhos da desobediência;*"**(-Colossenses 3:5 e 6)**

Bem, tenho ótimas notícias pra você meu irmão e minha irmã que tem tido enormes problemas com a pornografia e com a masturbação. **EXISTE UM CAMINHO DE SANTIDADE SIM! EXISTE UM MEIO DE VOCÊ SE VER LIVRE DISSO E VIVER EM LIBERDADE E NOVIDADE DE VIDA!**

Afirmação: Há esperança para quem quer ajuda. A porta da graça esta aberta prá você!

Passos para a recuperação

1. O primeiro passo é você confessar que tem um problema

Sua determinação de parar com suas próprias forças não vai funcionar. Provavelmente, você já tentou muitas vezes antes.

2. O passo seguinte é pedir a ajuda de alguém que é mais forte do que você

Sua própria força nunca é suficiente. Não importa os tipos de atividade sexual em que você esteve envolvido. Ainda que você tenha praticado pecados pervertidos, o Deus que criou você ama você profundamente. Ele demonstrou seu amor incondicional e perdão por nós enviando seu próprio Filho, Jesus Cristo, para ser castigado por todos os nossos pensamentos e ações repugnantes.

Crer no poder curador do amor de Cristo é a maneira mais eficaz de vencer o sentimento de vergonha que você tem tido na sua vida.

3. Em seguida você deve lidar com a solidão em sua vida

A chave é procurar relacionamentos saudáveis. De modo especial, você precisa formar relacionamentos com homens a quem você possa prestar contas.

Você precisará da ajuda de outros homens para deter sua atividade sexual errada. Grupos de apoio poderiam ser a solução para você.

Você também vai precisar de apoio espiritual. Para você sentir ânimo em seu relacionamento com Deus você precisa fazer amizades com pessoas que têm os mesmo alvos espirituais que você.

4. Você também precisará trabalhar seu relacionamento com sua família e amigos íntimos

Amizade íntima com eles pode ser um desafio real para você. Levará tempo e talvez seja necessária a orientação de um bom conselheiro da igreja.

Se você é casado, sua esposa pode estar precisando de tanta ajuda quanto você - para tratar do sofrimento causado pelo seu vício.

Muitos homens que usam o sexo para lidar com mágoas sofreram traumas profundos no passado - talvez tenham sido abusados sexualmente ou abandonados.

5. Por último, você precisa saber controlar as mensagens sexuais ao seu redor

Você precisa de ajuda para saber reagir às constantes e enganadoras mensagens sobre a sexualidade que são tão comuns na sociedade – asinsinuações sensuais dos programas de TV, os e-mails com convites sexuais, etc.

Seu espírito ferido clama por paz e cura. Você precisa da ajuda de um conselheiro de confiança.

Sugestões práticas de como podemos evitar e vencer o grande mal da pornografia

1. Evite lugares que inspirem sensualidade

Aqui cabem as palavras do **Salmo 1:** *"Bem-aventurado o homem que não anda segundo o conselho dos ímpios, não se detém no caminho dos pecadores, nem se assenta na roda dos escarnecedores".*

Baseados nestas palavras sugerimos as seguintes atitudes:

- *Escolher bem as amizades.* Evitar aqueles amigos que tentam nos desviar, não fazendo caso da Palavra de Deus.
- *Aconselhar-se* com pessoas crentes e sábias, e não com os ímpios. **Craig Gross** - fundador do www.Church.com, o auto-proclamado \"Site pornô cristão número 1 na Internet", que encoraja as pessoas presas na pornografia a largarem esse vício.
- *Elevar os nossos pensamentos a Deus.* Meditar dia a dia na Sua Palavra (**Salmo 1:2**).
- *Fazer nosso culto particular a Deus e encher nossos pensamentos com coisas edificantes.* Em **Filipenses 4.8,** Paulo nos ensina em que pensar: "tudo o que é verdadeiro, tudo o que é respeitável, tudo o que é justo, tudo o que é puro, tudo o que é amável, tudo o que é de boa fama, se alguma virtude há e se algum louvor existe, seja isso que ocupe o vosso pensamento".

2. Uma mudança de hábitos

É necessário fugirmos da tentação, antes que ela bata à nossa porta. Adquirir os seguintes hábitos pode ser muito proveitoso na hora de evitar e libertar-se da pornografia:

- *Dormir cedo,* evitando assim os programas televisivos noturnos, que, via de regra, possuem conteúdo sexual.
- **Ficar na Internet apenas o tempo necessário.** Não ficar muito tempo sozinho diante do computador.

- *Ocupar o tempo livre* (isso não inclui nossa devocional) com atividades esportivas e edificantes.
- Evitar envolver-se em *qualquer tipo* de conversação torpe (**Ef 5.3-7).**
- Muito importante é *evitar radicalmente o acesso* a revistas, vídeos, programas televisivos e sites pornográficos.

3. Fé No Poder De Jesus Cristo que pode mudar o nosso caráter e a nossa natureza pecaminosa, nos dando vitória sob o pecado

Ouçamos a voz de Deus, através das Sagradas Escrituras, e busquemos a santidade oferecida no sangue de seu Filho Jesus Cristo: "*tendo, pois, ó amados, tais promessas, purifiquemo-nos de toda impureza, tanto da carne como do espírito, aperfeiçoando a nossa santidade no temor de Deus*" (1Co 7.1).

> "*Fugi da prostituição...(imoralidade sexual)* " **(I Co 6:18**)
>
> "*Mas, se andarmos na luz, como ele na luz está, temos comunhão uns com os outros, e o sangue de Jesus Cristo, seu Filho, nos purifica de todo o pecado.*"**(I João 1:7)**

Testemulho - http://www.youtube.com/watch?v=D-KX0FNqlgg

Conclusão

Aliança com Meus Olhos
por ***Jennifer Benson Schuldt***

"*Fiz aliança com meus olhos...*" (Jó 31.1)

Pensamento: Um olhar que se prolonga pode conduzir à luxúria.

Leitura Bíblica - Jó 31.1-4; 1 Tessalonicenses 4.1-8.

Nosso amigo é um tecnólogo em computação. Certa noite, quando nossa família estava na casa dele, percebi um versículo colado em seu monitor: "Fiz uma aliança com meus olhos..." (Jó 31.1). Evidentemente, ele compreendera o perigo potencial de passar horas a sós à frente de um computador, com fácil acesso a imagens indecentes.

O "versículo-lembrete" de nosso amigo é uma citação do livro de Jó, que continua assim: "... como, pois, os fixaria eu numa donzela?" Como muitos de nós, Jó havia prometido a si mesmo manter-se afastado da concupiscência. Refletindo sobre esse juramento, ele disse: "Ou não vê Deus os meus caminhos e não conta todos os meus passos?" (Jó 31.4). A Bíblia nos assegura que Deus o faz (Hebreus 4:13) e que devemos prestar contas a Ele. Por essa razão, os cristãos devem abster-se da imoralidade sexual (1 Tessalonicenses 4.3). Embora algumas pessoas desejem discutir os limites da moralidade, a Bíblia diz: "... qualquer que olhar para uma mulher com intenção impura, no coração, já adulterou com ela" (Mateus 5.28).

Se você já fez uma aliança com seus olhos, considere de que maneira as Escrituras podem ajudá-lo a manter esse compromisso. Cole um versículo na tela do seu computador, televisor, ou no painel do seu carro, e lembre-se: "Deus não nos chamou para a impureza, e sim para a santificação (1 Tessalonicenses 4.7).

Diga não a pornografia

Em primeiro lugar, a pornografia é anti-humana

Pela sua preocupação com os órgãos e funções, a pornografia não se importa com a pessoa em si. Às novelas faltam histórias com conteúdo, as fotografias mostram corpos humanos, muitas vezes sem rosto, através do qual possam ser identificados. Devido a essa representação subumana do indivíduo, a pornografia desumaniza.

A pornografia é contra a mulher

A clara degradação e humilhação das mulheres são os temas centrais das novelas e fotografias. Na pornografia menos violenta, o abuso é menos óbvio, mas ainda assim está presente, uma vez que as mulheres são tratadas como objetos sexuais, criaturas disponíveis para serem olhadas de revés, usadas e abusadas e depois substituídas por outras.

Paradoxalmente, a pornografia é contra o sexo

Rejeitar a pornografia é tomar posição pelo sexo como uma forma particular de expressão e aprofundamento dum compromisso interpessoal. A pornografia falha em não entender o sexo como um dom sagrado destinado a produzir alegria, intimidade e profunda plenitude numa relação de amor duradoura.

A pornografia é contra as crianças

Cria um ambiente que é prejudicial tanto ao desenvolvimento psicológico como moral das crianças. Elas são bombardeadas com imagens de sexualidade adulta, muito antes de estarem emocionalmente preparadas para isso.

A pornografia, pela sua influência nos costumes e convenções, é anti-social

Os defensores da pornografia irão argumentar que a decisão de ler ou ver é individual e não diz respeito a mais ninguém. Contudo, todas as indicações mostram que o uso da pornografia tem repercussões sociais. As provas acumulam-se cada vez mais no que diz respeito a indivíduos cujo comportamento anti-social (incluindo crimes sexuais e crimes violentos) foi impulsionado pela pornografia.

A pornografia é contra as relações humanas saudáveis, e, portanto, contra a família

Devido à sua obsessão pela função sexual, a pornografia evita qualquer reconhecimento do valor das relações familiares.

A pornografia é contra o ambiente.

É paradoxal e ilógico ficar zangado(a) com a poluição do ambiente natural e permanecer indiferente perante as exibições indecentes, extravagantes, obscenas e perturbadoras da pornografia, nas bancas, fora e dentro dos cinemas e nos anúncios diários dos jornais.

A pornografia é contra a comunidade

Uma nova indústria multimilionária desenvolveu-se para suprir a insaciável procura da pornografia. Mas, porque ela dá oportunidade à fraqueza humana explorando autores, modelos, editores, revendedores e clientes, ela caiu em grande escala nas mãos do crime organizado. Através duma íntima associação com a droga e a prostituição, uma sub-cultura criminosa começou a florescer.

A pornografia é contra a cultura

Uma das objeções mais fortes à pornografia é que ela não só apresenta uma visão distorcida e falsa do mundo, mas também, pela sua presença, exclui visões enriquecedoras. Há poucas dúvidas de que a alargada disseminação da pornografia afasta a verdadeira cultura, assim como o dinheiro falsificado afasta a verdadeira moeda.

A pornografia é contra a consciência

É pela consciência que nos tornamos conhecedores da lei moral e distinguimos o bem do mal, o certo do errado. Assim como pela constante exposição da violência nos meios de comunicação as pessoas perdem a sensibilidade à violência real, assim a nossa consciência pode ser adormecida pela pornografia que se infiltra.

A pornografia é contra Deus

Opõe-se completamente aos ensinos de Jesus Cristo acerca da pureza e do amor. Os seus ensinos libertam os homens e as mulheres da escravidão do apetite sexual desordenado. A pornografia, em nome da libertação, escraviza o ser humano por uma obsessiva preocupação com a sensualidade.

Podemos dizer, em resumo, que a pornografia é contra a vida

Rejeitar a pornografia não é ser negativo em relação à vida. Pelo contrário, é a pornografia em si mesma que é niilista, reducionista e destrutiva.

CAPÍTULO 07

A BUSCA EM SI DE UM(A) NAMORADO(A)

O casamento na vida humana é plano de Deus. Se o lar e a família estão dentro do contexto divino para o ser humano, isto quer dizer que Deus quer participar do projeto. Mas deve ser também o plano humano e isto significa que há esforços a serem envidados para que se atinja o objetivo. **Muitos jovens, especialmente moças, ficam esperando um milagre dos céus...você tem que ir à luta!**

Atitudes para conquistar

Sei que preciso tomar uma atitude, mas não sei que atitude tomar

O Pr. Leandro Almeida - *Pastor da Mocidade Igreja Batista da Lagoinha Belo horizonte/MG*, dá umas dicas para os rapazes, no seu livro - "Do Que Elas Gostam", são princípios e conselhos aos rapazes dessa geração. Segue aí algumas dicas que você poderá seguir quando souber que precisa tomar uma atitude mas ainda assim não sabe que atitude deve tomar:

Ore

Sua primeira atitude não deve ser diante da garota, mas sim, diante daquele que pode trabalhar no coração dela: Deus!

Digo mais que: **Orar é parte integrante da vida espiritual.** O crente que não ora evidencia fraqueza ou retardamento. Nem sempre, contudo, a oração parece ser eficaz. Muitos crentes oram, oram, percebendo que Deus não irá responder. Depois se queixam afirmando que foram abandonados por Ele.

A oração há de ser coerente com a vida. Não adianta orar e continuar tendo uma vida errada diante de Deus. Não há resposta. Assim, por exemplo, se uma moça está orando para que Deus a oriente na escolha do parceiro, mas, lá em casa, ela está violando um princípio básico que é o da submissão e obediência aos pais, nada feito; se o rapaz ora para que a sonhada namorada apareça em sua vida, mas ele alimenta pensamentos, pecaminosos, nada vai acontecer de bom.

Será preciso acertar o que está errado, para que a oração produza efeito. As orações devem ser específicas e não genéricas. Deus é um Pai amoroso a Quem podemos pedir sem rodeios. É mais correto orar: "Senhor, eu quero me casar!" do que dizer: "Senhor, Tu sabes dos meus problemas..."

Aproxime-se

Torne-se amigo dela. Muitos atropelam essa fase quando se está querendo algo mais sério com outra pessoa. Ser amigo dela é um excelente caminho para o processo da conquista. Pegue o telefone, converse bastante com ela, descubra os gostos, sonhos, planos...

Busque conselhos com pessoas experientes

Salomão diz que por falta de conselhos, os planos fracassam. Procure um pastor, um líder que possa te ajudar e te orientar em todo esse processo. Este livro não é de autoajuda, aqui estamos trazendo um pouco da experiência que temos tido nesse tempo de ministério com jovens.

Deixe claro sua intenção

Chega um momento em que você deve externar aquilo que está em seu coração. Ela nunca irá saber o que se passa se você não se abrir e deixar claras suas intenções para com ela.

Pontos de equilíbrio

1. Cuidado!

Não é porque ela é legal com você que ela está te dando mole, como diz nosso amigo Nelson Júnior, idealizador do EEE. Mulher sorri até para passar *"blush"* se olhando no espelho, meu camarada! Não seja precipitado.

2. Não seja um desesperado atirador

Nunca saia atirando para todo lado, pensando em acertar algum coração. Nessa, muitas podem se machucar. Sair com uma, orar com outra, e até mesmo beijar algumas, pode trazer prejuízos não só a você, mas a essas moças também. Isso se chama defraudação emocional.

3. Atitudes exageradas podem afastá-la ao invés de aproximá-la

Mandar flores todos os dias, enviar sms toda hora, menção no *Twiter* a cada minuto, são atitudes que poderão levá-la para longe de você!

4. Falar demais no primeiro encontro pode estragar tudo

Uma boa estréia fará você ter uma boa campanha durante o campeonato todo. Não sufoque a moça com declarações melosas logo no início. Lembre-se: um relacionamento duradouro começa com uma boa pitada de amizade. Aguarde o momento certo para se declarar e sugerir um compromisso sério.

Muito mais dicas, conselhos e princípios como estes você encontra em nosso livro "Do Que Elas Gostam", que está disponível em www.doolharaoaltar.com

5. O desenvolvimento das habilidades e talentos naturais

Paralelamente à vida de oração, o rapaz ou moça deverá iniciar um processo de preparo para a vida que deseja ter.

O rapaz deverá estar se envolvendo com atividades ocupacionais ou profissionalizantes, no sentido de capacitar-se, cada dia mais, para assumir responsabilidades de sustento e defesa do futuro do lar.

A moça, por sua vez, deverá procurar conhecer bem quais as funções próprias de uma dona de casa, a saber: cozinhar, costurar, noções de primeiros socorros, decoração de interiores, economia doméstica; é tempo de começar a lidar com crianças na Escola Dominical, assumindo, talvez, uma classe infantil; poderá conhecer um pouco da psicologia da criança, como ela reage, quais são suas aspirações, o que pensa uma criança, etc.

O AVANÇO AO OBJETIVO

Mesmo depois de estar orando e com a vida correta diante de Deus e, também, de estar em processo de desenvolvimento de seus talentos, você não vai querer que o príncipe encantado ou a bela adormecida caia de paraquedas no seu quintal, vai?

Você terá de ligar as "**antenas**" para perceber a resposta que Deus estará lhe dando, por evidências e circunstâncias. É a maneira como Deus responde.

Participe, então, de agrupamentos periódicos que se realizam em nível de igrejas circunvizinhas, de associações, de convenções. Isto significa ir a congressos, piqueniques, retiros e acampamentos. Se na sua igreja o "mercado" está em baixa, visite outras igrejas. Afinal, é na família de Deus que você irá encontrar o parceiro.

NÃO AGUENTO MAIS ESPERAR UM NAMORADO...

Como é bom amar! Na adolescência, se desperta a paixão. Descobre-se o outro. Ah! O primeiro namoro, o primeiro beijo... O sonho de poder um dia amar e ser amada, casar e ser feliz para sempre. Mas, o tempo passa, e o namorado não vem...

Deus se esqueceu de mim! Todo mundo tem namorado, só eu que não! Algum dia já passou isso em sua cabeça?

O fato de estar solteiro para muitos é fator de muita frustração. Alguns, por não terem encontrado a pessoa certa, acabam desanimando. A vida cristã parece ficar vazia, sem motivação. Alegam até falta de poder para testemunhar, e muitos têm o desejo de afastar-se por completo de Deus. "Se Deus não é capaz de me dar um namorado, não dá para entregar as outras áreas da minha vida a Ele", racionalizam, e iniciam uma "briga" com Deus.

Causas variadas

As causas de alguns não encontrarem sua cara metade, podem ser várias:

1. **Falta de habilidade para conversar com as pessoas** - uns acham-se tímidos demais, não conseguem expor seus pensamentos e conversar descontraidamente. Evitam contatos, principalmente com o sexo oposto.

2. **Dificuldade de estabelecer relacionamentos profundos** - não conseguem colocar para fora algo do seu íntimo. São capazes de conversar sobre tudo, mas sentem grandes dificuldades de compartilhar seus sentimentos.

3. **Auto - rejeição** - pessoas que não se amam, possuem uma baixa autoestima, sentem-se inferiorizadas e acham que ninguém será capaz de amá-las.

4. **Dificuldades familiares** - por motivo de alguma enfermidade na família, problemas financeiros, impossibilidade dos pais sustentarem a casa, principalmente os que são filhos mais velhos, acabam tendo que assumir estas responsabilidades e não encontram espaço para se dedicarem à sua vida afetiva.

5. **Traumas emocionais** - pessoas que, em algum momento de sua vida, sofreram grandes perdas, ou abusos emocionais e até mesmo sexuais, adquirem bloqueios que os impedem de aprofundar seus relacionamentos afetivos.

A falta de uma relação afetiva eficiente com o pai - a ausência do pai, por motivo de morte ou divórcio. Ou lares, onde os pais não desenvolveram um relacionamento de amizade e companheirismo, criam nos filhos insegurança, dificultando o contato com pessoas do sexo oposto e uma sexualidade sadia.

Existem muitas outras causas que podem impossibilitar uma pessoa de se relacionar afetivamente. O importante é que esses motivos sejam detectados e tratados, mesmo que isso implique em buscar ajuda de um terapeuta profissional cristão e de bom testemunho.

Esperar ou ir à luta?

Deus nos fez criaturas sociais (não é bom que o homem esteja só. (Gn 2.18), emocionais e afetivas, portanto, querer compartilhar sua vida com alguém é perfeitamente natural. Se você tem esses anseios, louve a Deus por isso! Você é normal! O que devo fazer enquanto não tenho um(a) namorado(a)?

Encontramos várias atitudes entre os solteiros:

Os que não mostram a cara

Fecham-se no seu mundo, não vão a lugar algum e ficam esperando que o "eleito" caia do céu, num enorme pacote, com um lindo laço de fita. Acham que ao saírem para conhecer outras pessoas, Deus os castigará pela "falta de fé" de não terem aguardado.

Os conformados

Mas ao mesmo tempo fatalistas. "Deus quer assim, esse é o meu destino, morrerei solteiro".

Os reclamões, murmuradores

Só se queixam e não fazem nada para mudar a situação.

Os desesperados

Morrem de medo de ficar "encalhados".

Seja qual for a sua atitude diante da vida de solteiro, uma coisa é certa: enfrente o fato sem abaixar seus padrões. Não é porque o tempo de espera está longo demais, que você vai sair por aí e dedicar-se a qualquer um. Isso pode marcar negativamente você e a outra pessoa. Eu quero encontrar alguém, casar e ser feliz. Mas não vou jogar-me nos braços do primeiro que aparecer", confirma Regina, 25 anos. "A minha atitude é de esperar em Deus que, tenho certeza confirmará em meu coração, a pessoa que Ele tem para mim", sustenta Jussara, que aos seus 28 anos, diz ir tocando seus projetos de vida enquanto seu namorado não vem.

Existem os que vão à luta

"Sempre que posso, vou a congressos, acampamentos, programações de outras igrejas. Além de poder conhecer alguém interessante, que pode ser a minha cara metade, faço novas amizades", comenta Luís Roberto, 23 anos. Aproveitar este período de solteiro, para cultivar amizades, é uma das grandes vantagens desta fase. Muitos dos nossos amigos que temos até hoje, são pessoas que conhecemos no período que ainda nem namorávamos.

As pessoas interessantes, que até levávamos diante de Deus em oração, para saber se seria uma boa opção para namorar, tornaram-se grandes amigas. O período de aproximação (conversa e amizade desinteressada), para um conhecimento melhor um do outro, com objetivos de um futuro namoro, contribuiu para fazer surgir uma amizade sadia, apesar do namoro nem acontecer.

Namoro evangélico na internet

No site noticias.gospelmais.com.br/tag/namoro, temos um artigo que afirma ser o Namoro Evangélico na Internet a nova moda no momento.

"Para quem pensava que namoro entre dois evangélicos nascia somente em um acampamento de jovens, em uma campanha de oração, em uma troca de palavras após o culto ou até mesmo em uma profecia, a nova geração mostra que hoje em dia isso está bem diferente.

Visite: Gospel +, Noticias Gospel, Videos Gospel,Musica GospelA internet nos dias de hoje se tornou o meio mais fácil e rápido de encontrar a pessoa ideal, pois com o advento de chats, páginas na internet, mensageiros instantâneos e portais especializado em ajudar na busca de um possível namorado ou mamorada, tudo ficou mais simples e descomplicado, é possível fazer isso sem sair de casa, sentado em sua cadeira em frente ao seu computador pessoal ou do trabalho. Utilizando a internet para encontrar a "cara metade" é possível antes de qualquer coisa ver o que a outra pessoa gosta, o que ela faz e assim traçar um perfil para ela, ver se a pessoa tem afinidades, qualidades e opiniões que batem com as suas, evitando assim conversas e mais conversas para enfim descobrir que a pessoa não tem nada a ver contigo, ou seja, um grande ganho de tempo.

O carioca Renato Cavallera trabalha como supervisor de conteúdo para websites e está casado com Alexandra Sousa a mais de um ano: "*Conheci a minha esposa, que é de Belém do Pará, pela internet através de um site, pelo que pude ver a personalidade dela batia com a minha, gostos, opiniões e atitudes também. Começamos a namorar, oramos, e em alguns meses ela saiu do Pará para vir para cá pro Rio de Janeiro viver comigo. Nos encontramos, casamos e hoje temos um filha chamada Yasmin Cavallera de 4 meses*", diz Renato.

Muitas pessoas ainda acham que conhecer outras pessoas através da internet é perigoso ou que não ajuda muito, por tempos os chats de grandes portais da internet mancharam o segmento devido a pessoas não-cristãs que entravam apenas para atrapalhar, falar sobre pornografia ou apenas estragar os sonhos alheios "ficando" desenfreadamente com várias pessoas e depois repentinamente terminando com as mesmas. Por isso que hoje já existem sites especializados com dados sobre cada pessoa cadastrada, facilitando não só as pessoas a encontrarem um par que combine consigo, como também melhorando a segurança.

O que você esta esperando prá poder acessar um desses sites? Jesus disse que temos que pedir, bater e buscar. Pedi é dependência; Bater é perseverar e Buscar é diligência, isto é, ir à luta! "Vai nessa sua força e você terá a vitória..."

Entre os evangélicos, o site especializado mais conhecido e utilizado atualmente é GospelEncontros.com, com mais de 500 mil evangélicos cadastrados, vários casamentos realizados e muito conteúdo relevante para aqueles que estão verdadeiramente procurando um amor em Cristo com ajuda da internet. O GospelEncontros.com possui um serviço de perfil para achar pessoas que tenham mesma afinidades, além de vários testemunhos, devocionais e salas de bate-papo coletivas ou reservadas para as pessoas poderem falar com outras em tempo real e conhecê-las ainda mais. O serviço além de ser feito por Cristãos para Cristãos é totalmente gratuito, facilitando assim para aqueles que desejam encontrar seu par ideal e para aqueles que ainda não sabem como funciona e gostariam de saber entender.

O QUE FAZER QUANDO APARECER ALGUÉM INTERESSANTE?

Quando surge uma pessoa que, à primeira vista parece adequada a suas expectativas, o melhor a fazer é aproximar-se, buscar conhecê-la melhor, através de bons papos.

Detalhe: a pessoa interessante, nem precisa saber de imediato as suas intenções. Depois de muitas observações e avaliações, os princípios bíblicos obedecidos, muita oração e paz no coração, você poderá chegar a algumas conclusões. Caso haja reciprocidade de sentimentos,(que a esta altura, depois de tanta conversa, você já deve ter sentido o clima, certo?) É o momento de declarar seus objetivos, abrir o jogo e juntos buscarem uma definição para os rumos do relacionamento: - Namoro ou Amizade?

A iniciativa, não tem que necessariamente, partir dos homens. "Essa história de ficar esperando o rapaz abrir o jogo, para mim isto é coisa dos tempos da minha avó! Se o cara tá dando bandeira, está dentro dos meus padrões, espero o momento certo e chamo para um papo franco. Quero saber dele, quais as suas intenções," admite Rosane, 24 anos. A estudante de psicologia Marta, 22 anos, também confirma e acrescenta:" Se ele vier com papo de que eu estou confundindo as coisas, peço para dar um tempo. Aí, passamos um período sem até mesmo nos telefonarmos. Se as atitudes dele me levaram a chegar a essa conclusão, peço para tomar cuidado com a forma de tratamento para comigo. Sugiro que não seja tão amável tratando - me de forma diferenciada das outras garotas"."Nada como um distanciamento para esfriar a cabeça e definir melhor os sentimentos", é assim que funciona com Carlos, 27 anos, que também tem colocado isso em prática.

Vinte Perguntas Para Escolher a "Pessoa Certa"

1) Vocês ajudam um ao outro a aproximar-se mais de Deus? Para que isso aconteça, primeiro é preciso que ambos tenham relacionamento com Deus

2) Vocês podem conversar? Os casamentos não se edificam sobre aparências mas sobre boa comunicação. Vocês se comunicam bem?

3) Podem vocês brincar juntos? A vida não é toda feita de conversa. O casal necessita poder ajudar um ao outro a relaxar-se, a rir e a divertir-se. Se não conseguem divertirem-se juntos, a seriedade do seu amor, que faz o coração pulsar pesado, se esgotará. Amor sem riso é como pão sem fermento: não cresce. Talvez tenha cheiro celestial, mas se revela pesado e grudento.

4) **Podem vocês trabalhar juntos?** O casamento cristão não é mera associação com a finalidade de promover o prazer. Ele exige trabalho. O trabalhar juntos vem naturalmente com a convivência.

5) **Vocês têm amigos mútuos?** Vocês não vão passar a vida toda, um com o outro. Vocês necessitarão de outros amigos. É importante que sejam amigos que não os dividam, mas que os unam.

6) **Vocês se orgulham um do outro?** Precisa haver intimidade para que as pessoas se conheçam, mas com razoável frequência os casais enamorados se tornam satélites espaciais que giram ao redor do planeta Terra. Eles vivem no seu próprio mundo. Essa atitude é muito irrealista.

Você precisa orgulhar-se de seu parceiro na frente de todas as pessoas. É provável que um amor que não possui força pública não perdure.

7) **Intelectualmente estão vocês no mesmo nível?** Na maioria das vezes o nível intelectual se relaciona com a instrução. Há muitas e muitas exceções, mas como regra, duas pessoas deviam ter formações semelhantes.

8) **Vocês têm interesses comuns?** Quero dizer, além de "vocês mesmos". Os interesses comuns são a matéria-prima da amizade. Se um de vocês vive para os esportes e o outro sente náuseas diante de uma partida de futebol, precisam fazer grandes ajustamentos entre ambos.

A palavra-chave é *INTERESSE*. Vocês podem cultivar um interesse conjunto. Podem "tomar interesse" por um assunto que nunca souberam que existisse. Talvez vocês não comecem com muita coisa em comum, mas estão dispostos a cooperar em alguma coisa?

9) **Vocês compartilham os mesmos valores?** A respeito, por exemplo, de serem honestos "nas pequenas coisas" como o imposto de renda? A respeito da importância de uma casa e de um carrro limpos? Sobre o valor de ir à igreja todas as semanas? Sobre os papéis dos homens e os das mulheres no casamento? Acerca do aborto? Do divórcio?

10) **Vocês se sentem confortáveis sobre a maneira como tomam decisões juntos?**

11) Vocês se ajudam emocionalmente? Todo mundo se machuca e desanima no curso da vida. Nos bons casamentos, ambos os parceiros recebem estímulo e força um do outro. O seu parceiro deve ser alguém que você não só admire e com quem se divirta, mas também alguém a quem você recorre para obter a cura. Ele deveria ter o tipo de amor que satisfaça a sua necessidade, que o levante, que o restaure, que trate das suas feridas, e ajude a sarar o seu coração.

12) Vocês têm absoluta confiança um no outro? A confiança relaciona-se com a avaliação que fazemos do caráter de uma pessoa. Confiamos em alguém se tivermos plena confiança de que ele fará o que é certo. Nada pode substituir a confiança mútua. Deve haver completa confiança na maneira como o seu parceiro usa o dinheiro, como considera as drogas, ou o álcool. Nas áreas da fidelidade sexual, da confiabilidade, do tratamento dos filhos, da fé cristã, do trabalho e da veracidade, a confiança é fundamental. A falta de confiança em qualquer área fará mais do que diminuir a sua fidelidade. Ela a solapará por completo. Vocês não podem viver sem confiança.

13) Vocês são mais criativos e enérgicos por influência mútua? Algumas pessoas dizem que o amor torna a pessoa distraída. Às vezes sim. Também pode tornar a pessoa irritável, procupada, ou deprimida – às vezes. De modo geral, porém, o amor deveria dar mais vida a ambos. A depressão, a preocupação e a letargia são sinais de perturbação. Usualmente vocês não deveriam realizar menos porque estão apaixonados, e, sim, realizar mais. O amor deveria torná-los mais decididos do que nunca a fazer o melhor de si mesmos e do trabalho que realizam porque querem que o seu parceiro se orgulhe de vocês, e sentem-se responsável por ele. Vocês deveriam revelar o melhor de cada um.

14) Podem vocês aceitar e prezar a família de cada um? A maioria dos casais jovens preferiria não pensar em família, especialmente se ele for desagradável. Quando são jovens e solteiros, vocês podem operar de modo independente. Contudo, ninguém é uma ilha. Somos parte de nossas famílias e as nossas famílias são parte de nós – quer gostemos delas quer não. Vocês não têm que gostar delas, mas têm de aceitá-las porque essa aceitação é, em essência, a mesma coisa que aceitar o seu parceiro. Melhor ainda se vocês puderem encontrar um meio de apreciá-las. Se o seu relacionamento depender de excluir a família, haverá uma rachadura no alicerce.

15) Vocês têm em seu passado ralacionamentos que não foram resolvidos? O amor frustrado em virtude de um "*caso amoroso*" é notoriamente instável. Vocês não podem compensar algo que perderam num relacionamento anterior –

embora muitas pessoas tentem fazê-lo. Ambos devem poder conversar livremente sobre "*os que já se foram*". Vocês não necessitam entrar em detalhes, mas se não conseguirem falar (ou não puderem parar de falar), talvez estejam emocionalmente presos ao passado. O passado tem de ser inteiramente posto no passado.

16) O sexo está sob controle? Se não estiver, será sinal doentio para o seu futuro. Vocês terão de controlar-se muitas vezes, de muitas maneiras – incluindo sexualmente – quando forem casados. Se não puderem fazê-lo agora, talvez sejam incapazes de fazê-lo mais tarde.

17) Vocês têm passado juntos tempo suficiente? Não considero nenhum fator mais deciso do que o tempo. Realmente vocês não se conhecem em profundidade se não passaram juntos tempo suficiente. **Quanto é suficiente?** Como regra prática, eu diria que um ano de verdadeira proximidade é o mínimo. Nesse tempo vocês podem ir além dos primeiros efeitos ofuscantes do amor e ver mais claramente a que se estão entregando.

18) Vocês têm brigado e perdoado? Aprender a aceitar e perdoar quando ferido exige muito mais do que a coisa que faz casamentos felizes. Em uma semana de crises vocês aprendem mais acerca de si mesmos do que em um mês de felicidade. Se não podem perdoar, se mantêm rancores, se usam o silêncio para conseguir o que querem, ou se o desacordo os faz perder o juízo – então não estão preparados para o casamento. Os conflitos virão. Vocês devem ter um meio de superá-los. Vocês precisam aprender a dizer três coisas: EU ERREI – ME PERDÕE EU AMO VOCÊ.

19) Têm vocês conversado a respeito de cada área da sua vida futura? Vida finançeira, estilo de vida, as expectativas sexuais, os empregos, os filhos, igreja, e os pais são alguns dos assuntos que vocês precisam discutir em detalhes antes de se casarem, uma vez que estarão tratanto dessas coisas se, e quando se casarem. E seria melhor que descobrissem com antecedência se podem comunicar.

20) Vocês já receberam aconselhamento? É de fundamental importância para quem deseja casar.

DÁ PARA PASSAR COM DEZESSETE PONTOS?

AUTOAVALIAÇÃO

Agora que você já leu o suficiente sobre O Namoro, pare e reflita sobre suas atitudes sobre seu comportamento no namoro. O questionário abaixo foi preparado com a finalidade de levar você, jovem crente, a uma reflexão sobre esse assunto. Pode se quiser anotar as suas respostas numa folha de papel, e depois, rasgá-la e jogá-la fora. O questionário foi feito tão-somente para você!

Vamos lá!

01. Assinale a lista abaixo, motivos pelos quais você tem iniciado um namoro. Depois analise aqueles que são realmente válidos:

( ) Para me sentir mais seguro quanto a minha aparência física, quanto a minha masculinidade (ou feminilidade).

( ) Para provar que aquela pessoa não é tão difícil quanto parece. É só uma questão de saber como agir.

( ) Para não ficar para trás. Afinal de contas, todos namoram somente eu é que não?

( ) Para conhecer melhor a pessoa com quem vou namorar.

( ) Porque ele(a) é a pessoa mais bonita do grupo (igreja, escola, trabalho, turma).

( ) Para provocar ciúmes em um(a) namorado(a) que me "deu o fora".

( ) Porque sinto um sentimento verdadeiro por esta pessoa e quero aprofundá-lo.

( ) Porque tenho medo de ficar para "titia" ou "solteirão", e vale qualquer tentativa.

( ) Para atender as minhas carências físicas e afetivas do momento.

( ) Para ter uma companhia certa no fim de semana.

( ) Porque meu grupo encarna, faz pressão, força uma situação.

( ) Porque desejo pertencer-lhe futuramente, casando-me com esta pessoa.

( ) Porque no meu grupo ter vários(as) namorados(as) dá uma certa posição de importância.

( ) Porque creio que esta pessoa pode me completar e quero sentir até que ponto isto é real.

( ) Porque me envolvi tanto com aquela pessoa que não houve outra saída.

02. Tente fazer uma lista (que não seja utópica) das características que constituam o mínimo do que você deseja encontrar no(a) seu (sua) parceiro(a), para que vocês tenham uma união completa, em todas as áreas da vida: psicológica, biológica e espiritual.

03. Você poderá encontrar todas estas características em uma pessoa não crente?
( ) Sim ( ) Não.

04. Hoje sinto que estou preparado (a) para casar-me com alguém agora?

( ) Sim ( ) Não.

05. A Bíblia foi escrita para (marque a melhor resposta):

( ) Os crentes do primeiro século.

( ) Os crentes de todas as épocas e lugares.

06. Existem **princípios** bíblicos que não são válidos para a nossa época?

( ) Sim ( ) Não.

07. Minha atitude no namoro, eu dignifico o meu (minha) parceiro(a)?

( ) Sim ( ) Não.

08. Minha atitude no namoro me ajuda a conhecer melhor meu (minha) namorado(a)? ( ) Sim ( ) Não.

09. Qualquer pessoa pode tomar conhecimento do meu tipo de namoro, sem que isso me envergonhe? ( ) Sim ( ) Não.

10. Por que toco o(a) meu (minha) namorado(a) com mais frequência?

( ) Para demonstrar carinho?

( ) Para acionar o seu mecanismo sexual e tornar o namoro mais "interessante"?

11. Sempre que volto para casa, após encontrar meu (minha) namorado(a), posso agradecer a Deus por ter dado momentos felizes, nos quais pudemos crescer e amadurecer juntos? ( ) Sim ( ) Não.

12. Todos os crentes poderiam namorar como eu, sem que isso prejudicasse a causa de Cristo? ( ) Sim ( ) Não.

13. Quando me visto para me encontrar com meu (minha) namorado(a) penso:

( ) Esta roupa vai agradá-lo(a), porque é sensual e provocante.

( ) Esta roupa vai agradá-lo(a), porque é bonita e combina com o meu tipo.

14. Os assuntos que conversamos nos ajudam a nos conhecermos melhor e planejar uma vida futura a dois? ( ) Sim ( ) Não.

15. Nossas conversas nos levam a:

( ) Um amadurecimento das nossas personalidades.

( ) Vulgarizar nosso relacionamento.

16. Todos podem saber onde estive ontem sem que isto seja constrangedor?

( ) Sim ( ) Não.

17. Durante todo o tempo que estou a sós com meu (minha) namorado(a) posso parar e pensar que Cristo está nos vendo, sem que isso nos constranja?

( ) Sim ( ) Não.

18. Quando inicio um namoro (ou quando iniciei o meu namoro) procuro a vontade de Deus pela oração? ( ) Sim ( ) Não.

19. Hoje seria capaz de assumir as responsabilidades de um casamento?

( ) Sim ( ) Não.

Se não, tenho feito algo para preparar-me a ter esta possibilidade?

( ) Sim ( ) Não.

20. Eu não tenho namorado(a), e no meu círculo de amigos crentes não há possibilidades de encontrá-lo(a).

( ) Esperarei até que Deus mande alguém ao meu encontro.

( ) Tenho procurado conhecer novos(as) jovens, aumentar meu círculo de amizades entre jovens crentes.

21. "Com o fim de sermos para o louvor da sua glória, nós, os que antes havíamos esperado em Cristo"(Ef 1.12).

O meu comportamento em relação às pessoas do sexo oposto também tem contribuído para que este versículo seja uma realidade em minha vida?

( ) Sim ( ) Não.

Seis coisas que um homem espera de uma mulher

O Pr. Leandro Almeiea, sugere seis coisas práicas sobre o que um homem de verdade espera de uma mulher. E Também o que uma mulher de verdade espero de um homem. Vamos ver, em primeiro lugar, o que o homem espera de uma mulher.

1. Que ela cuide de sua beleza

Obviamente isso não é o que sustenta um relacionamento, pois quando surgem as dificuldades é a decisão de amar e a convicção de estar com a pessoa certa que fará toda diferença. No entanto, é a primeira coisa que atrai um homem.

Sua beleza poderá ser expressada através do cuidado que você tem consigo mesma. A moça deve se arrumar, colocar seu melhor perfume, ser feminina, etc... Mas, sobretudo, ter a convicção de que o que irá fazer toda diferença lá na frente é a beleza interior.

2. Que ela esteja disposta a ser conquistada

O que vem fácil, vai fácil. Homens de verdade valorizam muito mais aquilo que é conseguido com o suor da conquista. Atirar-se pra cima dele, escrever cartinhas logo de cara, dar presentes sem conhecê-lo, declarar-se a ele no primeiro encontro, mandar várias mensagens no dia e perseguí-lo nas redes sociais, só irá afastá-lo.

3. SE ELA O ADMIRA EM ALGO, DEVE EXPRESSAR

Homem, normalmente, não elogia outro homem. Uma das poucas vezes que um homem irá receber algum elogio é quando uma mulher o faz. Com certeza ele tem algumas qualidades. Externe isso com suas palavras e você verá o quanto ele ficará feliz. Quando casado, ele certamente irá gostar de saber que sua esposa o admira.

4. RESPEITO

Homens são diferentes de mulheres. Respeitar o momento, as lutas e as opiniões é algo fundamental. Eles têm a tal "caixa do nada", e muitas vezes estão no mundo da lua mesmo. Não force a barra pra que ele seja quem não é.

Respeitar as diferenças é uma grande chave para a felicidade em um relacionamento.

5. QUE ELA DEMONSTRE ESTAR INTERESSADA NO MELHOR PARA ELE

Quando ele sabe pra onde está indo, tem planos, projetos e trilha saudavelmente essa jornada, a moça interessada ou que já está em um relacionamento com ele deve mostrar que é parceira e que está ao lado dele nisso. Homens de verdade gostam de mulheres que remam na mesma direção. Se assim não for, nenhuma beleza irá segurar tal relacionamento. Pelo contrário, homens compromissados com Deus querem distancia de mulheres que os colocam para baixo e para trás.

6. QUE ELA AME MAIS A JESUS DO QUE A ELE

Quanto melhor for o relacionamento dela com Deus, mais chances de ter um ótimo relacionamento com aquele que pode ser a pessoa certa pra ela. Certamente ela irá murmurar menos, confiar mais... Errar menos e acertar mais... Ter menos medo e acreditar mais...

Enfim, todo homem deseja ter ao seu lado uma auxiliadora firme que compreenda e trilhe a mesma carreira com ele.

Seis coisas que uma mulher espera de um homem

Vamos, ver agora, o que uma mulher espera de um homem:

1. Que ele seja um home de atitude

O homem mais importante na vida de uma mulher, como diz nosso amigo Nelson Júnior, não é aquele que é o primeiro, mas sim o que não deixa o próximo existir. Para tanto, os rapazes precisam tomar atitudes que farão toda a diferença, se realmente almejam a mulher pra vida inteira. Ore, aproxime-se dela, busque conselhos com pessoas mais experientes que você, deixe claro sua intenção, conquiste!

2. Se "cuida"!

É extremamente ruim conversar com alguém que esteja com mal hálito ou com um odor nada agradável. Ainda mais se for a pessoa com quem você deseja viver o resto da vida. Escovar sempre os dentes, colocar um perfume, saber se vestir, tomar um banho antes de sair de casa, enfim...

Por mais que pareça engraçado, muitas moças fazem essa reclamação com relação a muitos rapazes em nossos atendimentos. Nunca é demais se cuidar, e as mulheres esperam isso dos rapazes.

3. Segurança

Uma mulher cristã irá buscar sempre um marido, e não simplesmente um namorado. Segurança é uma das coisas que elas mais esperam em um homem. A beleza física pode até fazer uma diferença, a conversa do rapaz poderá até deixá-la caidinha por ele, mas no final das contas, o que irá fazer com que o relacionamento permaneça, será a segurança que o rapaz inspira e transmite. Segurança se transmite com um bom caráter. Saiba onde quer chegar na vida, compartilhe seus sonhos e planos, sustente o que você fala!

4. Seja trabalhador

Elas não querem um menino, querem um homem de verdade. Um homem que trabalhe, que tenha responsabilidades e que as faça entender que conseguirão sustentar uma família. Em uma família cristã, o papel de provedor é o do homem. Obviamente, a mulher sempre pode ser a ajudadora. Recebemos o testemunho de uma mulher que sustentava seu namorado. Quando ligava pra casa dele em seu horário de trabalho, em pleno meio dia, o encontrava dormindo. "Eu sabia que havia escolhido errado, e estava vivendo consequências disto, e, por isso, escolhi terminar o relacionamento.", disse ela.

5. Que ele seja romântico

Pra muitas pessoas, o cavalheirismo e romantismo são coisas que ficaram pra trás. No entanto, percebemos que toda mulher deseja e fica feliz quando se toca no assunto. Abra a porta do carro, dê flores, escreva cartinhas, mande sms durante o dia, dê bombons, etc. Por mais simples que seja, elas esperam isso deles.

6. Que ele leve Deus a sério

Se ele não tiver um sério compromisso com Deus, não terá qualquer compromisso com ela. Desenvolver e melhorar sempre seu relacionamento com Jesus fará com que ele melhore seu relacionamento com a pessoa pretendida. Um homem que leva Deus a sério certamente irá atrair uma mulher que leva Deus a sério também.

CAPÍTULO 08

ENFRENTANDO A DOR DE UM NAMORO TERMINADO

Terminar um namoro nunca é fácil, mas não precisa ser uma tragédia. Pode trazer solidão, medo, depressão, raiva, além de banguçar a sua cabeça.

Algumas sugestões para, quando seu namorado(a) terminar o relacionamento com você:

1. Não procure fazer com que ele(a) mude de ideia. Quanto mais procurar conquistá-lo(a), mas a pessoa se afastará de voce
2. Aceite esta experiência dolorosa como parte do grande plano que seu soberano Deus tem para sua vida.
3. Se você se sentiu ofendido(a) por seu namorado(a), perdoe-o(a). Se você o ofendeu(a), peça perdão. Se houve intimidade física entre vocês no namoro, o perdão é extremamente importante.
4. Cuidado para não envolver em outro namoro logo após ter desmanchado o anterior. Você sentirá solidão, desilusão e desapontamento. Estes sentimentos poderão deixá-lo(a) vulnerável para sentir forte necessidade de ter um "alguém". Às vezes isto acontece por um forte desejo de vingança. Dê um tempo para que suas emoções fiquem sob controle de novo.
5. Por outro lado, não se afaste socialmente de suas amizades, caindo na armadilha da autopiedade.
6. Não alimente seus pensamentos, sonhos e fantasias do passado. Para poder ser curado(a) emocionalmente dessa situação angustiante, você precisa reprogramar seus pensamentos e sentimentos.
7. Procure conforto emocional e espiritual através de amigos e, especialmente através da Palavra de Deus e da oração.
8. Aproveite essa experiência para aprender a melhorar os relacionamentos futuros que tiver.
9. Agradeça pelos momentos especiais que vocês tiveram e deixe claro que você quer continuar com a amizade.
10. Para superar e enfrentar esse momento difícil, procure não ficar pensando ou falando demais em seu/sua ex-namorado(a).
11. Procure-se envolver-se em atividades e mantenha-se ocupado(a).
12. E, finalmente, lembre-se de que Deus também está atento às suas necessidades emocionais. Confie que ele irá trazer até você a pessoa com quem sonha casar-se. Se você já fez o seu pedido a Deus, espere o melhor.

UMA PEQUENA FRASE:

"Lembre-se, Deus está mais interessado com quem você vai casar, do que você mesmo. Entregue essa área de sua vida a Ele".

• • • • • • • • • • • • • •

Salmo 37.4

"Agrada-te do Senhor e Ele satisfará aos desejos do teu coração. Entrega o teu caminho ao Senhor, confia nele e o mais Ele fará".

QUAL É A MELHOR MANEIRA DE DIZER "NÃO" A UM PEDIDO DE NAMORO?

Para recusar um pedido de namoro é preciso encontrar o equilíbrio entre a firmeza e a gentileza. Mas não importa o quanto você seja gentil, ao dizer "NÃO", o rapaz ficará magoado pelo menos um pouco. Quando mais você adiar, pior será a dor. O rapaz quer saber logo sua decisão para não ficar fazendo-se de bobo. Muitas vezes uma explicação clara do por que você não aceitou, ajudará a diminuir o sofrimento dele. Se você realmente gostaria que ele voltasse a pedir-lhe em namoro no futuro, diga a ele.

Independente da situação, sempre faça o rapaz saber o quanto você apreciou a atenção que ele lhe deu e agradeça por tê-la considerado especial.

CAPÍTULO 09

A VONTADE DE DEUS PARA O NAMORO

Como podemos descobrir a vontade de Deus para o namoro?

Não há uma resposta mágica para resolver e responder a todas às suas dúvidas. Somente uma vida aos pés de Cristo pode discernir claramente o que Deus pretende realizar.

O namoro é o começo de uma estrada que pode ser longa ou curta na direção do casamento. Nem todo namoro acaba em casamento, mas todo casamento começa com o namoro.

Para ajudar você, pense nos seguintes princípios:

- Descubra se ele/ela ama verdadeiramente a Cristo e se lhe é submissso (II Coríntios 6.14-17).
- Analise se os alvos de suas vidas compatibilizam-se entre si. Isto é muito importante.
- Afirme em seu coração o propósito de manter entre vocês dois a conduta sugerida pelos princípios de Deus.
- Centralize as suas atividades em coisas que glorifiquem a Deus.
- Reconheça que seu namorado/namorada é propriedade de Deus e Ele tem o direito de tomá-lo/tomá-la de você quando lhe convier.
- Desenvolvam em sua vida as características e qualidades que Deus deseja que façam parte de sua vida.
- Esteja pronto a permanecer solteiro/solteira enquanto Deus o deseja (Salmo 40.8).

A vontade de Deus pode ser conhecida por nós (Salmo 37.4, 5)

- Através de Sua Palavra;
- Através da oração;
- Através da consciência;
- Através de nossos pais e até amigos.

CAPÍTULO 10

REFLEXÕES FINAIS

SOLTEIRO(A), DE BEM COM A VIDA

Neste tempo temos encontrado pessoas adultas solteiras, que se sentem muito bem. Encontraram uma forma equilibrada de ajustar-se à sua realidade e estão de bem com a vida.

"Eu não me casei, e me sinto bem assim. Sou super ativa na minha igreja, gosto de sair de casa, estar com os amigos e viajar," é o que conta Maria Helena, 39 anos. Acreditar que só o casamento traz felicidade é um mito.

Quem fica a vida inteira vivendo sob este estigma, só perdeu tempo na vida. O casamento é bom, foi instituído por Deus e também é uma benção. Mas, é preciso percorrer um caminho de luta e crescimento, para obter-se harmonia entre os cônjuges. O sofrimento não escolhe estado civil. Portanto, buscar uma vida equilibrada e feliz, é um desafio para todo ser humano, seja casado ou não.

Ser solteiro não é maldição, nem praga e nem desgraça. É um estado circunstancial para alguns, ou um dom dado por Deus, para outros. O dom do celibato, ou seja, permanecer solteiro está na lista dos dons citados na Bíblia. É um presente do Pai para alguns dos seus filhos, para que sirvam de modo especial ao Reino de Deus. Você não tem sentido o toque do Espírito, para uma vida dedicada a Ele, sozinho, sem um cônjuge? Dentro de você há uma vontade de ter alguém, para compartilhar sua vida? Uma coisa é certa: dom de celibato você não tem!

Se você não está namorando, aproveite este tempo para buscar conhecer-se melhor. Informar-se sobre os padrões de Deus para o namoro, como construir relacionamentos duradouros; os planos de Deus para uma vida de casado. Enfim, tudo que possa dar-lhe uma boa preparação para uma vida a dois. Assim, quando Deus, em sua soberania colocar em sua vida a pessoa com quem você irá se casar você também terá cumprido a sua parte, nesse processo de espera. Qualquer que seja o momento em que você esteja passando, (se o tempo de espera aos seus olhos está sendo longo demais), lembre-se sempre o que diz Paulo, ..."a vontade de Deus é boa perfeita e agradável"(Rm 12.2).

Solteirice

Quase sempre a palavra solteiro vem associada à palavra casado. Isto provavelmente ocorre porque se refere àquela pessoa que não é casada, que vive sozinha (sem um companheiro), o que envolve, portanto, não apenas aquele que não se casou ainda ou que não pretende fazê-lo, mas também aquele que casou, mas que, por alguma razão, encontra-se sozinho como, por exemplo, os viúvos, divorciados e separados.

Quando as duas palavras são colocadas juntas, ou melhor, em oposição uma à outra, geralmente solteirice passa a ser definida de forma totalmente errada, pelo menos do ponto de vista bíblico, como veremos mais adiante.

Solteirice geralmente é vista como:

Patologia

Um problema, algo que requer tratamento ou cura para aliviar a dor, talvez a dor da solidão, e o remédio apresentado é sempre o casamento, como se fosse esta a única saída, a tábua de salvação. O solteiro, especialmente depois de certa idade, recebe o rótulo de "solteirão" ou "solteirona" o que soa quase como uma doença, uma praga. Ou então é visto como pessoa inadequada ou digna de pena e até mesmo objeto de chacota.

Há sempre muitas palavras de advertência que reforçam tais rótulos, como: "Cuidado, você ficar pra titio/titia"; "Já pensou se você ficar solteirão/solteirona, o que os outros vão dizer?" A pessoa perde até mesmo a sua identidade, o nome, porque passa a ser conhecida como "o solteirão/a solteirona".

Privilégio

Uma chamada especial para uma pessoa especial; um dom por excelência, melhor do que os outros. Um herói, porque consegue viver sozinho e usar o pronome EU com tudo que tem de direito.

Porém, quando voltamos a nossa atenção para a Palavra de Deus, encontramos um posicionamento correto e saudável sobre solteirice, como também sobre casamento. Uma visão como esta é muito importante, porque tem havido muitos preconceitos e atitudes erradas para com os solteiros por parte da sociedade e, infelizmente, também por parte das igrejas, que deveriam ser as primeiras a ter uma atitude mais positiva com relação a esta questão.

Em Gênesis 12:18, lemos: *"E disse o Senhor Deus: Não é bom que o homem esteja só."* **Em I Coríntios 7:1,** o apóstolo Paulo afirma: *"Ora, quanto às coisas que me escrevestes, bom seria que o homem não tocasse em mulher."* Os textos aparentemente sugerem uma contradição, porém, de acordo com o Dr. John Stott, um estudioso do Novo Testamento bastante respeitado mundialmente, longe de ser uma contradição eles são complementares, ainda que muitas vezes os solteiros usem I Cor. 7:1 para defenderem a sua causa e "atacarem" os casados. Os casados, por sua vez, usam Gn. 2:18 para pressionarem os solteiros a se casarem.

Os dois textos são complementares no sentido de que o adjetivo bom, usado em ambos os versos, não dá a idéia de julgamento moral, mas tem um sentido de beleza, de nobreza; sendo assim, quando colocamos os dois versículos juntos, a conclusão a que chegamos é que ambos os estados são bons, bonitos e agradáveis aos olhos de Deus. Ao invés de serem opostos deveriam ser considerados paralelos, como alternativas normais e sadias, porque cada um deles carrega em si alegrias dores, vitórias e fracassos.

Ambos os estados precisam ser encarados como presentes, dons da abundante graça de Deus. O Dr. Stott diz: *"Solteirice não é uma doença, uma tragédia da qual alguém procura escapar para o refúgio do casamento, como também o casamento não é aquela prisão da qual alguém procura escapar para a bênção da liberdade."*

Aliás, eu diria até mesmo que os melhores casamentos são aqueles feitos por pessoas que tiveram uma boa e saudável solteirice, que não foram para o casamento pensando apenas em serem felizes, como também em fazerem o outro feliz; que não levaram toda a bagagem de frustração de sua solteirice para despejar sobre o outro, que é considerado uma tábua de salvação e responsável por suprir todas as expectativas – muitas vezes tão irreais – mas cujo casamento é fruto de um processo natural e sadio, caso este venha a ocorrer.

O perfeito exemplo que solteirice é um estado saudável e deve ser recebido como um dom de Deus é encontrado na pessoa de Jesus, o Filho Unigênito de Deus, o que nos ajuda a concluir que é perfeitamente possível ser solteiro e ser normal e realizado como pessoa ao mesmo tempo.

No Velho Testamento, onde o povo de Deus aparece como uma comunidade com um modelo patriarcal de família, o solteiro, de acordo com alguns estudiosos, era considerado como integrante natural da grande família em termos de cuidado e proteção. Esta função deve ser exercida pela igreja local nos dias de hoje, onde os não-casados deveriam se sentir mais aceitos, realmente à vontade, tendo o seu lugar como filhos e filhas de Deus, ao invés de serem olhados com desconfiança, piedade, pressionados a darem um passo, no caso o casamento, para o qual não estavam preparados ou para o qual talvez não tenham sido chamados.

As igrejas talvez pudessem oferecer oportunidades para estes discutirem suas ansiedades, sonhos, expectativas numa atmosfera de aceitação. Uma boa ideia pode ser a organização de retiros ou seminários; algumas famílias da igreja poderiam convidá-los para almoçar ou jantar aos domingos ou até mesmo oferecer acomodação por algum tempo, uma vez que é tão difícil para alguns solteiros alugar casa ou apartamento hoje em dia.

Os solteiros são olhados com muita desconfiança hoje em dia, principalmente se forem do sexo feminino.

Se você é solteiro, independente de sua idade, o seu estado civil de acordo com a Bíblia, a mesma que afirma que o casamento é dom de Deus, é bom e agradável aos olhos de Deus. Porém, se você não sente que foi chamado para o celibato, de acordo com Mt. 19:12, então ore a Deus sobre o assunto e confie em sua soberania e em seu cuidado por você. Cuidado para que as pressões externas venham elas de onde vierem, não o deixem surdo para ouvir a voz de Deus, levando-o a tomar uma decisão precipitada.

Desenvolva uma relação profunda com o Senhor, uma vez que você tem maiores chances para isto do que um casado, não porque o seu estado é melhor, mas pela oportunidade riquíssima de investir o tempo que desejar neste relacionamento tão vital **(I Cor. 7:32-33).**

Fato: Li certa vez em um livro a experiência de uma senhora viúva, que vivia inconformada com o seu atual estado, cuja vida aparentemente havia perdido o sentido, mesmo muitos anos após a morte do seu esposo. Certa noite ela estava orando e abrindo seu coração diante de Deus a respeito deste assunto, quando seus pensamentos transformaram-se como que num diálogo no qual o Senhor lhe perguntava coisas como: "Por que você quer tanto um marido?" E ela respondia: "Porque eu preciso sentir-me amada, ouvir frases de encorajamento, ter alguém com quem conversar, para sentir-me segura, etc."

Ao que Deus respondeu: "Não poderia você encontrar estas coisas em mim?" Então repentinamente vários versículos começaram a vir à sua mente, tais como: "O Senhor é o meu pastor e nada me faltará" (Sl. 23.1), "O Senhor é a minha força e o meu escudo; nele confiou o meu coração, e fui socorrido..." (Sl. 28:7), "Clamei ao Senhor com a minha voz: a Deus levantei a minha voz e Ele inclinou para mim os seus ouvidos"(Sl. 77:1), ainda a promessa de Jesus de que estaria conosco todos os dias, e tantos outros que mostravam que ela possuía em Deus todas aquelas coisas que estava buscando para sentir-se realizada. Após esta experiência houve uma mudança real em sua atitude para com a vida e para consigo mesma.

Entenda que o fato de Deus ter deixado claro em sua palavra que ser solteiro é um estado saudável e agradável aos seus olhos mostra que o relacionamento sexual não é um fim em si mesmo e que, portanto, não deve ser visto como um ídolo. Ele é parte do relacionamento total daqueles que sentiram a "chamada" de Deus para o casamento. É uma das maneiras como o casal expressa seu amor um para com o outro dentro do casamento, além de ser propósito de Deus para a procriação.

Para as igrejas eu diria mais uma vez que deve haver uma preocupação natural com os solteiros, como acontecem com os casais, os adolescentes e as crianças. A igreja não deve olhar os solteiros como um grupo à parte, digno de pena, mas como qualquer outro grupo com interesses, pensamentos e necessidades próprias, as quais devem ser olhadas com carinho.

Creio que um pensamento expresso por John Stott é bastante apropriado a esta altura: "*Nunca esqueçamos de que Jesus foi solteiro e, por isso mesmo, nós temos que ter um grande respeito pelos solteiros. Se o mundo tem uma atitude negativa para com eles, a igreja deve respeitá-los, porque este é um estado agradável diante de Deus.*"

Ser solteiro(a) não é uma catástofre
Tem suas vantagens

Em I Coríntios 7, o apóstolo Paulo nos pede que consideremos a vida de solteiro como uma opção positiva e boa. *"Quero que todos os homens sejam tais como também eu sou; no entanto cada um tem de Deus o seu próprio dom; um na verdade, de um modo, outro de outro. E aos solteiros e viúvos digo que lhes seria bom que permanecessem no estado em que também vivo. Caso, porém, não se dominem que se casem; porque é melhor casar do que viver abrasado".* **(I Co 7.7-9).**

Que coisa interessante! Paulo chama o celibato de dom. Agora, nos versículos de 30 a 40 do mesmo capítulo, Paulo aborda algumas vantagens em ser solteiro:

- Evita preocupações desnecessárias (v. 20,21 e 32).
- Aproveita melhor o tempo para o reino de Deus (v. 29-31).
- Agrada ao Senhor sem qualquer distração que possa advir com o casamento.
- Promove a felicidade na vida (v.40).

Deixa-me tornar isso mais prático. O fato de ser um homem casado tem na verdade ampliado e dado maior compreensão do ministério que exerço. Posso ententer as tentações e lutas dos maridos, porque também sou um deles, compreendendo do mesmo modo, as dificuldades e tentações enfrentadas pelas esposas, pois convivo com a minha. Por ser pai, identifico-me com as pressões que outros pais passam.

Mas, por outro lado, se fosse um homem solteiro, poderia dedicar integralmente meu tempo a Deus.

Surge a pergunta: "Você já pensou que teria sido melhor continuar solteiro"?! – Não! Minha esposa e filhos têm contribuido muito para que meu ministério, na igreja local, inclusive com famílias, seja mais eficaz e, o mais importante, amo profundamente minha família e a considero um grande presente de Deus.

Viva o "hoje" intensamente

O Senhor deseja que você desenvolva o potencial que Ele lhe deu. Essa fase de sua vida, como solteiro(a), é apropriada para fazê-lo, mas não apenas isso. Ele quer que você viva alegremente, aproveitando cada momento do seu dia-a-dia, das experiências que ele traz. Nada de entregar-se à autopiedade, à depressão.

Muitas pessoas vivem no passado, lamentando um relacionamento que não deu certo. Outros vivem no futuro na esperança de que um dia, finalmente o "príncipe encantado" aparecerá. Não quero com isso, dizer que você não deve procurar um relacionamento com alguém do sexo oposto. Quero encorajar você, porém, a viver na tranquilidade e confiança de que sua vida, seu futuro estão sendo dirigidos passo a passo por um grande Deus que ama você e quer o melhor para sua vida.

VOCÊ É CAPAZ DE DESCANSAR NESSA CONFIANÇA?

DIZ O DITADO: "A PRESSA É INIMIGA DA PERFEIÇÃO"

Toda pressão que é colocada sobre homens ou mulheres solteiros, poderá levá-los, a uma decisão precipitada.

O fato de aparecer nos lugares sempre só, de ter que suportar piadinhas que ferem, de vez ou outra ter que escutar conselhos de como encontrar a pessoa ideal, de como ser mais atraente, de sentir-se deslocado(a) em meio aos amigos casados, enfim, de estar sozinho(a) e isso ser frustrante, faz com que o homem ou a mulher firme como alvo principal de suas vidas, o casamento. Mas eu pergunto: "*Você quer realmente se casar? Ou que leva você a isso? A pressão que lhe é imposta ou a certeza no coração de que a vida de casado(a) é a que o Senhor tem para você?*

Na medida em que o tempo vai passando, a pessoa solteira acostuma-se à vida que leva: às vantagens, às vezes imperceptíveis, que ela traz. A liberdade pessoal é algo precioso e, o comprometer-se com outro no casamento, é um fator que deve ser pesado, pois ela passa a ser, de certo modo, invadida por alguém. É preciso haver muita sabedoria para saber equilibrar a individualidade como o compromisso assumido.

Quero ilustrar o que estou tentanto expor sobre impaciência e precipitação:

No Velho Testamento lemos a história de Abraão. Deus prometera um filho a ele e a sua esposa Sara. Porém eles ficaram velhos e a promessa ainda não havia sido cumprida. A situação parecia sem solução, sem esperança. A esterilidade, naquela época, era vergonhosa, uma desgraça, como aparentemente, o é o celibato para alguns nos dias de hoje.

Abraão se tornou impaciente e, por sugestão de sua esposa, tomou a situação em suas mãos e gerou um filho de Hagar, empregada de Sara. Porém, Deus prometera um filho de Sara. Somente quando o tempo (**Kairos**) de Deus chegou a promessa foi cumprida.

A sua batalha não diz respeito a ser casado(a) ou solteiro(a), mas ela trava-se com principados e potestades. Você está mais vulnerável aos ataques do diabo nessa época de sua vida, por causa da carência afetiva em que se encontra. Reconheça a estratégia que ele utiliza. A verdade é uma só: ele quer arruinar a sua vida. Ele colocará em seu coração sentimentos de rejeição, solidão e depressão. Cochichará em seu ouvido que é melhor você procurar qualquer pessoa, pois em breve não haverá mais nenhum rapaz crente disponível; e que se você não for tão fiel a seus padrões morais, será mais fácil arranjar alguém. Pressões familiares e financeiras, também poderão levar você a um posicionamento precipitado.

Há somente uma resposta para este dilema: DEUS! Ele prometeu suprir cada uma de nossas necessidades (Filipenses 4.19). Talvez, ela não seja necessariamente um esposo ou uma esposa. Em Cristo você tem o poder de, confiantemente, enfrentar toda e qualquer situação.

Creia no **"Kairos"** de Deus. "*Tudo tem o seu tempo determinado, e há tempo para todo o propósito debaixo do céu". (Ec 3.1).*

Confie em Deus que Ele lhe revelará o seu tempo e propósito. Ele, sempre, será o amigo mais fiel de sua vida. "*Tudo fez Deus formoso no seu devido tempo" (Ec 3.11).*

CONFIE n'ELE!

O HOMEM SOLTEIRO

Os homens em nossa sociedade querem ser amados e apreciados, mas não se importam em ser ou não respeitados. Esta permuta social é de suma importância. Antes, os homens se importavam com esse quesito. Este ideal foi substituído por outro: ser um bom tipo, alguém que agrada a todos. De uma maneira geral, os homens se relacionam socialmente com as mulheres, buscando a sua aprovação. Isto tem feito os homens agirem com relação às mulheres de forma a não produzir respeito. Os homens têm que aprender a não se preocupar tanto por causar ao outros uma resposta emocional positiva, mas em como ganhar o respeito dos que o cercam.

O apóstolo Paulo, em **Colossensses 3.12 – 4.1** dá instruções sobre a vida cotidiana dos membros do Corpo de Cristo. Começa com os rudimentos da vida cristã: misericórdia, benignidade, humildade, mansidão e paciência. Dirige-se, logo, especificamente aos maridos, esposas, pais, filhos, servos e amos. Todos estes, na comunidade cristã, se destacam pelo que praticam em suas relações humanas. Esta progressão, que vai dos rudimentos dos ensinamentos cristãos às diferentes classes de relações pessoais, revela uma característica importante da doutrina do Novo Testamento.

Muitas das instruções das Escrituras são simplesmente elaborações do mandamento básico de amar ao próximo como a si mesmo pelo que, também, há recomendações concernentes ao comportamento particular de certas relações, como deve, por exemplo, agir a esposa, o marido, o pai, o filho, o servo, o amo, o empregado e o patrão. Há uma forma cristã de se conduzir em cada uma destas relações e Deus quer nos ensinar a sua maneira.

No terceiro capítulo de sua Epístola aos Gálatas, Paulo escreveu: "Porque todos sois filhos de Deus pela fé em Cristo Jesus. Porque todos quantos fostes batizados em Cristo já vos revestistes de Cristo. Nisto não há judeu nem grego; não há servo nem livre; não há macho nem fêmea; porque todos vós sois um Cristo Jesus" (vs. 26-28). O apóstolo disse que no Corpo de Cristo existe uma unidade fundamental que transcende todas as diferenças. Todos os que são de Cristo são um n'Ele. Esta é a principal realidade social do Cristianismo, o princípio básico que determina a maneira pela qual devemos nos relacionar uns com os outros.

Também é certo que cada um de nós tem diferentes tipos de relacionamentos. Por isso, nossa conduta no que tange ao amor não é uniforme. A maneira com que manifestamos o amor, por exemplo, varia de relação para relação. A Escritura exorta aos pais a disciplinar seus filhos; esta é uma expressão de amor, pois um pai que não disciplina seus filhos não é um pai amoroso. Por outro lado, se fôssemos aplicar esta ordenança a um de nossos amigos, nossa conduta não seria interpretada como um ato de amor. Uma ação que expresse amor em uma relação, não manifesta em outra necessariamente. A bondade demonstra amor em todas as relações, pelo que a disciplina é uma expressão de amor apropriado só em certas relações. Necessitamos, portanto, da sabedoria de Deus para saber expressar amor em todas as relações.

Paulo escreveu em **I Tm 5.1-2:** "Não repreendas asperamente os anciãos, mas admoesta-os como a pais; aos mancebos como irmãos, às mulheres idosas, como as mães; às moças, como a irmãs, em toda a pureza". O apóstolo aconselha a Timóteo, que tinha grande responsabilidade pastoral, sobre a maneira de relacionar-se com diferentes tipos de pessoas. É claro, pela natureza dos conselhos de Paulo, que há uma sábia norma cristã sobre a maneira de relacionar-se com pessoas de ambos os sexos e idades diferentes. No parágrafo seguinte, apresentaremos algo sobre esta sábia norma e como pode ser utilizada em particular pelos homens solteiros em suas relações sociais. Primeiro, examinaremos a maneira de relacionar-se com as mulheres. E, também, como relacionar-se com outros homens. Finalmente, e, de maneira abreviada, como deve ser nosso trato com pessoas que são maiores e menores que nós.

O RELACIONAMENTO COM AS MULHERES

Comecemos revisando o conselho de Paulo a Timóteo com respeito às mulheres jovens: **"...às moças como a irmãs..."** Paulo descarta com isto, dois tipos de comportamento.

Primeiro, elimina o perigo de se tratar as mulheres como a "fêmeas", puramente como a membros do sexo oposto, com quem poderíamos ou não manter algum relacionamento especial. Esta é a maneira com que muitos homens de nossa sociedade vêem as mulheres que os cercam. É por isso que o Senhor quer que compreendamos que as mulheres que fazem parte do Corpo de Cristo são, antes de tudo, nossas irmãs na fé. Nós a amamos porque são cristãs e seres humanos.

O segundo tipo de comportamento que Paulo elimina é este: tratar as mulheres como se fossem neutras. Alguns homens pensam que no trato entre homens e mulheres não há muita diferença. Quando Paulo disse que devemos amar as mulheres como a irmãs no Senhor, está sublinhando que sua identidade como mulheres é importante. Consideremos, pois, que as mulheres são diferentes dos homens em alguns aspectos. Necessitamos ver essas diferenças com a sabedoria que vem de Cristo.

Cinco princípios

Reflitamos sobre cinco princípios que nos podem servir apropriadamente no relacionamento com as mulheres.

◇◇◇◇◇◇◇ Primeiro Princípio ◇◇◇◇◇◇◇

O Senhor quer que respeitemos e honremos as mulheres *como mulheres*

Devemos respeitar as mulheres não só porque são seres humanos, mas precisamente por sua natureza feminina. Há homens que se relacionam com as mulheres de uma maneira aparentemente respeitosa, mas dão guarida a pensamentos e atitudes críticos sobre as áreas onde a mulher difere do homem. O Senhor quer que tomemos com seriedade as atitudes, os enfoques e os interesses das mulheres.

◇◇◇◇◇◇◇ Segundo Princípio ◇◇◇◇◇◇◇

Para relacionar-se com as mulheres os homens devem desejar ser *respeitados* e não somente *amados*

Os homens em nossa sociedade querem ser amados e apreciados, mas não se importam em ser ou não respeitados. Esta permuta social é de suma importância. Antes, os homens se importavam com esse quesito. Este ideal foi substituído por outro: ser *um bom tipo*, alguém que agrada a todos. De uma maneira geral, os homens se relacionam socialmente com as mulheres, buscando sua a sua aprovação. Isto tem feito os homens agirem com relação às mulheres de forma a não produzir respeito. Os homens têm que aprender a não se preocupar tanto por causar aos outros uma resposta emocional positiva, mas em como ganhar o respeito dos que o cercam.

Ganhar o respeito é importante porque o Senhor, muitas vezes, convoca os homens para que assumam autoridade, dirijam, exortem as pessoas e desempenhem funções que exijam, acima de tudo, respeito. Especialmente dentro da família. Ser digno de respeito é uma meta importante para um homem cristão. Sua relação com mulheres cristãs, ou com qualquer outra pessoa, não deve estar direcionada para produzir aprovação ou calor emocional.

◇◇◇◇◇◇◇ Terceiro Princípio ◇◇◇◇◇◇◇

Os homens não devem se sujeitar às emoções das mulheres

Certo jovem telefonou à sua casa, para falar com sua mãe. Durante a conversa, disse--lhe que não poderia participar da festa que ela lhe havia preparado. Sua mãe reagiu exasperadamente e lhe falou de tal maneira que fê-lo sentir-se culpado por haver tomado tal decisão. Pouco depois, o pai pegou o telefone e lhe disse: "Não me importa se você vem ou não. Para mim é indiferente. Mas não quero que trate a sua mãe dessa maneira". Esta é uma resposta masculina bastante comum às reações femininas. "Não importa o que você faça, conquanto que não a pertube. Faça o que ela quiser". Há algo de mal nisto. Este pai estava permitindo que sua decisão fosse determinada e controlada pela reação emocional de sua esposa. Estas reações têm que ser consideradas, mas não devem ser fator determinante para se tomar uma decisão.

Outro homem tinha um problema. Uma jovem se sentia atraída por e ele e desejava namorá-lo. Ele não queria, mas cada vez que estavam juntos, ela o assediava, forçava a situação. Depois que terminou de descrever sua situação, um amigo lhe disse: "Há algo que você pode fazer. Realmente não existe nenhum problema. Por que não disse a ela como você realmente se sente? Isto esclareceria as coisas". E ele respondeu: "Se faço isto, posso ferí-la". E tinha razão; a jovem se sentiu mal, pois queria algo que ele lhe negara.

Os homens frequentemente se subordinam às reações emotivas das mulheres, particularmente com aquelas que têm um laço emocional. Esta não é a intenção de Deus nas relações entre homens e mulheres. Devemos ter liberdade interna para que, quando recebermos uma reação emocional negativa de uma mulher, não nos submetamos a essa reação e nem tomemos nossa decisão com base neste lema: "Não importa o que eu faça, conquanto que não a pertube".

◇◇◇◇◇◇◇ Quarto Princípio ◇◇◇◇◇◇◇

Relacionar-se com as mulheres tem a ver com o falar

Dirigir a conversação é uma das áreas onde os homens mais demonstram suas responsabilidades. Não é certo a um homem deixar que outras pessoas tomem sua responsabilidade no que tange à conversação e mais: não é certo se casar para que mulher se incumba de dirigir as conversas.

Um dos costumes dos homens americanos é sentar-se frente à televisão, enquanto a mulher fica falando e assumindo a direção nos negócios do lar. O Senhor quer que sejamos responsáveis, principalmente nessa área.

O Senhor quer que estejamos dispostos a receber o serviço das mulheres, mas que não as tratemos como escravas.

Muitas vezes encontramos mulheres que querem fazer algo por nós. Os homens tendem a rechaçar este tipo de serviço, dizendo: *"isto eu posso fazer sem ajuda de ninguém"*. Esta é uma reação negativa. É bom desejar que outros nos sirvam. Por outro lado, nunca devemos pensar ou agir como se as mulheres fossem nossas escravas e que devem nos servir sempre que requisitarmos os seus préstimos.

Temos que adotar uma atitude positiva e receber o serviço das mulheres sem permitir atitudes e condutas egoístas e dominantes.

O relacionamento com outros homens

Também necessitamos de sabedoria para nos relacionarmos com outros homens. Creio que Deus quer que nossas amizades sejam com homens que tenham a mesma idade que nós. Em muitas sociedades, o grupo principal de amigos de um homem é composto por outros homens, e o das mulheres, por outras mulheres.

E isso é muito bom, pois a amizade, em termos gerais, contém um elemento de admiração, o desejo de ser como outra pessoa. Quando os amigos conversam, falam de seu companheirismo, das coisas que têm em comum e sobre a maneira uniforme com que encaram a vida. Portanto, é bom que tenhamos relações saudáveis de amizade com outros homens que tenham a mesma idade que nós. As relações que temos com mulheres, como irmãs, podem ser profundas e de apoio, mas não podem substituir adequadamente uma relação forte de amizade com outros homens.

A razão por que alguns de nós encontramos dificuldades em desenvolver tal tipo de relacionamento é porque tememos abrir o coração com outros homens. Em virtude de estarmos sempre competindo entre nós na escola, no trabalho e na sociedade, é que preferimos a companhia feminina, por ser mais cômoda e mais segura. Porém, o Senhor quer que sejamos abertos com outros homens, com os quais poderemos compartilhar nossas dificuldades e receber o apoio fraternal tão necessário para enfrentarmos o dia-a-dia. Não é necessário nos relacionarmos com eles como se fossem nossos competidores.

O relacionamento com os mais idosos e com os mais novos.

Finalmente, o Senhor quer que aprendamos a nos relacionar com os que são mais idosos e mais novos que nós. Não devemos tratar a todos por igual sem levar em conta a idade. Há dois pontos importantes que nos chamam à reflexão.

Primeiro, devemos tratar os mais idosos com respeito e consideração, não porque sejam mais competentes ou tenham mais habilidade, ou seja, mais aptos, mas, simplesmente, porque são mais idosos. Devemos nos sujeitar à suas preferências em certas coisas; devemos ouví-los e permitir que tomem a iniciativa no momento apropriado. O Senhor quer restaurar o respeito natural que acompanha as características das diferentes idades.

Segundo, o relacionamento com pessoas de diferentes idades é saudável para nós. Nossa sociedade nos ensina que devemos nos relacionar principalmente com pessoas de nossa faixa etária. Começa na escola, que está organizada em classes compostas de alunos da mesma idade. Portanto, passamos a maioria do tempo com pessoas nascidas no mesmo ano que nós. Esta é uma esfera bastante reduzida; as pessoas de nossa idade não nos podem ajudar da mesma maneira que os maiores e os menores.

É bom ter um relacionamento firme com pessoas mais velhas. Antes, as relações de um moço com seu pai, seus irmãos, seus tios e seus avós eram mais firmes e mais consistentes. Atualmente, esse quadro já não é mais o mesmo. Mas, no corpo de Cristo, estas relações podem ser restauradas.

Deus quer também que tenhamos uma relação de irmãos com os menores. Os mais idosos devem ajudar seus irmãos menores a crescer. Isto nos ajuda, também, a crescer e a ganhar ricas experiências. Este tipo de relação poderá nos parecer estranha se não a experimentarmos pessoalmente. No entanto, é realmente a maneira como Deus quer que vivam os seres humanos.

O Senhor está restaurando muitas dessas relações naturais na comunidade cristã, está nos dando sabedoria para que elas funcionem com perfeição. Todavia, há muito ainda para aprendermos. Ele quer livrar-nos por outro lado, de muitos laços que nos aprisionam. Continuemos a crescer em liberdade e sabedoria, para que a vida que Deus tem para o seu povo se desenvolva com mais abundância entre nós.

Prioridades para os solteiros

Um dos problemas básicos dos que namoram é não saberem, realmente do ponto-de-vista de Deus, quais as prioridades de vida para os solteiros. Nesse caso, normalmente, eles colocam Deus em primeiro (ás vezes com muita oscilação) e o namoro em segundo.

O que veremos agora é em que lugar o namoro deve ficar na vida do solteiro.

Efésios 6.18 diz: "*Não bebam muito vinho, porque muitos males se encontram nesse caminho; em vez disso, sejam cheios do Espírito Santo e governados por ele.*"

Sem dúvida, estar cheio do Espírito Santo é a prioridade básica na vida de cada jovem crente

"**Enchei-vos do Espírito**" é um imperativo plural. Significa dizer que não é uma opção de vida, mas que é um mandamento do Senhor que deve ser obedecido por todo crente.

"Enchei-vos do Espírito" no original está na voz passiva, o que equivale a um convite à rendição, ou seja, Deus está dizendo: *"Deixai-vos encher do Espírito".* Implica em entrega e submissão.

"Enchei-vos do Espírito" está no tempo presente. No original grego a ideia é de ato contínuo, de crescimento que não se pode deter. Portanto, estar cheio do Espírito Santo deve ser a PRIORIDADE BÁSICA DE CADA PESSOA CONVERTIDA.

Viver em submissão aos pais e cheio de respeito por eles – agrada a Deus. (Efésis 6.1-3)

Os jovens que partem para evangelizar o mundo e não se preocupam com seus pais, estão-se precipitando: "*Ora, se alguém não tem cuidado dos seus e especialmente dos de sua própria casa, tem negado a fé, e é pior do que o descrente*" (**I Tm 5.8).**

O cuidado com a família e a visão do convívio familiar é muito importante no viver do jovem cristão.

A terceira prioridade na vida do jovem crente é o trabalho, no caso da maioria, o estudo. (Efésios 6.5-8)

Entenda-se servo por empregado, e veremos a importância do trabalho, ou do estudo, visando sustentar a futura família.

O namoro que prejudica os estudos está fora das prioridades estabelecidas por Deus.

A quarta prioridade na vida cristã está em Efésios 6.11-12

Depois de estar Cheio do Espírito Santo, de se relacionar pacificamente com os pais e de estudar de modo responsável (Ef. 4.1), **a prioridade é disseminar a Palavra e participar da batalha da evangelização, obviamente sem deixar as primeiras prioridades.**

Paulo diz em **Colossenses 1.28,29:** "*O qual nós anunciamos, advertindo a todo homem e ensinando a todo homem em toda a sabedoria, a fim de que apresentemos todo homem perfeito em Cristo; para isso é que eu também me afadigo, esforçando-me o mais possível, segundo a sua eficácia que opera eficientemente em mim*".

Esta quarta prioridade implica também em assiduidade às reuniões da Igreja (**Hb 10.25**).

Depois de estar cheio do Espírito, de estar bem relacionado familiarmente pelo cuidado com os de casa, de estar estudando, visando o trabalho como o sustento da família no futuro, e de estar pregando a Palavra de Deus e sendo assíduo à Igreja, então, o jovem crente pode pensar no namoro, dando-lhe um lugar importante na sua vida. De acordo com esta linha de consideração, **o namoro é a quinta prioridade.**

Penso que os que se submetem a essa ordem de prioridades serão bem-aventurados no que realizarem.

Diante do que você acabou de ler, posso afirmar, com toda a certeza: Você pode ser uma pessoa solteira, de bem com a vida.

Como você ainda pode estar solteira

Não entendo como uma pessoa tão especial como você ainda pode estar solteira??! Esse tipo de colocação mostra e comprova a existência de certas mentiras a respeito dos solteiros. Falsas premissas como essas têm sido estabelecidas pela sociedade e também adotadas por uma grande maioria dos participantes da Igreja de Jesus Cristo.

Vejamos outras delas:

1. Se você ficar solteira será infeliz
2. Se você não se casar ficará incompleta
3. Se você permanecer solteira terá que enfrentar solidão
4. Se você for simpática e agradável haverá muitas pessoas querendo se casar com você
5. Se Deus de fato a ama, Ele certamente terá alguém para você! A felicidade não depende de estado civil, posses, cultura, treinamento, experiência e nem mesmo de nosso ministério.

A felicidade baseia-se no relacionamento que cultivamos com Deus. Ele nos criou, por Ele e para Ele. Nosso íntimo foi formado de modo a se realizar somente com a Sua pessoa. Ninguém e nada poderá substituir o espaço reservado para Ele.

A felicidade se encontra no relacionamento de amor com o Senhor dos senhores. Ele é o mais formoso dos filhos dos homens. Ele é o desejado de nossas almas.

Outra mentira é: Se não se casar, se sentirá incompleta (o).

Esta é uma grande mentira, baseada em uma interpretação inadequada da Palavra de Deus. Ele criou cada ser humano completo em si mesmo. O Dr. Hans Burk, com suas palestras foi de grande ajuda para que eu entendesse que somos completos como indivíduos. O casamento planejado por Deus é a união e a aliança de fidelidade entre duas pessoas completas e satisfeitas. Não é a busca da outra metade para então tornar-se um ser integral. Essa ideia da procura da outra metade é de origem grega e não bíblica. Deus criou Adão como uma pessoa completa, trouxe outra pessoa completa e a fez auxiliadora idônea para ambos desfrutarem um do outro. Você não deixa de ser humano pelo fato de ser solteiro. E nem tampouco se torna um cidadão de segunda classe por não haver se casado.

A questão da solidão está intimamente ligada com a questão da felicidade. Tanto mulheres quanto homens, bem ou mal casados terão problemas de solidão se não desenvolverem uma íntima comunhão com o Senhor.

A solidão não depende de estado civil, de possuir ou não um companheiro, mas da falta de intimidade com o Senhor em nossas vidas. É por esse motivo que vemos casados vivendo uma solidão a dois, bem como pessoas cercadas de admiradores vivendo solidão no meio à multidão. Só aquele que desfruta e "curte" o Senhor de verdade, em intimidade pode gozar do prazer da vida sem sofrer solidão. Por estar envolvido em aconselhamento tanto de casados como de solteiros tenho o privilégio de penetrar no santuário mais íntimo das pessoas e constatar que somente Deus preenche o vazio do coração humano. As demais coisas, amizades, relacionamentos significativos são decorrentes da intimidade com Deus.

A graça e o amor de Deus são derramados de forma igual e abundante para todos. Muitos experimentam o amor de Deus pelo fato de estarem solteiros e outros, casados. Se existem casados que agradecem a Deus pelo fato de compartilharem a vida com outros, muitos solteiros agradecem a Deus por estarem sós, pela satisfação íntima, pela liberdade pessoal, pelo fato de disporem de tempo para Deus, para si, para outros e, sobretudo, pelo fato de estarem no centro da vontade de Deus.

Vivemos em uma sociedade que pressiona as pessoas a se casarem. A igreja não fica atrás cobrando das moças e rapazes solteiros um casamento. Nesse "time" de pessoas existem aqueles que foram chamados para serem eunucos, outros as circunstâncias e pessoas assim os fizeram. Há também os que assim permaneceram por amor ao Reino. Cada um, porém, deve procurar aceitar esse fato com alegria, como um presente de Deus e não cair no jogo das "famosas mentiras" e consequentemente, torturar-se. É verdade que existem pessoas solteiras com dificuldades emocionais e psicológicas, a ponto de não conseguirem atingir um nível de comunicação que as possibilite desenvolver um relacionamento de compromisso, como o casamento. Outros, porém, conscientes de sua situação aceitam a realidade e acolhem esse estilo de vida com alegria. E o que dizer sobre o sexo nesta sociedade?

Esta área pode ser foco de tentação e problemas, caso não haja uma determinação por parte da pessoa, no sentido de viver uma vida casta, em se tratando de mente e conduta. Mas a sensualidade não é um problema enfrentado somente pelos solteiros. Os casados também são atingidos por ela e tentados a dirigirem seus impulsos a outros que não seus cônjuges. Por isso, o casamento, necessariamente, não resolve essa questão.

É maravilhoso que existam homens e mulheres solteiros que conseguem viver castos e santos, por determinação própria e com a ajuda do Espírito Santo. Tanto a vida de solteiro como a de casado possui pontos positivos e negativos, vantagens e desvantagens, realizações e problemas. Ainda não estamos vivendo a vida eterna em sua plenitude. A vida dá tantas voltas que o solteiro pode, repentinamente, casar-se e o casado, pode da mesma forma, enviuvar. Que possamos ser sábios a ponto de aproveitarmos nossas vidas com muita alegria, sabendo que ela é uma dádiva preciosa de Deus.

Cinco mandamento para os solteiro

O Pr. **Leandro Almeida**, pastor *da Mocidade Igreja Batista da Lagoinha - Belo horizonte/MG*, sugere cinco mandamentos para os solteiros que desejam trilhar uma bela jornada atéo casamento.

1. Não se envolva sentimentalmente antes de se envolver amistosamente

Um bom relacionamento pode começar através de uma bela amizade. Não se amolde ao padrão do mundo que diz que se é amigo (a) não serve pra ser namorado (a). Isso é uma mentira, um engano do inimigo, pois no casamento, ser bons amigos é fundamental para a manutenção e edificação do relacionamento.

2. Não se desespere

Acalme seu coração. Deus tem um plano específico pra você. Não é porque suas amigas/amigos estão se casando que sua hora também chegou. Não é porque está chegando aos 30 que você está "velha (o)". O desespero te desestabiliza e só te distancia do sonho de casar-se!

3. Não pense que estar solteiro é ruim

Por pior que seja o sentimento nessa fase, é extremamente e terrivelmente pior casar-se com a pessoa errada.

4. Não idolatre o casamento

Deus preparou o casamento para que uma NOVA etapa se inicie na vida de ambos. Constituir, formar uma família é o plano de Deus para, a partir daí, realizar algo maravilhoso. Ou seja, o casamento não é o fim de tudo, mas o início de algo lindo e maravilhoso. Quando se idolatra o sonho de casar, a ideia que se tem é de que o casamento é tudo. Muitos se comportam assim, pensando que a linha de chegada da vida é o casamento. No entanto, é somente um ponto de virada para que ambos prossigam realizando o chamado de Deus e vivendo promessas preciosas nEle.

5. Não deixe Deus de fora da sua solteirice

Nessa etapa da vida você tem muito mais tempo para se dedicar às coisas do Senhor. A própria Escritura nos mostra claramente que enquanto solteiros devemos cuidar das coisas de Deus. Envolva-se na igreja, nos ministérios, células e outros projetos que sua igreja local oferece. Ofereça sua solteirice ao Senhor e você verá que é muito importante saber curtir essa fase da vida. Muitos, infelizmente, por não conhecer esses princípios, quando se casam, se dão conta de que não viveram uma vida de solteiro saudável e aí deseja partir para esse erro: o de querer viver como solteiro estando já casado.

É isso aí, gente linda! Até a próxima!

Conclusão

Quando os nubentes se postam à entrada do templo, terminada a cerimônia, para os cumprimentos dos familiares, amigos e convidados, nenhum deles espera receber qualquer palavra negativa ou desencorajadora; antes, as palavras que se ouvem, entre muitos abraços, são votos de paz, alegrias e felicidades mil.

A verdade é que os noivos desejam realmente essa felicidade. Mas, por que, diante de tantos e tão bons cumprimentos, o casamento se arrasta depois mediocremente, quando não resvala para o abismo da separação?

Se o namoro foi mau, o casamento não será melhor, a menos que Deus, por um ato de pura misericórdia, intervenha na vida dos dois.

Desafios da vida de solteiro

Simone Messina é professora e líder na Igreja Batista Nacional, Santa Maria, RS. Casada com Pedro Gomes, em 17/05/2014, fala a respeito dos 5 desafios da vida de solteiro. (visite o site deles http://realizese.com/pedroesimone/).

Ela é autora do livro - O valor de estar solteiro: "um tempo para investir em todas as áreas da sua vida".

1. Desafio Nº 1: Ser um solteiro feliz

Não podemos fazer alguém feliz, se em primeiro lugar não formos pessoas felizes e completas. Casamento não é a fórmula para resolver insegurança, carência e vazio emocional. Você só será benção na vida de outra pessoa, se você estiver bem consigo mesmo.

2. Desafio Nº 2: Ser uma pessoa bem resolvida em suas emoções

Identificar traumas e comportamentos limitadores que prejudicam a autoestima e os relacionamentos. Buscar ajuda por meio da psicologia e da espiritualidade.

3. Desafio Nº 3: Desenvolver o lado espiritual

Deus é base de tudo em nossas vidas e os princípios para uma vida próspera em todos os sentidos estão em Sua palavra. Não é uma questão de religião, mas sim de estilo de vida, vida por princípios bíblicos. O aspecto em comum mais importante em um relacionamento é a comunhão espiritual. Se o casal estiver firmado em Deus, mais forte será.

4. Desafio Nº 4: Valorizar os relacionamentos

Relacionamentos familiares - dar importância a família, amar, respeitar as diferenças, aprender a perdoar, cuidar com as palavras ouvidas e proferidas dentro de casa. Saber fazer amizades, pois precisamos uns dos outros para crescermos como pessoas. A melhor forma de conhecer um cônjuge é por meio da amizade e não numa balada.

5. Desafio nº 5: Saber esperar, ser maduro e perseverante

Tudo na vida tem o seu tempo. O amor também tem o seu tempo e ele só chega quando estamos suficientemente preparados. Precisamos saber esperar o tempo das nossas conquistas e ser perseverantes em nossas decisões. Quem sabe esperar corre na frente de muita gente que se precipita em relacionamentos errados e depois tem que começar tudo de novo.

Sugestões

Diante de tudo que você já leu neste livro, aplique ainda em sua vida, esta sugestões:

a) "Só namore para casar"	1º Ts 4:4-6;
b) "Estudar a Bíblia juntos"	Fl 2:2; Am 3:3;
c) "Compartilhar coisas espirituais"	Ef 5:19;
d) "Ir à igreja juntos"	Sl 122:1;
e) "Conheça os amigos dele(a)"	Pv 13:20;
f) "Observe o relacionamento com os pais e irmãos"	Cl 3:20;
g) "Cuidado com os votos"	Ec 5:4-5;
h) "Sejam transparentes um com o outro"	Ef 4:15, 25; 2 Co 1:12;
i) "Procure saber quais são as necessidades dela(e)"	1 Co 10:24; Mt 7:12;
j) "Confessem as faltas cometidas contra o outro"	Ef 4:31; Hb 12:15; Cl 3:13;
k) "Sejam humildes no trato"	1 Pe 5:5;
l) "Desenvolvam um amor genuíno"	1 Co 13; 1 Tm 1:5.

Na busca deste ideal, meu desejo é que Deus abençõe ricamente a sua vida, do seu parceiro(a) e de seus futuros filhos. Para a Glória e Louvor de Jesus Cristo, Salvador e Senhor nosso.

O SIMBOLISMO E OS PERIGOS DO PIERCING E DA TATUAGEM

"Vocês são os filhos do SENHOR, o seu Deus. Não façam cortes no corpo nem rapem a frente da cabeça por causa dos mortos, pois vocês são povo consagrado ao SENHOR, o seu Deus. Dentre todos os povos da face da terra, o SENHOR os escolheu para serem o seu tesouro pessoal. **(Deut. 14:1-2).**

"Não façam cortes no corpo por causa dos mortos, nem tatuagens em si mesmos. Eu sou o SENHOR." **(Lev. 19:28).**

A tatuagem nunca esteve tão na moda. É impossível ir à praia, sair na rua, e não encontrar um desenho, estampada no corpo das pessoas. Para muitos, a tatuagem é um modismo, ou seja, logo passa e assim virá outra febre. Contudo, a tatuagem tem se tornado uma mania mundial e que traz dados interessantes.

Nos Estados Unidos, existem mais de 40 milhões de pessoas adeptas do tal feitiche. Na Europa, o aumento da demanda deu origem a uma nova disciplina acadêmica, a Psicologia da Tatuagem, ensinada nas Universidades de Milão e Roma.

O que leva uma pessoa a fazer de sua pele moldura para um desenho eterno? É lícito ao crente marcar o seu corpo? O que a Bíblia diz sobre isso?

TATUAGEM - IMPLLICAÇÕES HISTÓRICAS

O ato de marcar o corpo é tão antigo quanto a humanidade. No livro, "O Brasil tatuado e outros mundos – Toni Marcos" relata uma evidência concreta de tatuagem na pré-história.

Um corpo congelado, encontrado na Itália em 1991 e datado de 5300 AC, tinha tatuagens na região lombar, no joelho esquerdo e no tornozelo direito; A tatuagem deixou vestígios no antigo Egito e Mongólia de 400 AC e nas civilizações pré-colombianas e até nos autos da inquisição;

O principal nicho foram as ilhas da Polinésia, no sul do Oceano Pacifico, onde a tribo como a dos Maori usavam ossos pontiagudos para tatuar o corpo inteiro, inclusive o rosto – ritual de transformação do menino em guerreiro e da menina em esposa.

No Brasil, a história é parecida. Urucum e Jenipapo forneciam as tintas introduzidas na pele, pelos índios, muitos antes da chegada dos portugueses. Contudo, somente a partir da década de 70, com a geração hippie e os surfistas do Rio de Janeiro é que houve a disseminação (canção "Menino do Rio" – Caetano Veloso).

Tatuagem - Implicações sociais

Apesar do modismo, a tatuagem não sai do corpo, ou seja, é impossível removê-la, e ao contrário de um modismo, não pode ser trocada a cada estação.

Um dos métodos mais avançados para se remover a tatuagem é o chamado PHOTODERM, uma máquina a laser que remove a tinta.

Segundo, o cirurgião Cláudio Roncai: "É um tratamento demorado e caro e o aparelho não representa a solução definitiva, pois normalmente sobram vestígios de pigmentos na pele".

As pessoas normalmente que se tatuam sofrem discriminações, tanto da família, como sofrem objeções numa entrevista de recrutamento das grandes empresas.

Lizete Araújo, vice-presidente da CATHO, uma firma de consultoria em recursos humanos especializada na recolocação de executivos, afirma: "Normalmente, as empresas adotam os valores da sociedade, que, de maneira geral, ainda rejeitam esses adereços".

Desde a década de 1950, os cirurgiões tentam amenizar a angústia de quem um dia desobedeceu a um princípio social e familiar, afirmando que "o corpo é meu", e sofreu o preconceito e agora se encontra arrependido.

As implicações sociais da tatuagem são muito sérias – discriminação da família e da sociedade.

Segundo o psicólogo Miguel Perosa, professor da PUC de São Paulo, o desenho escolhido tem sempre a ver com o íntimo de cada um. "Através da tatuagem, a pessoa quer dizer algo de si mesma. O dragão, por exemplo, testemunha o desejo de autoafirmação".

Além dos símbolos, o local usado também tem muito a dizer:

Tronco – denota capacidade de decidir;

Braços – significa que o indivíduo está atravessando uma fase de lenta maturação;

Pernas – indica pessoas infantis e pouco reflexivas.

Tatuagem - Implicações religiosas

Analisando o uso da tatuagem pelas nações tribais, percebemos que estão sempre ligadas a questões religiosas. Portanto, não é apenas um protesto juvenil, mas faz parte de uma vinculação de crenças com imagens impressas no corpo.

Pelo contexto das leis levíticas podemos compreender que:

1. Os golpes e marcas no corpo tinham relações com rituais pagãos e até feitiche envolvendo a memória de mortos.
2. As impressões corporais não eram apenas enfeites, mas, faziam parte da identificação e vinculação da pessoa com crenças em deuses e rituais pagãos.
3. Era uma violência contra o corpo físico.

Baseado nisto podemos afirmar que, não é recomendável que um cristão, sob qualquer pretexto, marque seu corpo com figuras ou qualquer imagem, pois:

1. O cristão e, evidentemente, seu corpo são templo do Espírito Santo, I Coríntios 6.19-20: *"Ou não sabeis que o vosso corpo é o templo do Espírito Santo, que habita em vós, proveniente de Deus, e que não sois de vós mesmos? Porque fostes comprados por bom preço; glorificai, pois, a Deus no vosso corpo, e no vosso espírito, os quais pertencem a Deus."*

2. Qualquer traço de identificação que exista nele deve remontá-lo, deve vinculá-lo ao Senhor de sua vida, ao Senhor de seu corpo, Gálatas 6.17: *"Desde agora ninguém me inquiete; porque trago no meu corpo as marcas do Senhor Jesus."*

3. A marca identifica o possuidor, e as tatuagens identificam o indivíduo com outros deuses, Apocalipse 14.9-10: *"E seguiu-os o terceiro anjo, dizendo com grande voz: Se alguém adorar a besta, e a sua imagem, e receber o sinal na sua testa, ou na sua mão, Também este beberá do vinho da ira de Deus, que se deitou, não misturado, no cálice da sua ira; e será atormentado com fogo e enxofre diante dos santos anjos e diante do Cordeiro."*

O dragão, preferência absoluta entre os jovens, remete a criação humana e testemunha o desejo de autoafirmação. (Revista Galileu, n.º 86)

O dragão na Bíblia simboliza Satanás (Apocalipse 20.2)

> *"E VI descer do céu um anjo, que tinha a chave do abismo, e uma grande cadeia na sua mão. Ele prendeu o dragão, a antiga serpente, que é o Diabo e Satanás, e amarrou-o por mil anos."*

Finalmente, é bom salientar três realidades, vinculadas a aquele que se tatua:

1. Enfeitar o seu corpo, mesmo que seja com uma rosa, o estaria vinculando a um possuidor estranho ao Senhor, por se tratar de uma prática milenar pagã.
2. A prisão de uma imagem que uma pessoa imprime no seu corpo, é capaz de marcá-la:
   - **a. Socialmente –** por causa da discriminação e preconceito.
   - **b. Emocionalmente** – porque a tatuagem é uma marca permanente.
   - **c. Espiritualmente** – por indicar sua vinculação a uma prática pagã.
3. Se desejamos marcar o nosso corpo, que estas marcas seja o símbolo da nossa devoção ao Senhor Jesus.

   "Desde agora ninguém me inquiete; porque trago no meu corpo as marcas do Senhor Jesus." **Gálatas 6.17.**

O Dicionário de Simbolos de J.E. Cirlot diz que "o simbolismo genérico engloba tatuagem e ornamentação como atividade cósmica, incluindo sentido sacrificial, místico e magico" veja alguns pontos:

1. A TATUAGEM PODE SER UM SINAL DE PROPRIEDADE E PACTO MÍSTICO

No oriente (China, Japão), a tatuagem estava vinculada às divindades configuradas no símbolo. Os líbios tatuavam-se para a deusa Neit, os egípcios para Atargatis e na Síria para deuses diversos."

"Na *antiguidade, a tatuagem associava-se ao culto dos deuses-demoníacos e era praticada durante ritos dedicados por feiticeiros. O sangue que brotava das feridas, o qual, segundo criam, levava consigo os espíritos malignos." 'Dá idéia de consagração." O pacto era feito para se incorporar a* entidade do desenho: escorpião, demônios". **(1 Co 10.20-21).**

2. A TATUAGEM PODE IDENTIFICAR O GRUPO E SER USADA COMO TALISMÃ

Na Polinésia identificava o clã e a hierarquia. Na Europa do séc. XVII ela passou a ser propagada pelos marujos como talismã, distinguindo-os dos demais. A mafia japonesa, yakuza, surfistas, metaleiros, presidiários, fazem o mesmo. Os nazistas tatuavam judeus para ofenderem sua fé **(1 Co 3.16-17; 6.19-20; 1 Ts 5.5).**

A palavra tattoo, propagada por James Cook. **A tatuagem pode expressar anarquismo e rebeldia**, refere-se ao som dos ossos finos usados na aplicação da tatuagem. A máquina elétrica foi patenteada por Samuel O'Relly em 1891, cm Nova York, e chegou ao Brasil em 1959. A onda atual que inclui o piercing vem dos hippies e punks e da influência do rock pesado. Essa herança comunica rebeldia a Deus, à família e às autoridades. Defende a liberdade sexual e a Nova Era **(Ef 5.6-13; 1 Ts 5.22; Cl 3.17; 2.6).**

Os perigos da tatuagem e a Bíblia

Este estudo fala apenas da origem da tatuagem. Muitos a usam por razões próprias (**I Co 8.9; Rm 14.12).** Mas, há riscos de contrair o vírus HIV, hepatite, infecções bacterianas e virais. Se você fez a tatuagem sem orientação, a liderança da Igreja local lhe dirá como agir.

> "*...e escrita de tatuagem* ***não porei*** em vós" (A Torá - tradução judaica).

> "*Não façam cortes no corpo por causa dos mortos, nem tatuagens em si mesmos*" (**Lv 19.28** - NVI - Nova Versão Internacional da Bíblia).

O simbolismo e os perigos do piercing

Esta indumentária para o corpo surgiu na Índia há bastante tempo. Sua função é trazer mais um adorno, uma diferenciação, uma certa forma de beleza estética. Mas para que fazer isso?

Todos os **Piercings** indianos são dedicados a deuses e/ou ídolos regionais e territoriais. A partir do momento que você coloca um Piercing em seu corpo você está sujeito a uma atuação demoníaca, mesmo que você não queira ou não saiba que isso vai acontecer. O diabo não está nem um pouco interessado em saber qual é a sua intenção, ele não quer saber se você sabe ou não o significado do que você está fazendo; ele apenas usa suas artimanhas para se apoderar da sua vida.

Portanto, vou explicar um pouco dos significados dos Piercings nas partes do corpo mais comumente utilizadas para sua colocação, segundo estudos feitos por pastores (não foi citada uma fonte segura quanto à origem desses argumentos, mas há uma grande correlação com as partes do corpo na quais eles são colocados e seu reflexo no mundo espiritual, visto que as partes do corpo citadas abaixo têm uma influência muito grande na vida das pessoas, na área da fala, visão, gestação, sexualidade, sensualidade e outras, além de denotarem os chamados "chacras energéticos").

- O Piercing colocado no **nariz** significa ***DOMÍNIO*** e seu sentido no mundo espiritual é uma distorção do caráter e um direcionamento que causam rebeldia e uma autoconfiança muito exacerbada.
- O Piercing **nas sobrancelhas** dá vazão para um ***APRISIONAMENTO DA MENTE***, causando um bloqueio na mente de quem os usa. Para essas pessoas nada tem grande importância principalmente na vida espiritual.
- O Piercing nas **orelhas,** muito comum, significa ***APRISIONAMENTOS EM ÁREAS ESPECÍFICAS*** do corpo, podendo ser bloqueio do sistema nervoso, sistema simpático e sistema parassimpático. As pessoas que os usam podem sofrer de problemas na coluna, útero, alterações de libido e personalidade e, também, alterações genitais.
- Um dos piercings que estão mais na "moda" é colocado no **umbigo.** Este está na área destinada a ***ALIMENTAÇÃO***. Serve como um local de canalização de espíritos satânicos no corpo de quem os usa. Ele representa a exposição do corpo (sensualidade) visto que as pessoas que os usam gostam de deixá-los à mostra.
- O Piercing nos lábios significa um ***DOMÍNIO NA FALA***; assim como o que é colocado na **gengiva.** As pessoas que os usam estão propensas a ter insegurança nessa área, dificuldades para uma boa comunicação, etc. Seu significado na vida dessas pessoas é como de um cabresto e pode ser representado na forma de gagueira. A diferença entre o colocado nos lábios e o que é colocado na gengiva, é que o segundo representa a LUXÚRIA.
- O Piercing nos órgãos genitais traz como significado principal a ***PROSTITUIÇÃO***. Ele pode causar um estímulo intrauterino para atuação de espíritos nessa área causando esterilidade e outros problemas nas mulheres e, também, nos homens. Ele traz uma atuação na área da prostituição na vida das pessoas que o utilizam.

Bem, significa que todas as pessoas que você vir com esses tipos de piercings estarão manifestando esses sintomas que foram ditos? Não, nem sempre. Mas digo que no mundo espiritual elas estão aprisionadas de alguma forma por essas marcas que elas carregam no corpo. Pois está escrito que *"Não farão os sacerdotes calva na cabeça, e não raparão os cantos da barba, nem farão lacerações na sua carne".* **(Levíticos 21:5)** .E também: **"***Não fareis lacerações na vossa carne pelos mortos; nem no vosso corpo imprimireis qualquer marca. Eu sou o Senhor."* **(Levíticos 19:28.)**

Na atualidade, as pessoas que usam esse tipo de indumentário, são tidas como rebeldes, marginalizadas da sociedade, exibicionistas, enfim não recebem muito crédito e muitas vezes são descriminadas. Portanto, como nós cristãos devemos nos apresentar? Como pessoas estranhas, rudes, descriminadas ou como filhos do Senhor agradáveis em todos os aspectos inclusive o visual? Não para Deus, pois Ele vê nosso coração, mas devemos lembrar que as pessoas não têm essa capacidade!

Está escrito claramente na Palavra do Senhor que qualquer tipo de marca ou laceração (*que não seja feita com um direcionamento do Senhor*) na pele, não O agrada. Portanto, como **piercings e tatoo** são marcas ou lacerações, podemos concluir que não agradam ao Pai.

Mas e os brincos? Como lidar com os brincos? Os brincos são uma espécie de adorno adotado desde os tempos do Senhor e a Bíblia não fala nada sobre as perfurações feitas pelos brincos. Além disso, um brinco passa despercebido quando está na orelha de alguém, já não acontece o mesmo com um piercing, e talvez esse seja um dos motivos dele ser colocado: preencher a falta de algum vazio dessa pessoa, que precisa de um "chamativo" para ser vista pela sociedade, quando na verdade o que ela precisa mesmo é de buscar mais de Deus em alguma área da sua vida para preencher esse vazio.

Abaixo você encontra uma lista com alguns sites interessantes que falam sobre os piercings.

- "Mas traduzido pelo senso comum como sinônimo de agressividade. "Assim como a tatuagem, ele também é uma representação da individualidade, uma tentativa de sair da identidade familiar para a grupal" (Trecho retirado de uma matéria da Galileu -http://galileu.globo.com)
- "Tatuagem e piercing: em algumas culturas juvenis a pretensão a viver `na margem´ incorpora-se literalmente através de algumas inscrições corporais socialmente percepcionadas como excessivas, transgressoras do espaço de limites e possibilidades legítimas de utilização decorativa do corpo, como a tatuagem e o bodypiercing. [...]A assunção e percepção da radicalidade neste tipo de projectos tem por referência um modelo de corporeidade que é, à partida dissidente, transgressivo, indisciplinado." (Trecho retirado do site (http://www.ics.ul.pt/investiga/projectos/opj/est_monog.htm#Exp).
- "...manifestações do bodymodification (piercing) reforça o homem-máquina..." (http://www.pragatecno.hpg.ig.com.br/moda.htm) - Não deveria ser homem espírito? (nota de Breno Amaral)
- "...sinônimo de revolta e independência..." (frase de um tatuador)

- "Fruto do exibicionismo, da loucura ou da simples vontade de se ornamentar, os anéis corporais foram trazidos da cultura underground da costa da Califórnia (USA) e do universo sadomasoquista, por jovens sem preconceitos, que viram nele uma nova forma de exaltar o corpo e as suas zonas erógenas. Outrora os anéis corporais tinham conotações sagradas, dramáticas e classicistas." Carmen Martín (http://www.alem mar.org/ecclesia/artigo_fc.asp?cod_artigo=135543)
- "Vários ex-satanistas afirmam que um dos principais sinais de uma sociedade estar adotando o satanismo é o aumento no número de pessoas que usam piercings e tatuagens. Em Deuteronômio 14:1 e Levítico 19:28, Deus proibiu a tatuagem, pois andava de mãos dadas com a adoração a Satanás entre os povos vizinhos de Israel naquele tempo. Deus proíbe a perfuração do corpo em Levítico 21:5, igualmente porque era parte do satanismo daquele tempo, e Deus não queria que Israel tivesse nada a ver com essas práticas ou outras manifestações físicas delas." (http://www.espada.eti.br/n1514.asp)

Agora que já sabe que alterações no santuário do Espírito Santo não agradam ao Senhor, você pode optar por ser: abençoadinho(a), abençoado(a) ou abundar na graça e na unção do Pai.

O Senhor é um Deus de amor e quer sempre o melhor para Seus filhos e nunca vai querer que nenhum de nós se perca por causa as armadilhas de satanás. Somos mais que vencedores em Cristo Jesus!!!

Perigos do piercing

A revista *Época* de 25/02/2 002 aponta diversos perigos do piercing:

Língua: Pode provocar fendas nos dentes e infecção geral. O uso do **"body piercing"** ou corpo perfurado, é usado há mais de 5 mil anos na Indonésia, Roma, Egito, Índia e outros povos por questões religiosas, culturais, políticas,como adorno,ou até mesmo para identificar escravos

No Brasil essa moda chegou no ano de 1995, reflexo do mundo moderno europeu e não de nosso passado indígena. Feitos de aço cirúrgicos (nióbio, titânio ou ouro), ou até mesmo de acrílicos e madeira. Apresentam boa biocompatibilidade e na maioria das vezes são colocados na região bucal (na língua, freio lingual e mucosas labiais) e sem os menores cuidados de higiene. Quando colocado o "piercing", é que os absurdos começam à aparecer. Na colocação feita sem anestesia e com a recomendação de que "não retire o piercing para que não feche o buraco", ou seja, para que não ocorra a cicatrização e sim uma hiperplasia inflamatória reacional com células epiteliais totalmente desorganizadas, muitas até podendo evoluir para doenças mais graves como o câncer; fora o fato da pessoa sair cuspindo sangue sem parar, e sem recomendações médicas.

O fato é tão preocupante que em São Paulo, menores de idade mesmo com a autorização dos pais são proibidos por uma lei municipal desde 1977 e já nos U.S.A em São Francisco estudam a possibilidade de proibir totalmente o uso dos "piercings" Os problemas mais comuns que podem aparecer com o "piercing" na língua são halitose, periodontite, dentes quebrados, inflamação severa na língua, dificuldade de fala, lesão no palato por atrito e muitas outras. Também existe a possibilidade de tranmissões de viroses como hepatite e até mesmo AIDS, por sua posição na boca e principalmente condições de higiene bucal, precárias.

São vários os malefícios provocados pelo uso dos "piercings" na boca e mais especificamente na língua, onde ele é mais usado. Do ponto de vista local, os "piercings" podem provocar **alergias, fratura nos dentes, periodontites, halitose(mal hálito), infecções locais, inflamação severa da língua, alteração da fala, trauma no palato, hemorragias** e outras consequências que estão sendo pesquisadas. A literatura faz citações de hemorragias intensas quando da colocação dos "piercings". Por outro lado a literatura internacional relaciona o "piercing" com **hepatite, cefaléia, tétano, asfixia, choque anafilático, septicemia, endocardite e até mesmo AIDS**. Em recente publicação da clínica Mayo de Rochester (USA), foi relacionado o uso de "piercing" bucal com endocardite infecciosa.

Em um trabalho realizado na Alemanha, em 2000, com 273 pessoas portadoras de piercings na boca, foram verificadas alterações em 25% dos casos. A revista odontológica americana "JADA" de maior credibilidade no mundo, em janeiro de 2001, relaciona o "piercing" na boca com **hepatite B, C, D, G, AIDS e endocardite.** A escola de Odontologia de Nova Jersey publicou na revista General Dentistry (2001) um artigo intitulado "Piercings podem provocar doenças fatais".

Cancêr bucal: é bom esclarecer que o câncer bucal está relacionado a condições multifatoriais, como o fumo, álcool, agentes biológicos, resistência do hospedeiro, entre outros fatores, e o trauma crônico.

Neste particular, a participação agressiva do "piercing", que é um trauma crônico, é fundamental.. O INCA (Instituto Nacional do Câncer) coloca o trauma crônico como um fator cancerizável. É inquestionável que para quem fuma, bebe e usa "piercing" as chances de câncer aumentam.

Quer saber mais? Procure no Google: imagens, piercing na lingua ou simplesmente piercing e pasme!

Sobrancelha- Inchaço e dor impedem a higienização correta do local e abre caminho para infecções.

Umbigo - A pele pode ficar irritada com reações alérgicas.

Nariz_- Danifica os vasos sanguíneos e produz cicatrízes.

Em **Ex 21.6** perfurar a orelha simbolizava um pacto de escravidão. Ro/and de Vaux, ex-diretor da École Biblique de Jerusalém, diz: "*As leis antigas da Mesopotântia presumem que o escravo seja marcado, conto uma rês, com uma tatuarem um estigma feito com ferro em brasa ou ainda com uma etiqueta presa a seu corno* (Dt 15.17). ...*Sinal de identidade, como as tatuagens dos cultos helenísticos.*

Um sinal de escravidão

Deus aprovaria algo que chega a mutilar o templo do Espírito Santo? Veja o alerta que a Bíblia faz em **Cor 3.16-17.** Existe a tese de que os locais mais perfurados estejam relacionados à salvação e que, como certos adornos, o piercing constitui uma tranca que aprisiona a alma **(Ez 13.18-2 1).** Um sinal visível de escravidão espiritual. Leia os textos abaixo, faça sua própria avaliação e tire suas conclusões:

1. **Nariz** - fôlego de vida (Gn 2.7; 7.22-24; Is 2.22, 42.5; Ec 3.19, 21)

2. **Boca - confissão** (Rom 10.8-9; IJo 1.9; Mt 15.18;21.16; Tg 3.10; Pv 21.23)

3. **Sobrancelhas (olhos) - mente** (Mt 6.22-23; Ef 1.17-18, 4.18; II Co 4.4)

4. **Orelha - ouvir e crer** (Rom 10.14-18; Hb 3.15; Is 6.10; Jr 17.23; Ap 3.6)

5. **Umbigo (ventre) - sede da vida** (Jo 7.38-39; 4.14; Fp 3.19; Riu 16.18).

Segundo a Clínica Mayo (EUA), numa pesquisa feita com 454 estudantes, um em cada dez usuários do piercing sofreu infecção. A Universidade de Yale informou que uma garota de 22 anos sofreu infecção no cérebro, causada por um piercing de língua. As bactérias da boca chegaram ao cérebro pelo sangue. Você sabia que a lei 9.828/97(SP) proíbe essa prática para menores e que A. La Vey, fundador da Igreja de Satanás defendia a tatuagem e o piercing, por entender que são rejeitados em **Lv 19.28 e Dt 14.1-2**, e que certas tatuagens são propagandas do mal? **(Lc 10.18-20; 10.3; 20.2).** O que você diz de **Is 3.18-21, 1 Cor 3.16.17; 6.19-20, Rm 12.1-2?**

O Cristão deve usar piercing ou tatuagem?

O pluralismo corrói insidiosamente o cristianismo. Para muitos o piercing e a tatuagem é apenas uma questão cultural. Entretanto, "o Evangelho nunca é o hóspede da cultura; ele é sempre seu juiz e redentor," pois parte dela é demoníaca. O cristão está na contramão (Tg 4.4; 1 Jo 2.15; Rm 12.1-2). Que prática você deve rejeitar?

1. Se traz escândalo ou fere a consciência alheia (Mt 18.7; Rm 14.21)
2. Se deforma a dignidade humana (II Cor 4.2;Cl 3.17; 1 Cor 6.12)
3. Se a natureza da prática dá lugar à carne, envolve magia, ocultismo, idolatria, exploração, malignidade (Gl 5.13;Cl 3.17;IPd 1.14-25)
4. Se apresenta alguma aparência do mal (1 Ts 5.22; Ef 5.8; Mt 5.13-16)
5. Se viola a autoridade dos pais, pastor, governo (Rm 13.2; Tt 1.9-10)
6. Se traz dúvidas ao coração ou à consciência (Rm 14.22; 1 Jo 3.20)
7. Se não traz edificação ou a glória de Deus (1 Cor 6.19-20; 10.23).

Para J.R. Stott "somos diferentes de tudo **no mundo** que não é cristão e esta contra-cultura cristã **é a vida do** Reino de Deus." Por fim, H.R. Niebuhr apresenta Cristo como o transformador da cultura.

É VERDADE QUE A VOZ DO POVO É A VOZ DE DEUS?

A Moda, a Liberdade e a Cultura da Imagem

Fausto Rocha responde: A voz do povo não é a voz de Deus, foi o povo que gritou: *Fora com este* **(Jesus).** *Crucifica-o!* **(Lc 23.18-23)**

Não é porque bilhões de moscas visitam o lixo diariamente que você fará o mesmo. A realidade virtual explorada nos veículos culturais (TV internet, cinema e a arte), comandada por inteligência artificial transformou-se na própria cultura. Dita a moda, valores e padrão de vida, aversos a Deus. As perguntas abaixo guiarão você:

1. Isto prejudicará outros ou fará mal ao meu corpo? (1 Cor 8.9-13)
2. Em meu lugar, o que faria Jesus? (1 Pd 2.21;I Jo 2.6;C1 2.6;Jo 13.15)
3. Posso testemunhar da minha fé enquanto faço isso? (1 Pd 3.15)
4. Minha consciência terá paz se eu fizer assim? (ITm 1.19;I Jo 3.10)
5. Meu pastor está de acordo com essa atitude? (Hb 13.7,17; Rm 13.2).

Conforme a confissão de Westminste, ***"Todo o conselho de Deus*** *concernente a todas as coisas necessárias para a glória Dele e para a salvação, fé e vida do homem, ou é expressamente declarado na Escritura ou pode ser lógica e claramente deduzido dela."*

Tatuagem - É pecado tatuar?

por Pr. Lúcio Barreto Jr. Pastor de Jovens
Igreja Batista da Lagoinha – BH

Existem cristãos que defendem que sim e que não. Os que dizem que é pecado se tatuar, baseiam-se no texto bíblico de Levítico 19:28 para comprovar seu argumento. Lá diz: "*Não façam cortes no corpo por causa dos mortos, nem tatuagens em si mesmos. Eu sou o Senhor.*"

Os contrários à tatuagem simplesmente dizem que a bíblia deve ser obedecida e que a tatuagem é um modismo pecaminoso e contrário à vontade de Deus. Eles também lembram que no passado as pessoas se tatuavam para se proteger dos males do mundo espiritual e para se identificar com algum deus ou entidade.

Já os cristãos que defendem a tatuagem, também usam Levítico 19 para provar que estão certos. Eles dizem que os versos anteriores ao verso 28, também trazem uma série de mandamentos divinos que não são mais obedecidos hoje simplesmente porque eram apenas para aquela época. O argumento usado é de que o livro de Levítico contém uma série de leis que visavam manter os filhos de Israel saudáveis e puros diante de Deus. Como as tatuagens naqueles dias eram extremamente perigosas e poderiam resultar em ferimentos, doenças, e até mortes, os que são a favor dizem que a tatuagem hoje é perfeitamente permissível por ser uma prática totalmente segura. Além disso, muitos dizem usar a tatuagem como meio de evangelizar, tatuando em si mesmos símbolos cristãos e até versos bíblicos.

Eu penso que é preciso analisar os dois lados da moeda e chegar a uma conclusão que não traga confusão nem escândalo.

Por isso, é preciso levar em consideração os seguintes argumentos:

1- Nunca faça uma tatuagem contra a vontade de seus pais ou líderes espirituais.

2- Lembre-se que a tatuagem é permanente e que não haverá lugar para arrependimentos. Mesmo as tatuagens passageiras podem trazer transtornos.

3- Pergunte-se: Qual a motivação para eu me tatuar? É para a glória de Deus ou para aparecer, ficar na moda, ou mesmo porque meus amigos fizeram?

4- Pergunte-se também: Qual mensagem estou tentando transmitir para as pessoas ao me tatuar? Qual o propósito da minha tatuagem?

5- Pergunte-se ainda: Será que minha tatuagem vai causar escândalo entre cristãos ou não cristãos? Isso me será proveitoso ou não estou nem ai?

6- A tatuagem amanhã poderá se tornar desagradável para você, a ponto de ser um empecilho em sua vida sentimental ou até mesmo atrapalhando você de conseguir um emprego. Já pensou nisso?

7- Pense assim: Será que não estou somente olhando os argumentos que mais me agradam? Será que muitos já não estão tão certos de suas ideias que já nem querem ouvir o que outros têm a dizer sobre tatuagem?

8- Por fim: você que é contra a tatuagem tem que pensar que poderá estar se privando da tatuagem pelo fato de que realmente o mandamento de Levítico era só para os dias passados. Já você que é a favor, tem que pensar que sua tatuagem pode realmente ser um pecado e que Deus ainda condena as marcas feitas no corpo.

Eu não tenho tatuagens e decidi que não farei tatuagens em mim, pois prefiro descobrir na eternidade que me privei das tatuagens à toa do que descobrir que pequei fazendo tatuagens. Eu prefiro errar pelo excesso de zelo a pela falta dele.

Não peço a ninguém que tire tatuagens já existentes, mas incentivo fortemente os cristãos a não se tatuarem, porque, na dúvida, prefiro acreditar que Levíticos 19:28 ainda se aplica a hoje. Sinto decepcionar a muitos, mas prefiro isso a decepcionar a Deus. Tenho outras formas de me marcar, como quando uso camisas com dizeres ou símbolos cristãos, ou quando me identifico com Cristo através das canções que ouço ou mesmo do meu comportamento.

O importante é que meu coração foi tatuado com o nome de Jesus, seu sangue marcou e ainda marca toda minha vida, e isso se reflete no meu dia-a-dia. Eu não tenho uma tatuagem em mim dizendo que sou um Louco por Jesus, mas mesmo assim, muitos reconhecem em mim um Jesus Freak. Isso é que importa! Se você precisa de uma tatuagem para te identificar com Jesus, então Ele ainda não lhe marcou.

Jesus é o maior tatuador do mundo, portanto, seja marcado por Ele.

Nota: Se você deseja ver os aburdos das tatuagens – consultar o Google / imagens.

Amizade especial

Como é bom ter amigos! Quem tem amigos nunca está sozinho. Amizade vale ouro! Principalmente quando é especial. Afinal, seu amigo ou amiga tem tudo para ser a pessoa que vai passar o resto da vida com você. Por isso, tem que ser muito especial. Concorda?

Você é filho e o sonho de Deus para seus filhos é que tudo o que existe de mais lindo e completo no mundo seja seu. A Bíblia diz que o homem tem muitos amigos, mas existem amigos que são mais chegados que irmãos. Se você tem um amigo mais chegado que um irmão, então você tem um "Amigo Especial".

O significado de especial é "o contrário de geral, é individual, particular, próprio, peculiar, específico. Exclusivo para determinada pessoa, privativo, reservado, fora do comum, fora de série". Este é aquele que está disposto a desenvolver o caráter, aquele que está disposto a trabalhar nas áreas negativas ajudando a corrigi-las e estimular as áreas positivas.

O Amigo Especial é aquele que está disposto a pagar o preço estipulado para obter aquela ou aquele com quem passará o resto de sua vida. O Amigo Especial é aquela pessoa com quem você tem acordo. Em Amós 3:3 diz: **"Como poderão andar** dois juntos, **se não tiver entre eles acordo?".** Os amigos especiais são aqueles que acordaram em conhecer o caráter um do outro, aproximar as famílias, buscar a presença de Deus juntos, crescer profissional e espiritualmente, ser acompanhados por uma liderança espiritual até ficar noivos e casar com a bênção dos pais, dos seus pastores e principalmente, com a bênção de Deus. Não é lindo? Quem adota, voluntariamente, a Amizade Especial não diz: "Meu namorado" e sim, meu "Amigo Especial".

Para conceituarmos Amizade Especial, vamos primeiro ver o conceito de amizade que significa "afeição, simpatia, dedicação, identificação pessoal, e amor sem interesses".

Ilustrando: Certa vez um soldado disse ao seu tenente: - Meu amigo não voltou do campo de batalha, senhor, solicito permissão para ir buscá-lo. - Permissão negada, replicou o oficial. Não quero que arrisque a sua vida por um homem que provavelmente está morto. O soldado, ignorando a proibição, saiu, e uma hora mais tarde regressou mortalmente ferido, transportando o cadáver de seu amigo. O oficial estava furioso: - Já tinha dito que ele estava morto!!! Agora eu perdi dois homens! Diga-me: Valeu a pena trazer um cadáver? - E o soldado, moribundo, respondeu: - Claro que sim, senhor! Quando o encontrei, ele ainda estava vivo e pôde me dizer: "Tinha certeza que você viria!"

"Amigo é aquele que chega quando todo mundo já se foi."

Agora veja a diferença no conceito de paixão: "Sentimento excessivo, capaz de perturbar o juízo, afeto violento, amor ardente, sentimento abrasador. Paixão é também desejo sexual sem amizade". É assim que os namorados estão, simplesmente apaixonados! Os namorados apaixonados dizem que paixão não combina com lógica ou com racionalidade e que não há diferença entre um sábio e um tolo quando estão apaixonados. Apaixonar-se é abrir-se para o outro sem nenhuma garantia. Quando alguém está apaixonado, começa por enganar-se a si mesmo e acaba por enganar aos outros. Tudo isso é paixão!

Conceituando Amizade Especial para os jovens cristãos, podemos dizer que é uma contracultura que prega a ausência de envolvimento físico no relacionamento entre duas pessoas, com o fim de se conhecerem e se preservarem sexualmente puros para o casamento.

Amizade Especial não é namoro. Nada tem a ver! No namoro há contato físico, na amizade especial não! Todavia, o casal tem o compromisso de não se envolver emocional nem fisicamente com nenhuma outra pessoa, visto que tem um compromisso de se guardar para a pessoa com qual está desenvolvendo a Amizade Especial.

Podemos dizer que Amizade Especial é o relacionamento à maneira de Deus porque temos a garantia de que a Santidade ao Senhor será preservada. Podemos também chamá-la de Pré-Noivado, pois a Amizade Especial tem o propósito de ambos se conhecerem, com a intenção de ficarem noivos e marcarem o casamento, ao contrário do namoro, em que a maioria não tem compromisso nem com o casamento.

É comum encontrarmos casais que namoram há vários anos e nem sequer falam em casamento. Com isso, o propósito destes relacionamentos é o suprimento sexual sem o casamento, tornando impraticável a santidade que Deus exige dos jovens namorados. "Mas, **se não conseguem controlar-se, devem casar-se, pois é melhor casar-se do que ficar ardendo de desejo" 1 Co 7:8.**

Amizade Especial é um relacionamento totalmente diferente do que se tem visto entre a juventude de hoje. É um modelo de relacionamento voluntário, onde a ênfase não é dada aos beijos e abraços e sim ao conhecimento um do outro, ao relacionamento com as famílias e ao acompanhamento de um discipulador, que terá o papel de conselheiro espiritual dos dois.

A ausência de contato físico será suprida com outras atividades, tendo como prioridade, pela ordem, relacionamento dos dois com Deus, aproximação e comunhão das duas famílias, dedicação aos estudos e formação profissional e o envolvimento na obra do Senhor, para ganharmos a juventude do nosso país para Ele.

Podemos dizer que a Amizade Especial é um relacionamento advindo de Deus porque preserva o casal do abrasamento comum do namoro.

Para você que está_lendo pela primeira vez a respeito de Amizade Especial, creio que a primeira coisa que deve estar em sua mente é que a falta de beijos, abraços e "amassos", tornarão o relacionamento sem graça. Tudo vai depender do seu ângulo de visão. Há pessoas que, por causa de ideias pré-formadas, não querem ouvir e muito menos conhecer o que venha a ser a Amizade Especial. Em seus corações existem argumentos como: Isso não vai dar certo! Não vou conseguir ficar sem beijar, isso é fanatismo e outras tantas ideias que tentam justificar a continuidade das carícias no namoro.

Outras pessoas entendem como sendo de Deus, pois a experiência no namoro encaminhou-os ao pecado e hoje, tem como desafio a santidade. Um jovem disse ao seu pastor: *Pastor, a Bíblia diz para que creiamos em nossos profetas e prosperaremos. No princípio, achei difícil aceitar a Amizade Especial, mas sei que tenho pastores que me amam e desejam o melhor para minha vida. Creio que vocês não estão inventando moda e sim, seguindo a direção de Deus. Não quero ficar fora disso!".*

Estou certo de uma coisa: os jovens que optam pela Amizade Especial, depois de algum tempo, terão a seguinte experiência – um compromisso mais sério com um pensamento firme no casamento.

Dar fim às carícias através da Amizade Especial, o relacionamento será mais prazeroso porque haverá mais intimidade com Deus e o envolvimento com atividades da igreja e com amigos. Haverá também, projetos para o casamento.

Certa jovem disse o seguinte ao seu pastor: "*Pastor quando estava namorando, o envolvimento físico cegou os meus olhos e não conseguia enxergar os defeitos graves que não gostaria de ver no meu futuro marido. Quando entrei na Amizade Especial, passei a conhecê-lo, intimamente, descobrindo o tipo de caráter que ele tinha. Hoje estamos noivos e temos planos de nos casar o mais breve possível. A ausência de contato físico nos aproximou de Deus e as falhas no caráter estão sendo trabalhadas".*

Este pequeno testemunho retrata a verdade de que o envolvimento físico no namoro, oculta áreas importantes que devemos conhecer na pessoa com quem iremos nos casar. No namoro, depois que a pessoa está excitada, ela não tem condições de agir pela razão, age, na verdade, pelos seus instintos. É difícil alguém interromper uma ação depois de estar excitado. Quando isso acontece, tudo o que você aprendeu ao longo dos anos de educação cristã vai por água abaixo. É como uma árvore que demorou 30 anos para crescer, e em alguns segundos, uma motosserra pode derrubá-la. O namoro põe em risco, anos de investimento, educação dos pais e da Igreja.

A Amizade Especial preserva os jovens para um casamento sem mácula. Esse tipo de relacionamento traz unidade ao casal e os desperta para novos horizontes, antes não descobertos. A amizade e o companheirismo serão os carros-chefe da relação. Os pais saberão onde os filhos estão e o que estão fazendo, e, então se unirão em torno de um projeto de casamento para os dois. Amizade Especial dará legalidade para ensinar os futuros filhos sobre santidade no relacionamento, resgatando os valores morais esquecidos pela juventude atual.

Para que você tenha ainda mais conhecimento sobre a Amizade Especial e possa fazer uma escolha acertada, vamos fazer mais algumas comparações com o namoro:

Na Amizade Especial é bom que o rapaz ou moça tenha idade e maturidade suficiente para que possam pensar em noivado e casamento.

Para isso é necessária a bênção dos pais e dos líderes espirituais, que ajudarão nas decisões a serem tomadas. Sugerimos a idade mínima entre 17 e 18 anos porque muitos adolescentes querem entrar na Amizade Especial sem a mínima condição de formar uma família.

São vários os fatores influentes, entre eles estão as formações intelectuais do jovem, o emprego, a moradia, a bênção dos pais.

Nosso conselho é que os adolescentes esperem o momento certo para entrarem na Amizade Especial, para que o tempo de espera não seja longo demais e assim, haja vulnerabilidade às tentações da carne.

O ideal é que o tempo da Amizade Especial não passe de 2 anos. Esse tempo é suficiente para saber se realmente esta pessoa é ou não a sua "costela". O namoro quando passa de dois anos, entra na chamada "enrolação" e aí você já sabe o que acontece...

Para você, que é adolescente, meu conselho é que você se dedique, em primeiro lugar, ao seu relacionamento pessoal com Deus, aos seus estudos, ao relacionamento familiar, principalmente, com seus pais e nas atividades de sua igreja. Se você esperar mais um pouco, será menor o tempo de espera para ficar noivo e casar com a benção completa de Deus.

Já no namoro, como dissemos, a idade com que se tem começado a namorar é cada vez menor. Uma adolescente que começa a namorar, com 12 ou 13 anos, por exemplo, dificilmente terá um namoro com o propósito de casamento. Se este não é o objetivo a brecha para o pecado será aberta, que irá prejudicar muito o sonho de se ter uma família feliz abençoada por Deus! É muito importante que o adolescente não aborte fases de sua vida. Criança precisa ser criança até último momento, adolescentes precisam viver essa fase com as coisas próprias da adolescência. Viva cada fase da vida como ela deve ser vivida. Tudo tem seu tempo! O seu dia vai chegar! Os atalhos da vida encurtam o caminho, mas fazem perder a direção.

A Amizade Especial direciona o casal para o noivado, que é um compromisso de matrimônio pessoal e voluntário.

O noivado é um compromisso de casamento e indica que a busca por um cônjuge acabou: os dois se acharam e agora só falta o casamento que já deve estar de data marcada. Enquanto o namoro direciona o casal para o suprimento de seus desejos carnais e socialmente, para a apresentação de uma companhia aos amigos, a amizade especial tem esta vantagem.

A Amizade Especial tem o propósito de providenciar para o casal de amigos, um tempo para descobrir, contabilizar e avaliar a compatibilidade dos dois para um casamento até que a morte os separe.

O namoro atual é uma experiência moderna que permite aos jovens um acesso prematuro a um relacionamento sério e possessivo. Por isso, todo término de namoro transforma-se em um trauma para os namorados. Já na Amizade Especial se houver um rompimento por algum motivo, a separação não será tão difícil, pois não houve envolvimento fsico. Por isso, não haverá cobranças, nem sentimentos de culpa.

A Amizade Especial é a garantia de que seu amigo (a) não está com você por interesse, e sim porque você é a pessoa com quem ele (a) gostaria de viver pelo resto da vida.

No namoro não há garantia: Experimentou e não gostou, troca-se!

Na Amizade Especial, ambos têm plena liberdade de conversar, brincar e se relacionar de forma saudável e espiritual com outras pessoas sem que haja cobrança ou ciúme.

Neste relacionamento sua amiga ou o seu amigo deve ter a liberdade de conhecer o máximo de pessoas que puder e quiser. Se dentre tantas ele te escolher, é porque você a todas sobrepuja. No namoro acontece o contrário. Os dois estão sempre sozinhos, têm poucos amigos e impera o ciúme.

Na Amizade Especial, a participação dos pais e a interação entre as famílias acontecem como nos velhos tempos.

No namoro, os pais, geralmente, não se conhecem e também não sabem onde seus filhos estão e nem o que estão fazendo.

Como começar uma amizade Especial

Se você já cumpriu os requisitos mencionados, quanto à idade, aprovação dos pais, e a bênção dos seus pastores, então, vamos ao que interessa! Hoje tenho 24 anos de casado. Temos dois lindos filhos, Lucas e Diogo, que são bênçãos em nossas vidas e na igreja. Eu e minha esposa nos amamos intensamente. Podemos dizer que somos eternos namorados.

Quando iniciei o relacionamento com ela, mesmo sendo pastor, eu nada sabia a respeito de Amizade Especial, mas eu disse prá ela o seguinte: Eu não estou procurando uma namorada e sim uma esposa. Vamos estar orando, sim, mas pensando no casamento. Ela até levou um susto! Mas eu creio que ela gostou!! Na verdade ela viu que eu não queria "brincar" com os seus sentimentos e sim dar valor a ela como pessoa dentro de um compromisso sério. E deu certo.

Tenho aprendido muito sobre o comportamento dos jovens e adolescentes e a maneira como eles têm começado um relacionamento, não é a maneira correta.

Você, jovem, precisa aprender a ser diferente da massa! Não faça o que todo mundo faz! Já ouviu alguém falar que os homens são todos iguais? Isso é uma grande mentira! Você é diferente! Quer saber aonde você é diferente? Você é determinado, sabe o que quer, é separado por Deus para fazer a diferença no mundo, você nasceu para conquistar, Deus o criou para ter um lar feliz, você influencia e não é influenciado, você não participa de conversas indecentes, o pecado não tem mais domínio sobre você, você é educado, gentil e inteligente. Viu quantas qualidades você tem? Então aja da maneira correta. Faça conforme o modelo, e todos verão que você não é "todo mundo". Você é único, especial e insubstituível para Deus e para sua "costela".

Precisamos entender que Deus nos dá o direito de escolher a benção! Isso não é bom? Não creio em profecias do tipo que dizem: Eis que "eu" te digo: "O teu varão é alto, alvo e rosado. Ele é o teu escolhido. Fale logo com ele antes que outra varoa tome o seu lugar". Deus respeita o seu gosto: Loira, morena, alta, baixinha, magrinho, gordinha, cabelo liso ou encaracolado. Seja qual for o gosto, tenho certeza que existe uma ou um que atenderá as suas expectativas.

Você está procurando alguém? Então tenho uma ótima notícia para você: Também há uma pessoa procurando por você. Quando menos você esperar, vocês irão se chocar! Você pode dizer amém?

Feita a escolha, consulte o seu líder espiritual (pastor) para lhe pedir conselhos. Ouça o que ele vai dizer, se ele der o sinal verde, aproxime-se desta pessoa, e faça o seu marketing pessoal de banho tomado, desodorante atualizado, dentes escovados com hálito puro e refrescante, um perfume não muito forte, usando aquela roupa que você mais gosta e, por favor, use a estratégia certa, que com certeza, não será aquela que usam na rua chamada "assovio do coiote".

Por favor! Não queime seu filme! Lembre-se que as meninas comprometidas com Deus são diferentes. Elas são finas! Elegantes! Santas! Aproxime-se da bênção e comece a desenvolver uma conversa inteligente. É bom que você descubra o seu "hobbie" para falar algo sobre ele. Se ela gosta de esporte, fale algo sobre o seu esporte favorito. Se ela gosta de animais, que tal dar um de presente?

Todas as vezes que você mostrar gentileza e carinho por essa pessoa, ela demonstrará se está gostando de você ou não! Se você perceber que existe reciprocidade no sentimento, aí está na hora de partir para o "ataque".

A melhor estratégia para começar a Amizade Especial é ter audácia, sem muito rodeio! Vou dar um exemplo como se fosse conquistar minha esposa de novo. Faria mais ou menos assim: *"Oi Deiva, tudo bem? tem algum tempo que tenho olhado para você de uma forma diferente. Vejo em você qualidades que gostaria de ver em minha futura esposa. Acho você linda e admiro muito o amor que você tem por Jesus e sua obra. Tenho um sentimento por você e quero saber se posso dar continuidade ou interromper esse sentimento. Para ser mais claro, gostaria de saber se gostaria de ser minha Amiga Especial".*

Difícil? Creio que se fosse hoje ela não resistiria e diria sim novamente! O máximo que pode acontecer é você ouvir um não! Se isso acontecer, vai doer só um pouquinho, mas passará logo!

Os vencedores não são aqueles que não perdem, mas os que sempre aceitam os desafios. Não se esqueça de que antes de se declarar é necessário observar as atitudes para perceber se seu sentimento está sendo correspondido. Se estiver, as chances de negar o pedido serão mínimas. Se não funcionar, não fique desanimado. Ela não sabe o que está perdendo!

Você pode me perguntar: - "E se ela disser sim! O que eu faço?". Em primeiro lugar, parabéns! Você é muito bom de papo! Você será um grande evangelista! Primeiro vou dizer o que você não deve fazer. Você não deve "lascar" um beijo daqueles como no namoro. A primeira coisa que deve ser feita é uma oração pedindo a bênção para começar o "triângulo amoroso", lembra-se? DEUS, VOCÊ e sua AMIGA ESPECIAL. Em seguida dê um beijo NA TESTA ou NO ROSTO e comunique ao seu pastor, que estará acompanhando o desenvolvimento da Amizade Especial.

Não é fácil? Ouvir um sim para a Amizade Especial é o prenúncio de um futuro casamento que terá a benção completa de Deus. Não troque isso por nada neste mundo. Seja bem vindo à geração mais feliz desta terra. Vamos juntos alcançar o melhor de Deus. A santidade é a nossa bandeira! Jesus é o centro de tudo e fazer discípulos é a nossa missão. Você faz parte da geração de jovens apaixonados por Jesus. Esta geração não vai ser ela já é uma benção!

Conclusão

Quero concluir apenas dizendo o seguinte: Eu creio que Deus está levantando nesta geração. Jovens dispostos a serem diferentes e a fazerem diferença, vivendo uma VIDA DE SANTIDADE. Você está disposto a fazer parte deste grupo?

Você só vai experimentar em sua vida o melhor de Deus quanto você tiver disposto a oferecer o seu melhor para Deus.

A Parábola da Indecisão

Havia um grande muro separando dois grandes grupos. De um lado do muro estavam Deus, os anjos e os servos leais de Deus. Do outro lado do muro estavam Satanás, seus demônios e todos os humanos que não servem a Deus.

E em cima do muro havia um jovem indeciso, que havia sido criado num lar cristão, mas que agora estava em dúvida se continuaria servindo a Deus ou se deveria aproveitar um pouco os prazeres do mundo.

O jovem indeciso observou que o grupo do lado de Deus chamava e gritava sem parar para ele:

— *Ei, desce do muro agora... Vem pra cá!*

Já o grupo de Satanás não gritava e nem dizia nada. Essa situação continuou por um tempo, até que o jovem indeciso resolveu perguntar a Satanás:

— *O grupo do lado de Deus fica o tempo todo me chamando para descer e ficar do lado deles. Por que você e seu grupo não me chamam e nem dizem nada para me convencer a descer para o lado de vocês?*

Grande foi a surpresa do jovem quando Satanás respondeu:

—***É porque o muro é MEU.***

Nunca se esqueça: Não existe meio termo. O muro já tem dono.

Pense nisso!

I Pedro 2:9 declara:

"Vós, porém, sois raça eleita, sacerdócio real, nação santa, povo de propriedade exclusiva de Deus, a fim de proclamardes as virtudes daquele que vos chamou das trevas para Sua maravilhosa luz."

Material Pesquisado

1. **Transar ou não transar?**
   Sergio e Magali Leoto – Editora Abba Press

2. **Apostila Namoro, Noivado e Casamento**
   Jaime Kemp

3. **Abrindo o Jogo Sobre o Namoro**
   Caio Fábio – Editora Betânia

4. **Vale a Pena Esperar**
   Tim Stafford – Editora Vida

5. **Respostas Francas a Perguntas Francas – Vol. II**
   Jaime Kemp

6. **A Família Feliz – Jovens Preparados**
   UFMBB

7. **Jornal Palavra da Vida**
   Artigo: O Jovem Crente e o Namoro

8. **Estudo Bíblico**
   Casamento Misto

9. **Revista Jovem Cristão - nº 17**
   O Homem Solteiro (pag. 08)

10. **Revista Jovem Cristão - nº 15**
    O Flerte visto por Deus (pag. 17)

11. **Revista Juventude - 2T 89**
    Solteirice

12. **Para Ser Feliz no Casamento**
    Theodore F. Adams – Juerp/1976.

13. **Apostila Curso: Conflitos da Vida**

14. **Resolva Seus Grilos – Respostas para perguntas da adolescência**
Josh MacDowell & Bill Jones – Jumoc

15. **Em Busca da Costela Perdida**
Jesiel Botelho – Editora Sepal

16. **Artigo: Como Encontrar o Par Ideal**
Rosana Salviano - Jornalista do Eu Creio

17. **Artigo: Como Você Pode Ainda Estar Solteira?**
Neuza Itioka

18. **Manual de Sobrevivência para o Jovem Cristão**
Pr. Lúcio Barreto (Lucinho)

19. **A Face Oculta do Amor – Desmascarando o espírito de sensualidade**
Marcos de Souza Borges ("Coty") – Editora Jocum

20. **Artigo: Tatuagem**
Pr. Lúcio Barreto (Lucinho)

21. **Amizade Especial**
João Wesley – Editora Palavra

22. **A vontade de Deus para a minha vida.**
Adroaldo Veloso – Produção Independente

23. **Revista Galileu - n.º 86 - Setembro de 1998**
Editora Globo

24. **O Brasil tatuado e outros mundos.**
Toni Marques – Editora Globo

25. **Artigos: Breno Amaral**
Igreja Batista da Lagoinha

26. **Artigo: Piercing**
Dr. Artur Cerri - Universidade de Santo Amaro - UNISA (SP)

27. **Eu Escolhi Esperar**
Artigos: Pr. Leandro Almeida **(***Pastor de Jovens da Igreja Batista da Lagoinha – Belo Horizonte)***;** *Simone Messina e Nelson Junior* **(***Pastor e Idealizador do Eu Escolhi Esperar). Disponivel em: www.euescolhiesperar.com.br*

28. **Raízes da Depressão**
Marcos de Souza Borges (Coty) – Editoria Jocum

29. **Artigo: Oito Tipos de Homens Para Não Se Casar**
J. Lee Grady - Diretor do Mordecai Project
Tradução e Versão: Carla Ribas (Viva Bons Momentos)
Adaptação: Nelson Junior - Pastor e Idealizador do Eu Escolhi Esperar
Twitter: @NelsondoEEE

30. **Artigos Pr. Leandro e Aline Almeida**
Disponível em: www.prleandroalmeida.com

31. **Internet:**
http://noticias.gospelmais.com.br/tag/namoro
http://realizese.com/pedroesimone/
www.tattoos.com
www.summers.com.br/~tattoo

Sobre o Autor

Francisco José Carvalho Izidoro, nasceu no dia 31 de março de 1955, em Tombos do Carangola, Minas Gerais, filho do casal Atamil Izidoro e Zenilda Izidoro. Ele é o primogênito dos seus cinco irmãos: Atamil, Janio, Izabel, Jerson e Tatiane.

Francisco se converteu em julho de 1974, com 20 anos de idade. Formou-se em teologia no Seminário Teológico Batista Fluminense, em Campos, Rio de Janeiro, em dezembro de 1979.

Foi ordenado a Pastor no dia 31 de março de 1980, na Igreja Batista de Vila Nova, em Mantena, (MG). Ali começava o seu primeiro ministério. Nesse período, formou-se também Bacharel em Direito.

Casou-se no dia 8 de março de 1986, com Deiva Ramos Rangel Izidoro, formada em Teologia, que depois de casada formou-se também em Música Sacra.

O Pastor Francisco pastoreou a Igreja Batista de Vila Nova durante sete anos e meio, realizando ali um ministério inesquecível e abençoado.

Em outubro de 1987 tomou posse da Igreja Batista em Itacibá, Vitória, Espírito Santo. Naquela localidade nasceram seus dois filhos: Lucas, no dia 16 de maio de 1988 e dois anos depois, no mesmo dia e mês, o Diogo. Filhos que têm trazido muita alegria para o casal.

Após oito anos de um abençoado ministério em Itacibá, Deus o chama para pastorear a Primeira Igreja Batista Brasileira de New York, onde está desde 14 de outubro de 1999.

Para mais informações acesse o site:
www.pibbrny.org

19417351R00160

Made in the USA
Middletown, DE
18 April 2015